研究生教学参考用书

油气综合勘探方法

郭少斌　编著

中国地质大学出版社

图书在版编目(CIP)数据

油气综合勘探方法/郭少斌编著.—武汉：中国地质大学出版社，2006.10

ISBN 7-5625-2104-2

Ⅰ.油…
Ⅱ.郭…
Ⅲ.油气勘探-研究生-教学参考资料
Ⅳ.P618.130.8

中国版本图书馆 CIP 数据核字(2006)第 083400 号

油气综合勘探方法	郭少斌 编著
责任编辑:赵颖弘	责任校对:戴 莹
出版发行:中国地质大学出版社(武汉市洪山区鲁磨路388号)	邮政编码:430074
电话:(027)87482760 传真:87481537	E-mail:cbb@cug.edu.cn
经 销:全国新华书店	http://www.cugp.cn
开本:787mm×1 092mm 1/16	字数:365 千字 印张:14.25
版次:2006 年 10 月第 1 版	印次:2006 年 10 月第 1 次印刷
印刷:湖北地矿印业有限公司	印数:1—800 册
ISBN 7-5625-2104-2/P·668	定价:48.00 元

如有印装质量问题请与印刷厂联系调换

序

　　现代油气勘探是经济、技术方法、时间等要素构成的系统工程。系统中要素相互制约、相互促进,系统中技术方法要素是系统工程的核心。有了先进的技术方法就可以加快勘探速度、提高勘探成功率、降低勘探风险。

　　从宏观上看,油气资源勘探的历史可分为3个时期:20世纪70年代以前,20世纪70年代以后至20世纪80年代以前,20世纪80年代以后。20世纪70年代以前,是以传统的地质测量法及重、磁、电、地震勘探方法为主,配合适当的钻探工程,主要任务是解决盆地的构造问题。20世纪70年代以后,由于它与其他自然学科互相渗透、互相交叉,促进油气勘探向综合型发展。地震地层学的产生极大地丰富了反射地震勘探信息量,使反射地震信息与地层、岩性密切关联起来,为油气勘探预测评价提供了大量新的参数信息。尽管如此,这时期油气勘探预测仅能作出有利与不利的定性评价,确定油气聚集的空间场所。20世纪80年代以来,随着人类对能源需求骤增和勘探费用骤涨,时间的价值性和效率的重要性为油气地质学家所关注。他们已把主攻目标对准直接检测油气藏的定量评价领域。这时期的特点是:以石油地质学理论为基础,以现代开放思维技术方法及信息论为指导,提取与评价相关联的直接参数、间接参数,并进行综合。从立体空间的角度,多方位、多参数、多层次对油气进行预测。

　　郭少斌博士自20世纪80年代末期以来,主持和参与了油气综合勘探方法的研究和探索工作。作者结合国内外许多学者的研究成果,进一步完善了油气勘探方法体系。《油气综合勘探方法》是作者近几年的研究及前人成果的概括总结。本书从各种油气勘探方法的基本原理、应用、勘探实例的角度对不同方法进行系统的介绍。该书资料翔实,具有旁证博引、理论系统与实践紧密结合的特点。

　　本书的出版,对油气地质专业的研究生教学和石油勘探科研人员都有一定的参考价值。当然油气综合勘探方法还存在的问题有待今后进一步探讨和解决。

中国科学院院士
2006年5月1日

前 言

要寻找深埋在地下几千米的油气田资源,的确不是一件容易的事。人们经过不断的试验和总结,吸取和引用了许多其他学科的新技术、新理论,建立了一整套油气勘探的方法和技术体系,即油气田勘探工程。油气田勘探工作是一项以寻找油气藏(田)为基本目的的系统工程。随着现代科学技术水平的不断提高,勘探方法与技术日趋成熟。要高水平、高效率地发现和寻找油气田,必须充分利用各种勘探手段,采用各种先进技术和综合配套的勘探方法。目前采用的勘探方法主要有地质钻井法、地球物理勘探法、地球化学勘探法及综合信息预测法。

第一类是地质钻井方法。地质法是传统的最基本、最主要的工作方法。其研究内容十分广泛,泛指地面地质调查、井下地质研究、各种地质资料的收集、实验(包括模拟)和地质综合分析,以及地球物理、地球化学等资料的成果解释。该方法通过观测、研究裸露在地面的地层、岩石,对地质资料进行分析综合,了解一个地区有无生成油气和储存油气的条件,最后提出对该地区的含油气评价,指出有利地区。有时在岩石裸露的地区,也可能直接发现油气藏。

钻井是油气勘探中必须采用的重要手段。利用物探方法寻找到的地质构造是不是储存了油气,还需要通过钻探才能确定。从勘探到开发油气藏都要钻井,在不同勘探阶段,钻井的目的及任务有所不同。

从地质法和钻井法的概念上我们可以看出,广义地讲,地质法已经涵盖了钻井方法,但钻井法又专门指通过钻探手段来研究地质问题,所以概念上我们分别作了介绍,而在实际的油气勘探过程中,两种方法常常紧密结合,没有必要作出明确的划分,因此这里将两者归结为一种方法。

第二类是地球物理方法。该方法是利用物理原理和技术获取某些地质参数、特征及变化规律,从而对地质问题作出实际的解释。它是油气勘探不可缺少的重要勘探手段,是研究区域构造和局部构造的有效方法。在地表为松散沉积或沙漠覆盖的地区,或被海水覆盖的海洋上,地面和海面上看不到岩石,地质法就受到了很大的限制。此时就要应用地球物理方法。它是根据地质学和物理学的原理,利用电子学和信息论等领域的新技术建立起来的一种较新的勘探石油方法。利用各种物理仪器,观测地壳上的各种物理现象,从而推断、了解地下的地质构造特点,寻找可能的储油构造。现代应用于石油勘探的主要地球物理方法有:重力勘探、磁法勘探、电法勘探、放射性勘探、地震勘探、地球物理测井等。

第三类是油气地球化学勘探方法。它是应用地球化学的分支学科。该方法借助于现代分析测试仪器和技术手段在不同介质中直接鉴别石油和天然气化学成分、油气运移迹象及其在地表的衍生物,查明和评价区域含油气远景,这是发展最快、很有前途、周期短、见效快的一种方法。

第四类是综合信息预测方法。在利用地质钻井、物化探信息时,从各种资料中提取的各种信息,在某种程度上都具有一定的"不确定性"。因此,综合信息油气预测不仅需要掌握多学科知识的科研人员,而且需要对各种信息运用合理的数学方法进行综合,建立各种数学模型和判别式,如果这种模式一旦被建立起来,不仅会迅速评价一个含油气盆地,选择石油勘探的靶区,而且还会改变传统的石油勘探程序,节省大量的勘探经费,加快勘探速度。

本书从各种油气勘探方法的基本原理、应用、勘探实例的角度对不同方法进行系统的介绍。

笔 者
2006 年 5 月于北京

目 录

1. 地质钻井方法 ……………………………………………………………………… (1)
  1.1 地质钻井方法的基本原理 …………………………………………………… (1)
  1.2 地层（油层）对比及特性研究 ………………………………………………… (1)
    1.2.1 地层对比研究 …………………………………………………………… (1)
    1.2.2 地层特性的研究 ………………………………………………………… (8)
    1.2.3 油层对比和油层特性研究 ……………………………………………… (17)
  1.3 断层及其封闭性研究 ………………………………………………………… (23)
  1.4 地下古构造研究 ……………………………………………………………… (37)
    1.4.1 地下古构造的研究方法 ………………………………………………… (37)
    1.4.2 油气田构造图的编制与应用 …………………………………………… (40)
    1.4.3 趋势面分析的应用 ……………………………………………………… (48)
  1.5 油气田地质剖面图的编制与应用 …………………………………………… (52)

2. 地球物理方法 ……………………………………………………………………… (57)
  2.1 重力方法 ……………………………………………………………………… (57)
    2.1.1 重力方法概述 …………………………………………………………… (57)
    2.1.2 重力方法应用及实例 …………………………………………………… (58)
  2.2 磁法方法 ……………………………………………………………………… (64)
    2.2.1 磁法方法概述 …………………………………………………………… (64)
    2.2.2 磁法的应用及实例 ……………………………………………………… (65)
  2.3 电法方法 ……………………………………………………………………… (69)
    2.3.1 电法方法概述 …………………………………………………………… (69)
    2.3.2 电法勘探应用实例 ……………………………………………………… (70)
  2.4 放射性方法 …………………………………………………………………… (77)
    2.4.1 放射性方法概述 ………………………………………………………… (77)
    2.4.2 放射性方法应用实例 …………………………………………………… (77)
  2.5 地震方法 ……………………………………………………………………… (79)
    2.5.1 地震勘探方法概述 ……………………………………………………… (79)
    2.5.2 地震资料解释 …………………………………………………………… (80)
  2.6 地球物理测井方法 …………………………………………………………… (114)
    2.6.1 地球物理测井方法概述 ………………………………………………… (114)
    2.6.2 利用单井倾斜测井资料研究地下构造和褶曲要素 ………………… (116)
    2.6.3 利用倾斜测井资料判断沉积环境 ……………………………………… (124)

  2.6.4 利用自然电位曲线解释沉积环境 …………………………………………… (134)
3. 地球化学方法 ……………………………………………………………………… (147)
 3.1 地球化学勘探基本原理 ……………………………………………………… (147)
 3.2 化探在油气勘探中的作用及地质意义 ……………………………………… (147)
  3.2.1 化探在油气勘探中的作用 ……………………………………………… (147)
  3.2.2 不同化探异常的地质意义 ……………………………………………… (149)
 3.3 地表直接地球化学方法 ……………………………………………………… (150)
  3.3.1 土壤吸附烃类（酸解烃） ……………………………………………… (150)
  3.3.2 土壤吸附丝（热释烃） ………………………………………………… (151)
  3.3.3 紫外荧光与紫外吸收光谱 ……………………………………………… (151)
  3.3.4 甲烷稳定碳同位素 ……………………………………………………… (152)
 3.4 地表间接地球化学方法 ……………………………………………………… (153)
  3.4.1 土壤蚀变碳酸盐（ΔC） ………………………………………………… (153)
  3.4.2 微量金属元素 …………………………………………………………… (155)
 3.5 井中地球化学方法 …………………………………………………………… (155)
  3.5.1 井中地球化学方法概述 ………………………………………………… (155)
  3.5.2 井中化探油气特征响应 ………………………………………………… (156)
  3.5.3 井中化探异常模式 ……………………………………………………… (157)
 3.6 油气综合化探工作方法 ……………………………………………………… (157)
  3.6.1 油气化探土壤样品的采集深度 ………………………………………… (157)
  3.6.2 土壤样品采集层位和介质的统一 ……………………………………… (160)
  3.6.3 土壤样品采集可靠性的相关检验 ……………………………………… (162)
  3.6.4 吸附烃样品脱气温度的选择 …………………………………………… (163)
  3.6.5 不同景观条件下背景值的确定方法 …………………………………… (164)
 3.7 地球化学勘探方法应用实例 ………………………………………………… (166)
  3.7.1 柴达木盆地葫芦山构造的多信息化探检测 …………………………… (166)
  3.7.2 广西百色盆地综合油气化探寻找油气田的效果 ……………………… (168)
  3.7.3 化探多信息在小合龙地区找油气中的应用 …………………………… (175)
  3.7.4 松辽盆地南部井下油气化探应用研究 ………………………………… (178)
4. 综合信息预测方法 …………………………………………………………………… (183)
 4.1 预测油气藏的信息类型 ……………………………………………………… (183)
  4.1.1 信息类型的划分 ………………………………………………………… (183)
  4.1.2 不同类型信息在预测油气藏中的相互关系 …………………………… (184)
 4.2 各类油气藏信息的提取 ……………………………………………………… (185)
  4.2.1 单斜油气藏信息提取 …………………………………………………… (185)
  4.2.2 背斜油气藏信息提取 …………………………………………………… (187)
  4.2.3 断层油气藏信息提取 …………………………………………………… (190)
  4.2.4 裂缝性油气藏信息提取 ………………………………………………… (194)

4.2.5 地层不整合遮挡油气藏信息提取 …………………………………………（195）
4.3 综合信息预测数学方法简介 …………………………………………………（199）
4.3.1 特征分析法 ………………………………………………………………（199）
4.3.2 模糊评判法 ………………………………………………………………（200）
4.3.3 神经网络法 ………………………………………………………………（201）
4.3.4 组合熵法 …………………………………………………………………（202）
4.4 应用实例 ………………………………………………………………………（202）
4.4.1 应用特征分析法预测松辽盆地扶余油层有利勘探区 …………………（202）
4.4.2 应用模糊评判法预测伊通断陷及延吉盆地含油气有利勘探区 ………（206）
4.4.3 应用神经网络法及组合熵预测含油气有利勘探区 ……………………（212）

参考文献 …………………………………………………………………………………（215）

段的对比,它们是油气田勘探阶段和开发初期经常研究的内容。

一、地层对比的依据及方法综述

地层的岩性变化,岩石中生物化石门类或科、属的演变,岩层的接触关系以及岩层中含有的特殊矿物及其组合,等等,它们都客观地记录了地壳的演变过程、涉及范围和延续的时间,这为分层以及把油区内相距很远的地层剖面有机地联系起来提供了可能性与现实性。

地层对比方法很多,包括岩性对比、岩相对比、古生物组合对比、重矿物组合对比、构造对比以及层序地层对比等多种多样的方法。

岩性对比是小范围内常用的对比方法,其依据是:沉积成层原理以及在沉积过程中相邻地区岩性的相似性、岩性变化的顺序性和连续性。利用岩石的颜色、成分、结构、沉积构造和旋回性等特征进行岩性分层,进而作井间地层的对比。岩性变化必然导致测井曲线的差异,因此,可以利用测井曲线间接地进行岩性对比。测井曲线对比,是根据同层相邻井曲线的相似性,或根据几个稳定的电性标志层作控制,且考虑到相变来进行的。利用测井曲线进行地层对比的优越性在于:它提供了所有井孔全井段的连续记录。尤其重要的是,它的深度比较正确,并能从不同侧面反映岩层的属性。常用的对比曲线有视电阻率曲线和自然电位曲线。此外,自然伽玛曲线、中子测井曲线等也提供了很有价值的参考。

对于岩性和厚度变化剧烈、有不整合以及经受过强烈构造运动的地区,或在井眼稀少的情况下,应该采用岩相对比法。这种方法的依据是:在同一时间的层段中,相邻井所处的沉积环境是相近的,在成因上是相互联系的。为此,要观察与收集岩心的环境标志,建立微相剖面,并且利用能反映岩性组合特征的曲线,划分地层层段,进行井间岩相剖面的对比。

古生物对比,是研究岩心(或岩屑)剖面上生物组合的演变,根据古生物组合划分地层单元。它是对比的有力根据,在建立分层的时间概念上是极为重要的。

重矿物对比与古生物对比相似,它局限于取心井段,按重矿物组合的变化分层。重矿物对比有助于对古地理的了解,特别是对物源区的识别。

构造对比是利用地层之间的构造接触关系,例如不整合和假整合标志,因其具有区域特征,可用来划分地层和进行对比。地壳运动的结果必然引起沉积条件的改变和古生物特征及其组合的变化,因此利用不整合面划分和对比地层,实质上与重矿物法、古生物法是一样的,它可以作为分层和对比的依据之一。

层序是指一套相对整一的、成因上存在联系的、顶底以不整合面或与之可对比的整合面为界的地层单元(Mitchum,1977)。层序是一个具有年代意义的地层单位,层序内部相对整合的地层形成于同一个海平面(或湖平面)升降旋回中,层序是由成因上有联系的多种沉积相在纵向和横向上的有序组合。层序地层学是划分、对比和分析地层的一种新方法。

应当指出,随着分析化验手段的日益增多,很多分析指标都可以与地质条件相结合,用于地层对比,如超微体化石等,在此不一一列举。

二、传统地层对比的步骤

(一)确定对比标志

1. 等时面的确定

现代沉积或古代沉积都证实了陆相和海相之间存在着横向联系。粗碎屑沉积在横向上逐渐变成细粒沉积,进而过渡到碳酸盐沉积。岩体内部的岩性界面可以平行或穿过等时面。为了要正确对比地层,必须首先确定等时面,指出它们在总的地层层序中的位置。不坚持时空概念,就不可能进行正确的地层对比。

时间标准层代表等时面。为了便于对比,应在剖面中找出尽可能多的等时面,要求它们在岩性上或者在测井曲线上容易识别,分布广泛,岩性稳定。例如:

(1)膨润土层:测井曲线为高电阻率、高自然伽玛值。
(2)碎屑岩中夹有的致密薄层灰岩:高电阻率值。
(3)煤层:高电阻率、高自然伽玛值。
(4)薄的黑色页岩层:地质录井标志明显。
(5)碳酸盐岩剖面中某些石膏夹层和泥岩夹层:泥岩或页岩为低电阻率和高自然伽玛值。
(6)碎屑岩剖面中夹的稳定泥岩段:低电阻率和高自然伽玛值。

地层对比首先是标准层的对比。显然,在剖面上标准层越多,分布越普遍,对比就越容易进行。有的标准层分布范围小,岩性或电性不太稳定时,可以选作辅助标准层,或作为小范围标准层。

2. 沉积旋回的确定

沉积旋回指在沉积剖面上岩性有规律的变化。由下而上岩性由粗变细的称为正旋回,反之称为反旋回。造成旋回的原因,有的由于地壳周期性升降运动所致,它的影响范围大;也有的由于沉积物堆积速度超过地壳下降幅度,其影响范围较小,如砂体前积会造成反韵律的剖面特点。区域地层对比主要用大型(或高级次)的沉积旋回作为对比的依据。

3. 特殊岩性层段的确定

特殊岩性段可以作为对比过程中大套控制的依据。要求它在剖面上分布稳定,录井标志及曲线特征清楚,如碎屑岩剖面中的膏盐段、油页岩及钙质页岩段等。

(二)典型井(或典型井段)的选择

典型井的条件应该是位置居中;地层齐全,而且有较全的岩心录井资料,包括古生物和重矿物分析成果;测井资料齐全,曲线标志清楚。以典型井作为地层对比时的控制井。

(三)骨架剖面的建立

骨架剖面应通过典型井向外延伸,一般先选择岩性变化小的方向,这样容易建立井间相应的地层关系。然后从骨架剖面向两侧建立辅助剖面以控制全区。

对比时首先将井位、井深按比例画出。当井距变化很大时可以变比例尺或采取等间距。其次,将分层界限和岩性画在井身剖面上,特别要标出时间标志层、旋回层及特殊层段。最后将相应的标志层、旋回层和特殊层段用对比线相连。

(四)面积控制及地层分层数据表

以骨架剖面上的井作控制,向四周井作放射井网剖面,进行对比;或作面积闭合的地层对比,要求分层的闭合误差达到最小。

对比结束后,要求统一各井的分层数据,作为地层研究的基础资料。

(五)对比过程中的地质分析

对比工作不仅是为了获取地层分层数据,对比过程本身也就是对地下地质研究和分析的过程。根据沉积盆地沉积成层原理,井间各层对比线的变化应该是协调的。如果出现异常,则需要分析其原因,是否是由于分层错误,还是由于地质现象造成的。经常出现的异常井段有两类:一类是沉积层序问题,即地层层序出现重复、缺失或层序倒转,这类地质现象均与构造运动有关。在对比中应该将这种异常井段挑出,并留在构造分析与制图中重点解决。另一类问题是对比中厚度有异常的变化。如果是由于不整合引起的异常,则其厚度变化是有规律的,而且具有区域性特征;如果只出现于个别井或个别井段时,则可能与断层有关。在对比时可采用由正常井段逼近异常井段的方法,找出断缺或重复井段。由沉积引起的厚度变化,在对比时将相应层段仔细分析后,往往发现厚度的变化是有规律的。此外,在连接对比线时,必须考虑到井间岩性变化。总之,在对比过程中如发现异常的对比线,则应认真分析,要求经过修正后,应使面积闭合误差达到最小。

现举例说明地层对比中常出现的几种地质现象(图1-1)。A例是地层超覆造成的上覆地层厚度异常;B例是剥蚀形成的厚度异常;C例属岩性变化,实线为岩性对比线(错误),虚线为考虑相变后的对比线(正确);D例是由于2井地层断缺产生的厚度异常。

三、层序地层对比步骤

单井层序分析有利于建立层序地层纵向格架,分析沉积环境,初步确定有利的砂体层段。但是仅仅单井层序分析是远远不够的,而以单井层序分析为基础,结合地震资料,利用钻井信息进行井间地层对比,追踪各层序地层单元的空间分布状况,才是建立钻井层序地层格架和分析储集砂体横向展布规律的最佳方法。因为地震反射同相轴基本上代表了等时地层界面,利用地震资料可大致确定位于地震剖面附近井的地层对应关系,避免单纯利用测井曲线和岩性对比引起的穿时、穿层现象。进行井间地层对比分析主要依据以下原则:①选择位于构造走向(或倾向)方向的典型井,作为连井对比标准井,分别进行单井分析,确定关键界面,并进行沉积体系与沉积相分析,总结沉积环境纵向演化规律;②根据沉积基准面升降变化的相似性及层序边界的特征,进行沉积层序对比;③通过合成地震记录标定对应层位,保证地层对比的等时性。

(一)等时地层格架的建立

陆相层序地层与海相地层相比具有很大的差异性,主要表现在:陆相地层沉积范围小;水体深度和广度不同,变化频率快;涉及水上和水下沉积;相变激烈,沉积物相对较粗4个方面。这些差异使得陆相层序等时层序格架的建立难度远大于海相层序,因此必须尽量多地用各种测算方法进行综合判断。

(1)进行不整合界面(图1-2)、磁性地层对比,在宏观上确定其三级层序以上地层的等时性。

(2)随时间间隔的缩短,可以用古生物、岩相变化的沃尔索定律、标志层及其衍生物等确定四级层序地层等时性。

(3)更小一级的层序地层对比以标志层、测井资料为基础,分析其沉积旋回性的组合。

当然还有各种方法的测算,根据其精度,在不同层序级别上确定其等时性。通过这样不同级别层序等时性的确定,可以建立等时层序格架。

(二)体系域的划分

由于不同体系域中的生储盖类型有明显的差别,所以对不同类型的陆相盆地层序地层体系域进行详细研究尤其重要。

体系域是在一定等时格架内,成因上空间上有一定联系的三维沉积体系的组合,它由若干

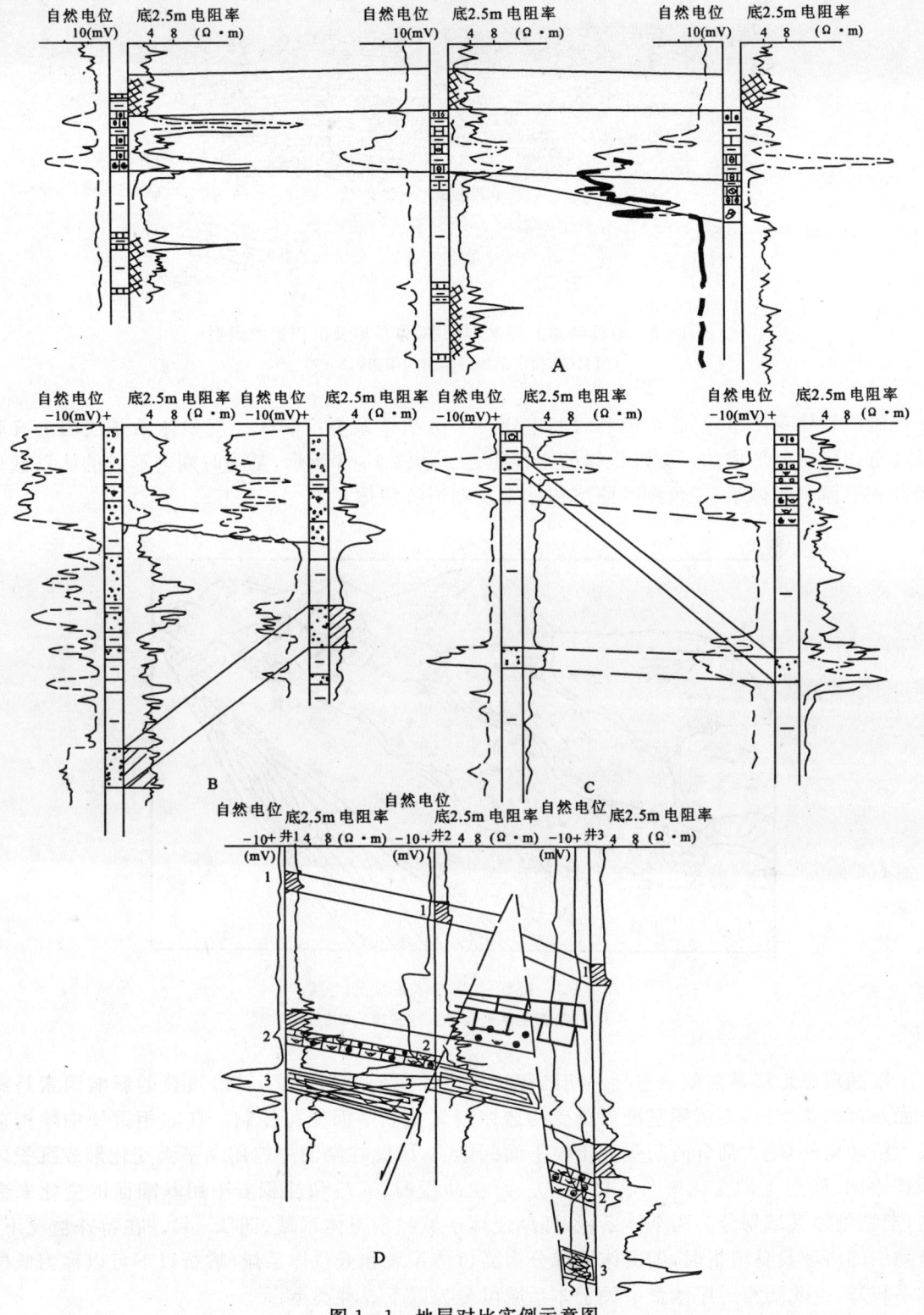

图 1-1　地层对比实例示意图
（据陈立官，1983）
A—超覆；B—剥蚀；C—相变；D—断缺

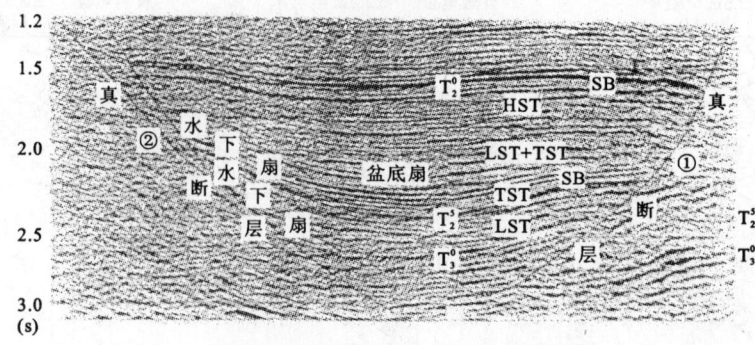

图 1-2 地震剖面上湖盆内层序、体系域及沉积相的识别
（引自《陆相层系地层学应用指南》，2002）

个三维沉积体系所组成，在范围和时间上比一个沉积体系要广和长。沉积体系是成因上有联系的沉积作用所形成的一类沉积体的三维组合。如图 1-3 所示，某一时期内形成的体系域包括冲积平原沉积体系、三角洲平原沉积体系及湖泊沉积体系。

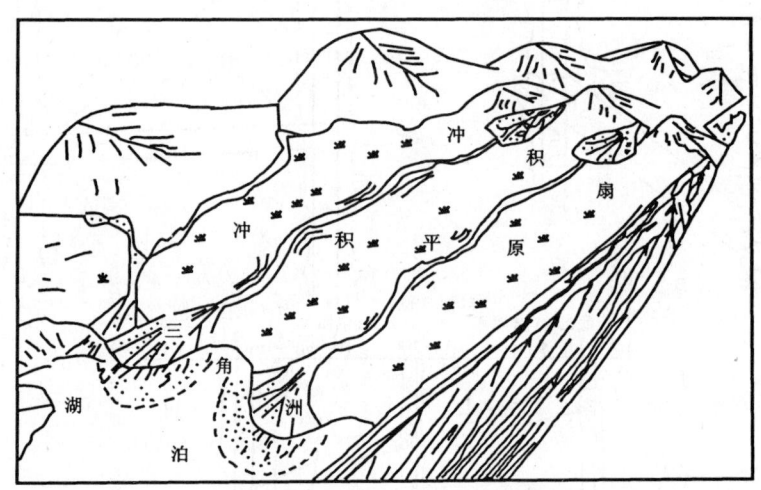

图 1-3 沉积体系与体系域的关系
（引自《陆相层系地层学应用指南》，2002）

陆相层序地层显然就该包括一切陆相沉积体系所形成的地层，其最重要的影响因素是湖平面及沉积基准面，而沉积基准面既受构造控制又受湖平面变化控制。在陆相沉积中除构造最大活动期外，绝大部分时间受控于湖平面的影响，因此在湖泊中能用湖平面变化形成沉积体系在垂向、横向上的变化来命名体系域。而在冲积扇、河流和浊积岩中用基准面的变化来命名，把湖泊体系域划分为两个体系域，即湖侵体系域和湖退体系域（图 1-4）。在特殊情况下，当湖泊的斜坡具备坡折时，湖退体系域分为高位体系域和低位体系域（坡折以下可以称为低位体系域）。由此陆相层序体系中关于体系域可分为以下 3 种类型。

陆相坳陷盆地：分为湖侵体系域和湖退体系域。

陆相断陷盆地：又分两种，无坡折带分为湖侵体系域和湖退体系域；有坡折带分为低位体系域、湖侵体系域和湖退体系域。

如图1-4所示，湖平面变化曲线与海平面变化曲线相似，湖平面快速从A点上升到B点时为湖侵体系域沉积阶段。湖平面从B点到G(A)点的沉积体系为湖退体系域沉积阶段。这样比较容易确定A、B、D、G这4个点，相应的一些界面也就比较容易确定。与湖泊相对应的体系域在河流和冲积扇中命名为基准面上升体系域、基准面下降体系域（包括基准面波动体系域）。

同样，在特殊的情况下，当湖泊的斜坡具备坡折时，则可以分为3个体系域（图1-5），即A—D点为低位体系域、D—E点为湖侵体系域，而E—G(A)点为高位体系域。在此情况下，广义的湖退体系域包括了高位体系域和低位体系域。

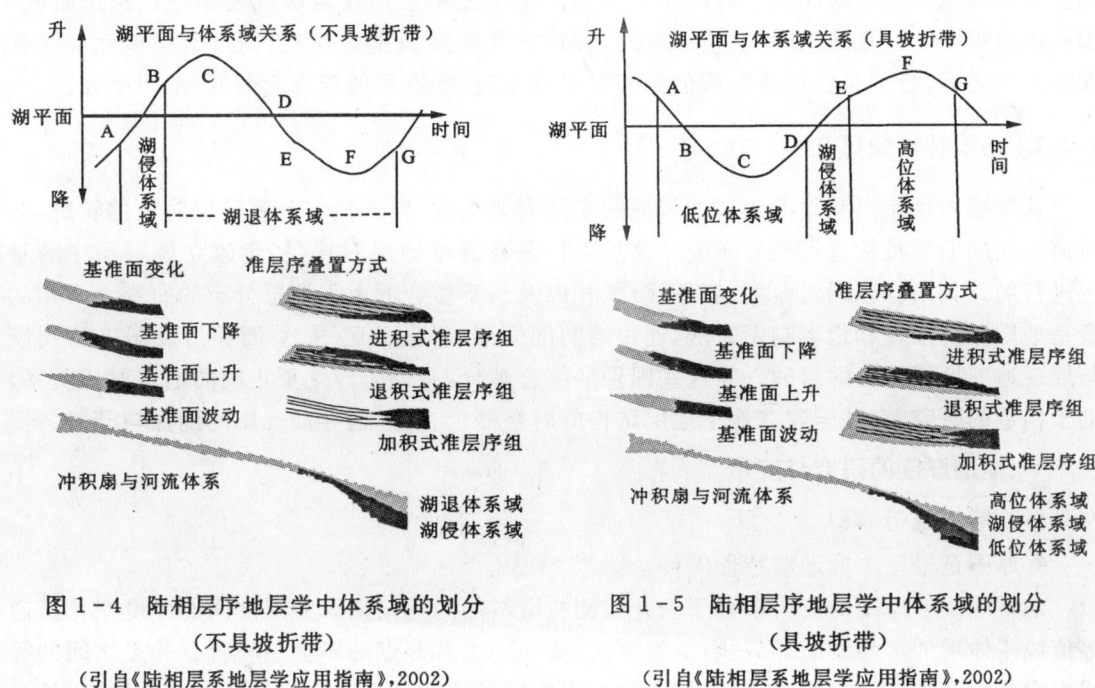

图1-4 陆相层序地层学中体系域的划分
（不具坡折带）
（引自《陆相层系地层学应用指南》，2002）

图1-5 陆相层序地层学中体系域的划分
（具坡折带）
（引自《陆相层系地层学应用指南》，2002）

四、地层单元的建立

在全区进行地层对比以后，应该建立该区的地层层序，编出综合柱状剖面图，作为研究区域内划分地层的依据。常用的地层层序有3种，即岩石-地层单元、古生物-地层单元和时间-地层单元。

（一）岩石-地层单元（群、组、段、层）

以岩性作为主要分层依据。岩石-地层单元的界面可以是突变的，也可以是渐变的，它与时间-地层单元可以吻合，也可以不完全一致。岩石-地层单元层序，要以每一层主要出现的岩性命名。正式出版的岩石-地层单元要说明分层依据、名称、典型剖面及其位置、地层特征、界面和接触关系、延伸方向、形态、相应时代、对比依据等。根据钻井资料确定岩石-地层层序时，还要补充典型井段的井位、井深、井口地面海拔、有关的钻井资料及测井曲线等。有时需要由几口井的井段凑成一个完整的岩石-地层层序，这种方法在化石少、岩性变化大和井数多的地方常常使用，有重要的实际意义。

(二)生物-地层单元(带、亚带)

根据古生物组合划分地层单元。在地层对比中,生物地层学起着关键的作用。由于生物组合在时、空上是有变化和不断调整的,因此,依据古生物组合划分地层时必须建立正确的时空观念。此外,由于指相生物的存在,生物-地层界面有可能穿越地层等时面。生物-地层单元会直接的或间接的引用到岩石-地层单元和时间-地层单元的建立上。

(三)时间-地层单元(界、系、统、组、段)

其地层界面与地质时代界面相一致,地层界面可以反映岩性或古生物的变化,或者是两者共同的变化。时间-地层单元可以与岩石-地层单元或生物-地层单元一致或相交。地层对比的主要目的是建立与时间相一致的层序关系。层序关系无论在地层研究还是在构造研究上,都是极为重要的。在建立时间-地层单元之前,首先就要识别和确定岩石-地层单元。在拥有充分资料之后,特别是经过逐层段的沉积相研究之后,才有可能建立起时间-地层单元。

1.2.2 地层特性的研究

从勘探岩性遮挡和地层遮挡油气藏的实际需要出发,要勾绘出有利勘探对象的轮廓,必须对该地区的地层特性进行充分研究。这项工作是在通过地层对比,初步建立地层层序的基础上进行的。其内容包括对厚度、岩性、沉积相以及对不整合面上下地层分布的研究。常用的手段是地质分析推理和地下制图方法,通过绘制剖面图、平面分区图、平面等值线图来达到恢复与展现地下地层结构的目的。对这些图件的综合解释,有助于建立更正确的地层对比关系,有助于构造的研究,有助于建立地下地层结构的时空概念,从而指导油气田的勘探与开发。

一、地层厚度的研究与应用

(一)等厚图的编制

等厚图是最基本的地层特性图件。

地下地层等厚图的资料来源于录井或测井资料的对比结果。井点之间的厚度变化是通过等值线来体现的。勾绘的等值线,即等厚线,要与图上各井点的厚度相吻合。井点之间的等值线由内插法作出,但要与沉积特点相一致。因为等厚线的分布要受物源区大小和远近、相对沉积速率、剥蚀作用等因素的控制。如果不考虑这些因素而采用井间机械内插,就必然会出现解释上的不协调,或与其他地质现象不协调的矛盾。如图1-6所示,A图是根据井点提供的地层厚度内插作图的。既没有考虑到中心区沉积较厚,也没有考虑到在地层缺失区地层减薄率的变化。B图仍用同样资料,但考虑了上述因素,勾出的等值线图能较真实地反映客观情况。在图的西区,零线到200ft[①]厚度线间的密集等值线表明那里的地层沿着花岗岩斜坡分布,没有砾岩说明西边为近岸沉积。其所以地层减薄率大,是由于花岗岩体上升受剥蚀所致。密集的等值线应保持与花岗岩体平行。在图的东区地层加厚率大,岩心样品为粗的长石砂岩和砾岩,推断其物源为花岗岩体。从密集的等厚线及粗的岩性可以进一步圈定秃顶花岗岩区的形状和范围。此外,在图的东南部位,厚度为190ft、450ft、590ft的3个井点间厚度变化率小,岩性为细粒沉积,推断该区为一地势较高的平缓台地,向东南方向倾没。由B图与剖面图C的综合解释,可以看出东区的升起要早于沉积,西边的隆起区晚于沉积,因为构造盆地西部岩石

---

① 1ft=0.304 8m,以后还有部分引用资料沿用原单位仅表示意。

与其中心部位岩石相似,为近岸环境沉积。

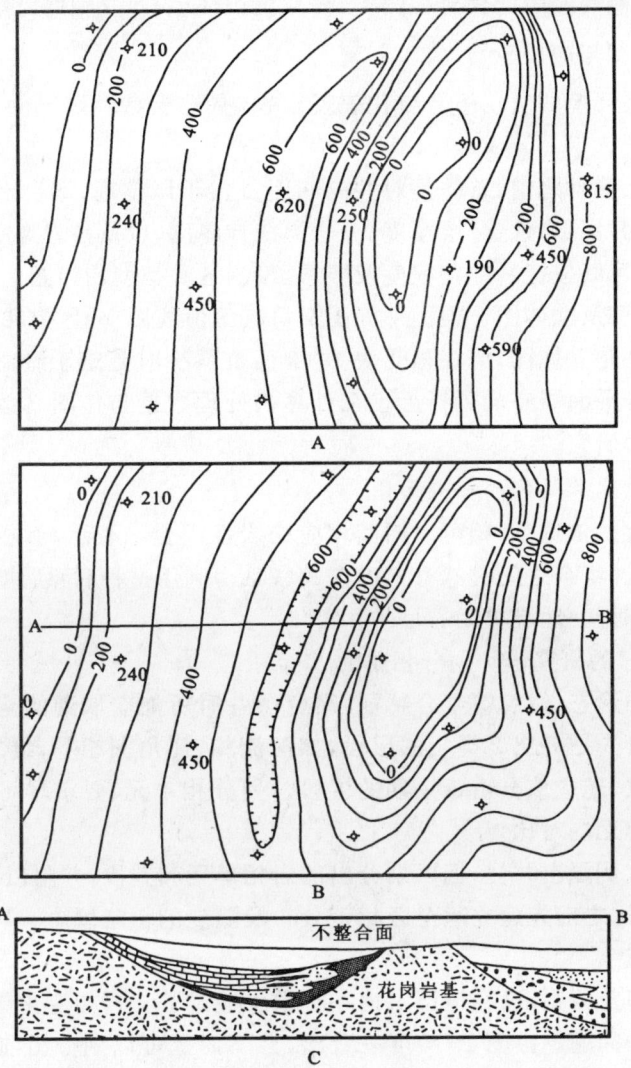

图 1-6　在不整合面和花岗岩之间(C)用同样厚度数据勾出两种不同的等厚图(A、B)
(据陈立官,1983)
单位为 ft

等厚图是利用直井的铅直厚度资料。当地层水平时,直井所穿地层的铅直厚度等于地层真厚度;当地层倾斜时,铅直厚度大于真厚度。所以,在有构造倾角变化的地区,应一律用真厚度作等厚图。当然根据工作需要也可作铅直厚度等值图,如利用地层顶面构造图推算底面构造图时,就要利用铅直厚度等值图。等厚图很有意义,它经常能揭示出令人困惑的问题。

(二)等厚图的应用

等厚图的应用很广泛,包括以下 4 个方面:

(1)指导勘探工作,如预告探井标准层深度和估计完钻井深以下的深部标准层海拔。

(2)利用地层等厚图与地层顶面构造图交汇,编绘地层底面构造图。

(3) 利用不同时期等厚图研究古构造。

(4) 利用不同时期等厚图配合岩相图类，研究沉积环境，建立相的时空概念。

二、岩相图的编制与应用

如何把一套反映环境的岩层组合变化表现出来，是地层特性研究的另一个重要课题。常用手段是编制岩相图。

在编制各类岩相图件之前，首先是对井的剖面资料予以整理，即在对比基础上，确定出同一时间层段的井号、井深、岩性、分层厚度、分岩类统计厚度，以及各岩类所占厚度的百分比值，等等。在此基础上，可以按资料准备程度及要求，编制各种类型的相图。表现岩层组合的图件形式有剖面图、平面图及立体图3类。平面图又可有等值线图、分区图和点图3种形式。表现相变化最直观的图件是立体图，但在相变快、井剖面资料少时是难于绘制的。目前，主要精力仍集中在对岩性组合平面展布的分析上。在计算机处理数据与作图日益普及的今天，将广泛开展岩性组合的定量研究。

（一）相剖面的对比及简化的相剖面图

地层相剖面对比的依据是：相可以用其相应的岩性组合来表示，而相的变化是连续的、有序的。所以，不同岩性组合之间必然有其内在的联系。利用这种联系，建立井间地层的对应关系，以达到建立全区时间-地层单元的目的。

1. 单井纵向层序的研究——划分相单元

根据测井曲线的形态、幅度等组合特征，结合录井时所能获取到的全部相标志，对井身剖面进行相带划分。首先划分出2类相的层段，如河流相、三角洲相等，继之再细分出亚相。如果是由多期亚相组成，还应该分出每一期的层段。划分相单元，要求尽可能细致到3类相，以便有利于井间岩相单元的对比。

在井位图上按比例画出井柱，标以划分出的岩相单元和井段，并附以典型的曲线形态以及相标志等，以便在对比之前先建立起全区相带分布及演变的粗略概念。

2. 等时面的确定

关于等时面的确定原则，已在地层对比一节中叙述过了。岩相变化与岩性变化一样，同样存在着穿越等时面的问题。由图1-7可以看出，自下而上可以划分出前三角洲泥、三角洲前缘砂，最上为三角洲平原的沼泽河流沉积。从图上还可以看出等时面（沉积层面）为一斜面，随着三角洲向海推进，各相带沉积均沿倾斜方向向前推移，浅水相沉积覆盖在前一时期的深水沉积物之上。由于各期沉积之间并没有间断，所以等时面不如岩相界面那样容易识别。因此，在对比时往往容易把岩相界面代替沉积层面（等时面），实际上前者是穿过后者的。也就是说，利用地层的岩性或岩相进行对比时，并不能绝对避免穿越等时面问题。但对于大段的地层对比和大的油区范围内的对比，选择标志清楚而稳定的等时面还是容易办到的。有时还可选不整合面当作上部地层沉积的等时标志。

3. 骨架相剖面的建立

选择对比剖面时，首先选择顺沉积走向方向并通过典型井（岩心资料最全、相标志清楚）作为骨架，因为依靠它比较容易建立井间地层及岩相变化的相应关系，以便控制全区。其次，垂直或斜交骨架剖面作为补充剖面，以研究相带的横向变化。

在对比前，应先将井位、井深按比例画出，然后标以岩性、岩相单元、等时面及曲线，必要时

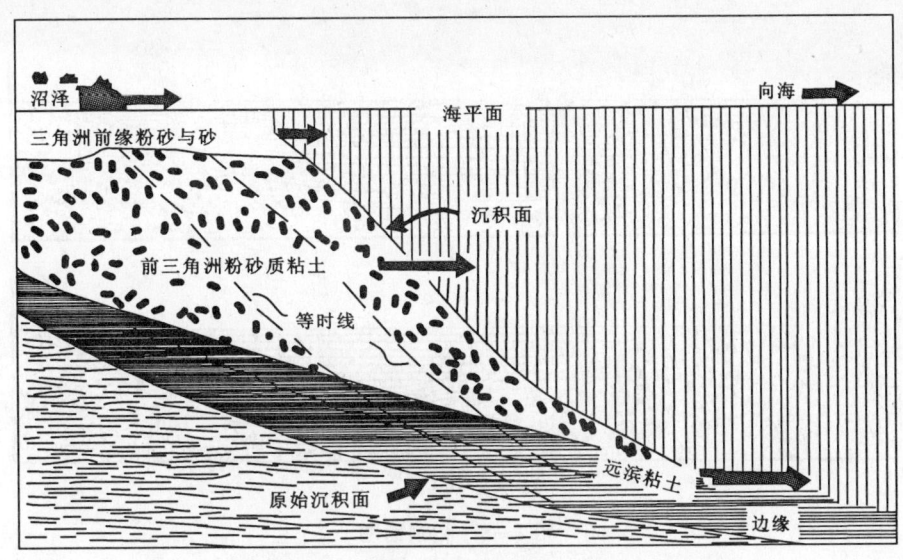

图1-7 三角洲沉积的纵向剖面图
(据陈立官,1983)

要附以录井相标志资料。在对比时,先将等时线连线,再在等时间段内依据各井的纵向相序,按照沃尔索相变原理识别井间的相变规律。相变线要用折线表示,实例见图1-8。

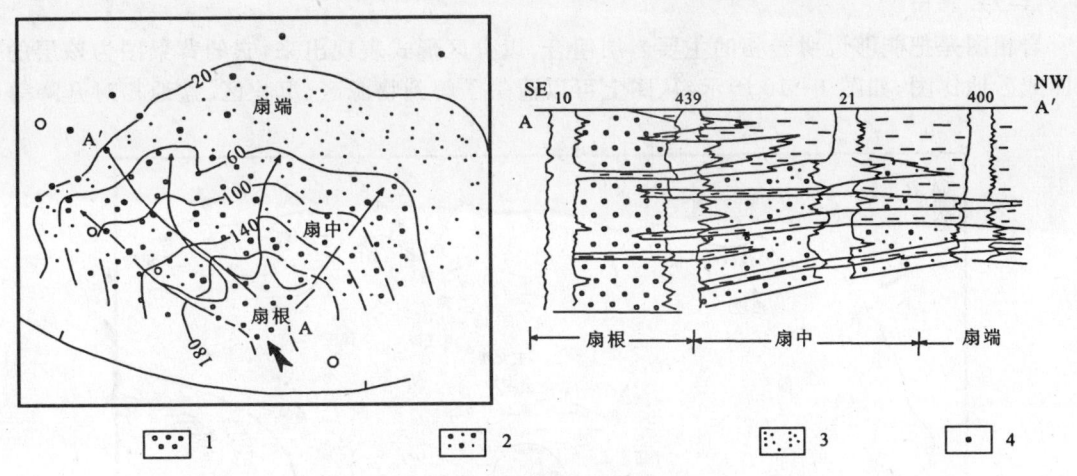

图1-8 双河油田水下扇 Eh_3^2 层相剖面示意图
(据陈立官,1983)
1—块状砾岩;2—砾状砂岩;3—浊积岩;4—井位
单位为m

4. 区域内全井段岩相对比

以骨架剖面上的井点为中心,逐个向外扩展,进行井间对比,要求对比结果能够闭合,闭合误差应达到最小。最后完成全部井的统一分层,定出分层数据。

如图1-9所示,A图为砾岩、砂岩、页岩和灰岩多层交互层组成的相剖面图,它反映了盆

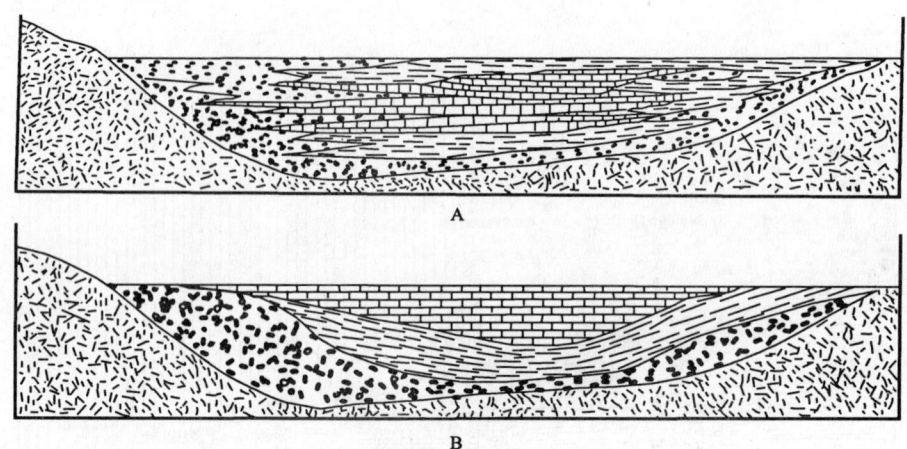

图1-9 相剖面图
(据陈立官,1983)
A—复杂的相剖面图；B—简化的相剖面图

地边沿到中心的岩相变化。B图为在井点资料整理的基础上重新作的简化了的相剖面,从中可以看出各种主要岩层的厚度、性质在剖面上的变化。这种图件适用于多套组合重复出现的层序,例如冲积扇等,用简化的相剖面图可以很明显地反应出岩层组合在横向上的变化。

（二）岩相图

岩相图是把能够说明岩相的主要岩层组合,以分区形式表现出来,它的背景图为该层的等厚图或砂地比图,如图1-10所示,从图上可以清楚了解到物源区、沉积区、盆地相对升降等区

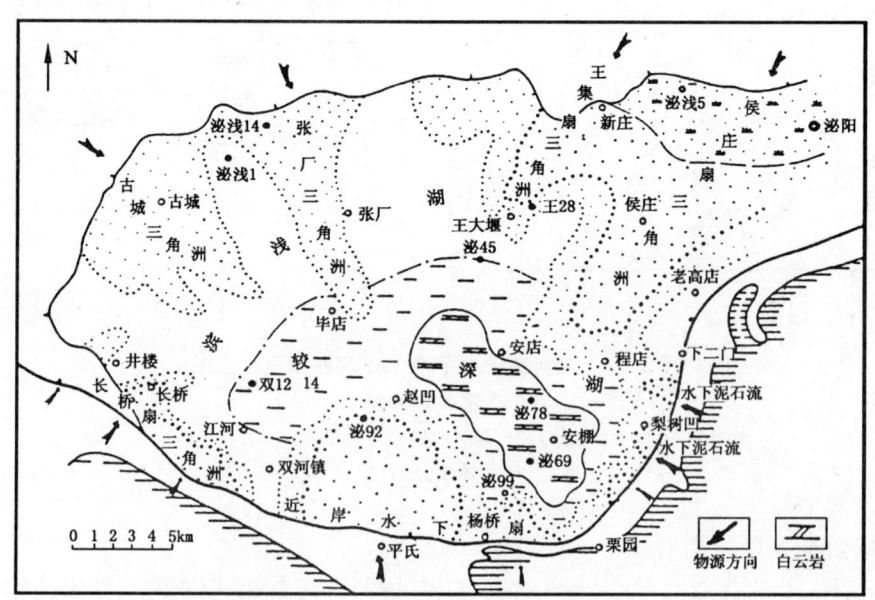

图1-10 泌阳凹陷核三段沉积相图
(据李纯菊,1987)

域性变化情况。对于简单的砂泥岩地层,可以选择能说明相带特征的资料,如砂岩体形态或测井曲线形态等作为分区的依据。

当岩性变化复杂、井点资料少、勾画不出岩相带的平面分布时,可以以点图形式,直接将资料整理结果标在井位上。以圆的直径表示该井所钻遇某层段的视厚度值,圆内用不同符号代表各种岩性在层段内所占的百分比。从图上可以粗略地看出各种主要岩类的厚度及岩层组合的大致变化。

(三)等岩图

等岩图是一套图件的组合(图1-11)。先以等值线形式表示某层段内不同岩类的厚度分

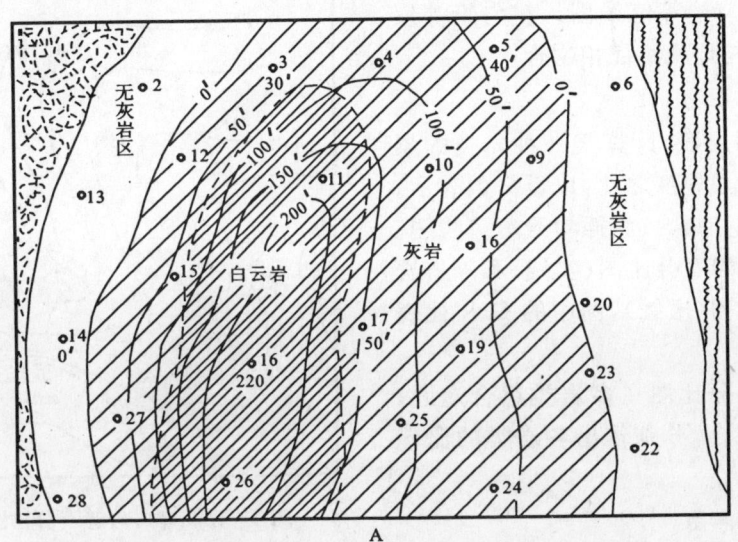

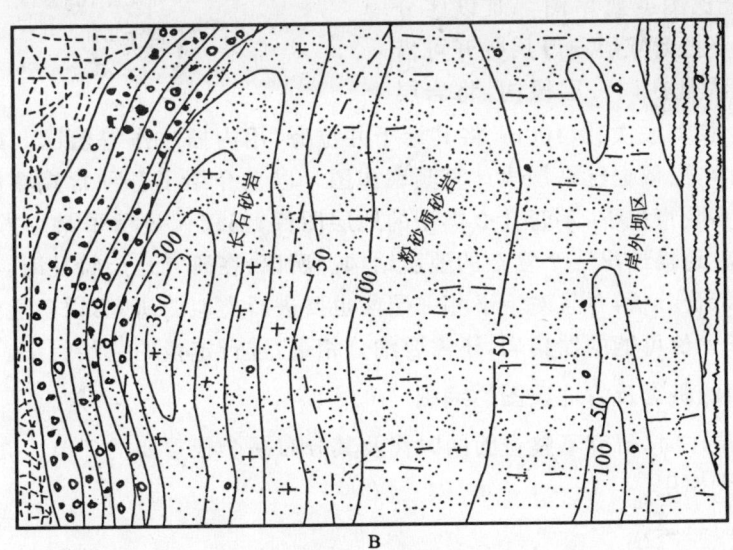

图 1-11　等岩图

(据陈立官,1983)

A—盆地灰岩、白云岩等岩图;B—盆地砂岩等岩图

单位为 m

布,然后在各等厚图上按不同岩性类型分区。一个地区等岩图采用何种岩性组合方式,要看用所选岩性组合作出的等岩图能否明确表示出主要岩类的分布特点。对一套等岩图、地层等厚图以及表明沉积物矿物组分图件的综合分析,对阐明沉积物源区、判断沉积环境以及了解沉积过程都极为重要。显然,分的层段越薄,研究也就越仔细。对大套多层重复的岩性组合,由于划分不出薄的制图层,因而分岩类研究较为有利。

(四)比率图

在制图层段中,求一种岩类的累计厚度与其余岩类总厚度之比值,将该值标于井位旁边,按内插法勾绘等值线图。在勾绘等值线图时,要注意与地质特征相吻合。

(五)百分比图

在要制图的层段,计算某一种岩类的累计厚度与该层段总厚度之比,以百分数表示。将该值标于井位旁边,按内插勾绘等值线图。图1-12为碎屑岩百分比图(实线)和碎屑岩与非碎屑岩比率图(虚线),图中的C.R代表比率。

比率图与百分比图在多岩类组合地区,可以与等岩图配合,分别作出各岩类的比率图和百分比图。

(六)交替频率图

等厚图、百分比图或比率图都难以区分出单层的厚薄。要把薄互层与厚层分开可借助频率图。其方法是在同一层段内,将岩层

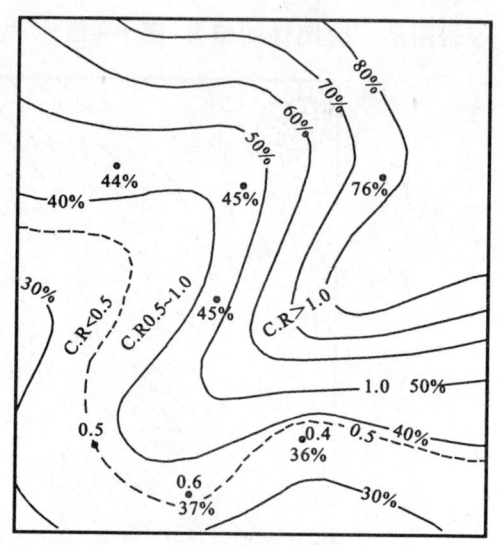

图1-12 碎屑岩等百分比图(实线)
和等比率图(虚线)
(据陈立官,1983)

变化的次数记下,换算成次数/100m,将其标于井位旁,用内插法作等值图。如果有的井没有钻穿该层段,依然可以依据已钻层段计算频率作图。以上介绍了各种常规图件的编制方法及其代表意义。在多数情况下,不管什么类型的地层图件,都仅仅显示了某个方面的基本特征,它并不能精确完整地描绘出一个复杂的地层结构。所以,在研究地层特征时,必须将所有编绘的各类图件进行综合分析,并且对上下相邻层段也要进行类似的研究,以建立地层发育的时空概念。此外,为了评价可能的储集岩,还需要细分相带,进行定量的测绘制图。

三、不整合面的研究及古地质图的编制

在建立地层层序时,研究不整合面的时代及其分布是个很重要的环节。在这方面,对编制古地质图起着很大作用。

(一)不整合面的研究

石油地质人员对不整合面的发生、发育、范围、类型和其上、下沉积层的超覆、剥蚀关系极为重视,因为除对研究地层层序和地质发展历史十分有用之外,不少油藏的遮挡条件与不整合面紧密相关。除区域不整合面外,还有局部的、短时期的沉积间断也值得重视,如河道冲刷、充填等。识别不整合面要靠多方面的依据。在露头区识别不整合面是最容易的,而要确定地下

存在的不整合面,就需要根据岩心、岩屑、测井和地震剖面所提供的关于沉积、古生物和构造方面的标志。仅仅根据某一种标志,都不可能作出决断。因为几乎所有不整合面的单个标志都可能由于断层缺失或沉积相变所造成。掌握的标志越多,识别不整合面的可靠性也就越大。

1. 不整合面的沉积和古生物标志

不整合面的沉积和古生物标志见表1-1。

2. 不整合面的地下构造标志

不整合面的地下构造标志见表1-1。

(1) 不整合面上、下地层倾角不一致。角度不整合在倾斜测井矢量图上表现为倾角和方位的趋势突变(图1-13)。有时可以根据矢量排列从零乱变得有规律来判断;有时可以以风化面的矢量特征来识别,在不整合面下的高倾角往往是由于风化层引起的。

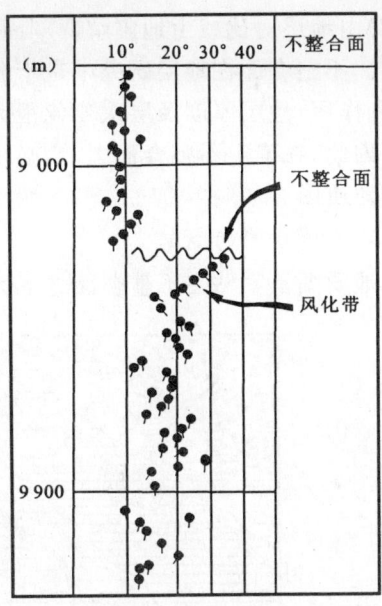

图1-13 不整合面在倾斜测井矢量图上的反映
(据陈立官,1983)

表1-1 不整合面的沉积及古生物标志
(据陈立官,1983)

标　志	指示成因的不整合面共生情况		标　志	指示成因的不整合面共生情况	
	陆　上	海　下		陆　上	海　下
底砾岩	××		普遍的多孔带	××	××
底部黑色页岩	××		岩性有明显差别	××	×
沙漠岩漆	××		结核和豆状石带	××	×
残余(风化)燧石	××		古生物突然变化	××	××
硝	××		生物演化发育间断	××	××
石灰岩内的孔隙带	××		骨齿组成的砾岩	?	××
沥青和石油污染带	××		起伏的接触面	××	×
古土壤剖面	××		竹叶状砾岩		××
滞留砾石(卵石带)	××		含锰带		××
海绿石带	×	××	含磷带		××
氧化铁带	××	×	滨海带海洋生物的洞穴		××
层间砾石	××	××			
非碎屑岩的碎屑带	××	××			
重矿物组合突变带	××	×			

注:××指常见的或专有的共生组合;×指偶尔的或少有的共生组合;空白表示不存在共生的组合

(2)由地层对比或由地震解释剖面可以看出,不整合面以上的地层超覆在不同时代的老地层之上。不整合面在地层研究中是十分重要的,因为在不整合面上、下的地层由于大范围的上超、下剥作用,地层厚度及层次变化很大。此外,不整合面由于遭受褶皱和断裂,可以有更大的变化。因此,在确定不整合面之前,必须认真考虑时空因素。只有在这个基础上,才能正确编制出古地质图。

(二)古地质图的编制

古地质图是紧贴在不整合面之下的地质图,图1-14为古地质图。

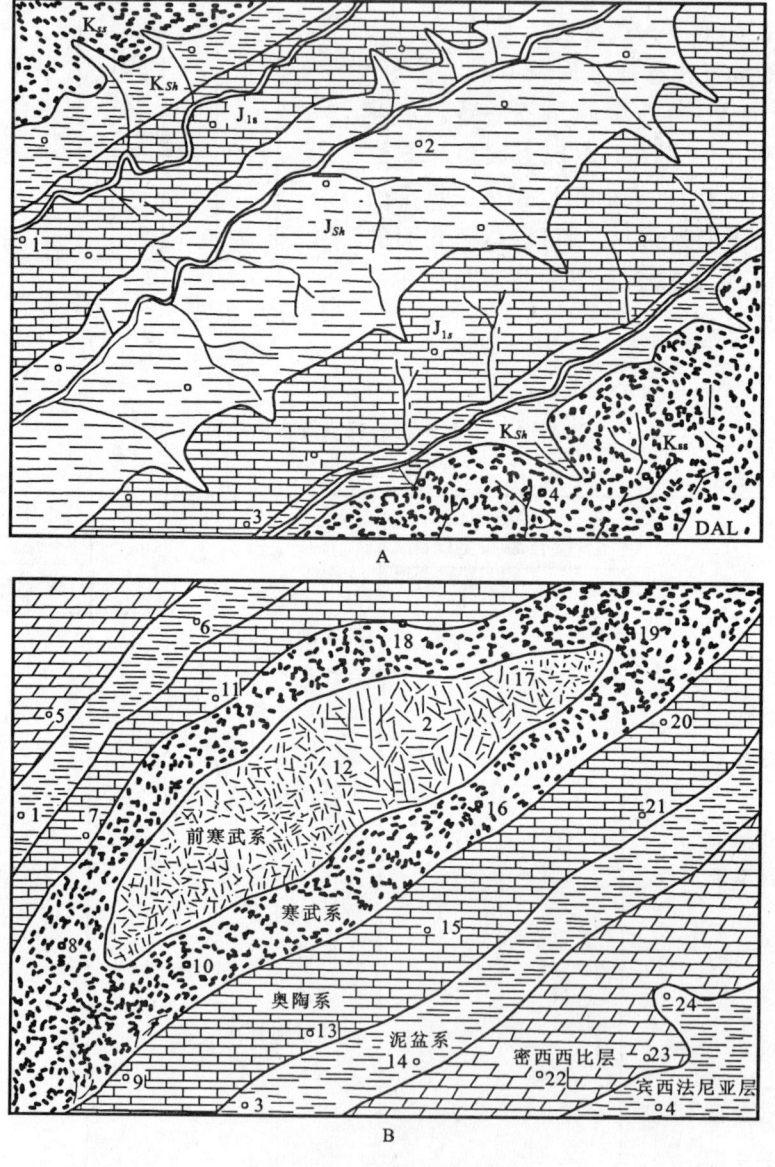

图1-14 地质图示意图

(据陈立官,1983)

A—地表地质图;B—前侏罗系古地质图

编绘古地质图主要依靠钻井资料。从图 1-14B 中可见由 20 口井钻穿前侏罗系不整合面,并终孔于不同时代的地层中,该图系根据这些井的资料编制的古地质图。在古地质图上,不同时代地层的出露宽度,受地层厚度、地层减薄率、地层倾角及剥蚀面起伏等因素的控制。

在编绘古地质图时,必须掌握这些条件,因为在控制点间,可能需要画出几条地质界线,而任何一种条件都会对勾绘位置有所影响。因此在勾绘古地质图之前,一定要有构造图、等厚图以及不整合面等高线作为基础,以便在勾绘地质界线时充分考虑这些因素。古地质图是研究地史、构造和沉积的重要工具。目前,为探明与不整合面有关的超覆油藏,还要作不整合面上的岩层分布图,称作仰视图,也有人叫作古底砾岩分布图。将它与古地质图相配合,在寻找地层油藏、确定不整合时间界线、追索大地构造变动、划定古海岸和不同时期的超覆边界及解释沉积环境方面都是极为有用的。

1.2.3 油层对比和油层特性研究

一、油层细分与对比的原则和方法

细分油层以及通过对比,正确地划分出油砂体单元,是认识地下复杂油层的基础,也是开发多油层油田的关键。

(一)较稳定含油层段的细分和对比方法

对于湖(海)相成层的含油层段,应按照旋回级次分成油层组、砂层组和小层,然后进行对比连线。在对比过程中,可以结合电性标志层,采用从高级次到低级次,逐级对比的方法(图 1-15 和图 1-16)。

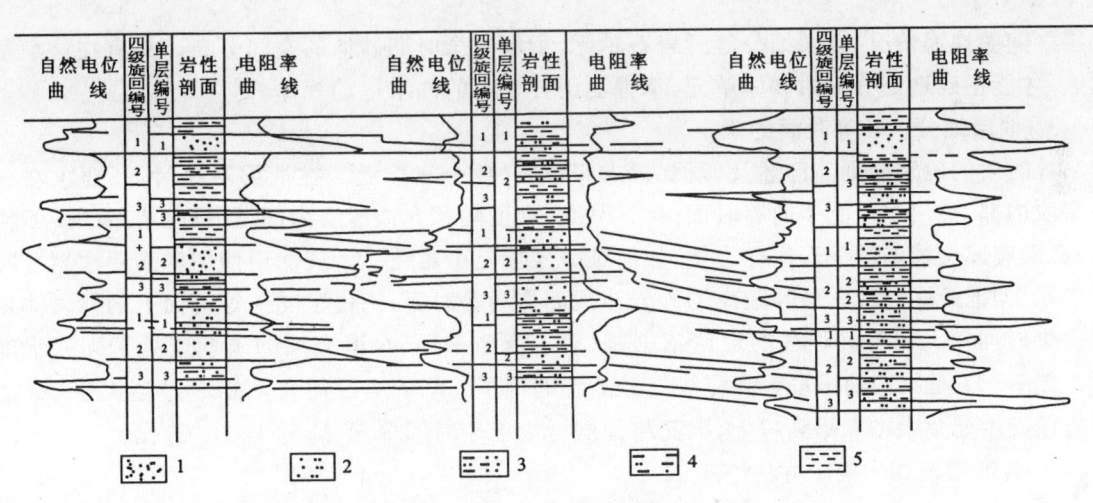

图 1-15　油层对比示意图
(据陈立官,1983)
1—砂岩;2—粉砂岩;3—泥质粉砂岩;4—粉砂质泥岩;5—泥岩

(二)非均质性强的油层的细分

对于非均质性强的含油层系,分层对比相当困难。如河流相的砂体,在平面上呈水系分布,纵向上随着时间的推移,它的位置也是在不断变化。要研究油砂体分布,弄清油层之间、上

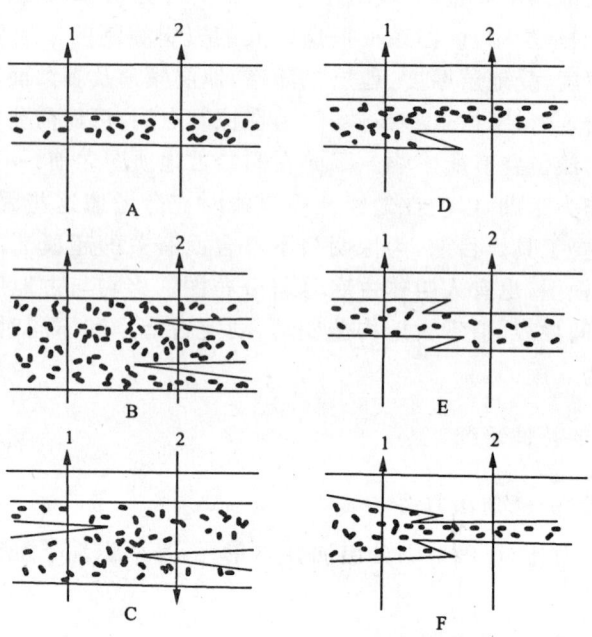

图 1-16　砂层的连线方法
（据陈立官，1983）
A—单层与单层连线；B—单层与多层连线；C—交错层连线；D—单层间的单向尖灭线；
E—单层间的相互尖灭线；F—单层间的双尖灭线

下层之间的连通情况，必须细分等时岩石单元，了解各个时期砂体的空间分布。只有在这个基础上，才能正确地划分出油砂体单元，掌握油田开发中的油水运动规律。

1. 油层细分——等时面的确定

等时面的确定原则前已述及，既要标志明显，又要分布广泛。在油层对比时，还要求在含油层段内部，挑出尽可能多的等时面。对于相变大的陆相含油地层内部，既没有清楚的旋回特征，又没有成层稳定的泥岩作标志层，如何细分层段是个难题。大庆油田使用等高程法划分时间单元，即把距同一标志层等距离的砂岩体顶面作为等时面，把位于同一等时面上的砂岩体划为一个时间单元。等高程法的理论依据是，对于泛滥平原、水道充填的末期应处于同一水准面。图 1-17 是大庆油田按等高程法划分油层的例子。萨中地区葡 I_{1-3} 油层，厚度大于 2m 的砂岩顶面主要集中在 4 个高程上，因此将油层分为 4 个时间单元，即葡 1_1、2_1、2_2、3。

2. 含油层段相的确定方法

对于复杂多变的含油层段，要正确进行油层对比，必须先要对同一时间单元的地层进行相的研究。由于油田内部含油层段取心分散，而且以研究物性参数的岩心居多，因此分析相的常规手段主要依靠测井资料。关于用自然电位识别相带的方法在后面章节中有专门的讲述。对于含油层段，除自然电位曲线外，其他可用于相分析的资料还有自然伽玛曲线、密度测井曲线、中子测井曲线、侧向测井曲线和倾斜测井曲线以及这些曲线的解释成果等。

（三）非均质性强的油层对比

在对油层细分的基础上，确定含油层段砂体所属的沉积相带之后，就进行对比，以了解砂

1. 地质钻井方法

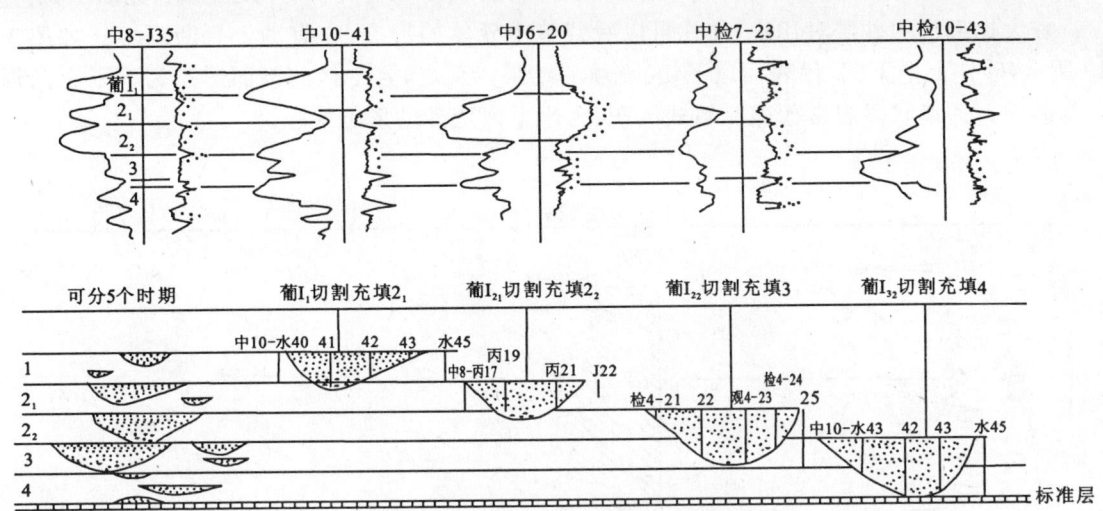

图 1-17 按时间单元划分油层示意图解
(据陈立官,1983)

体的横向变化及井间砂层的对应关系。图 1-18A,说明某层段经过相分析,知道该段砂体为泛滥平原上的河道沉积后,在对比时要考虑到河道的冲刷及迁移特点,以便勾出砂体间的相互

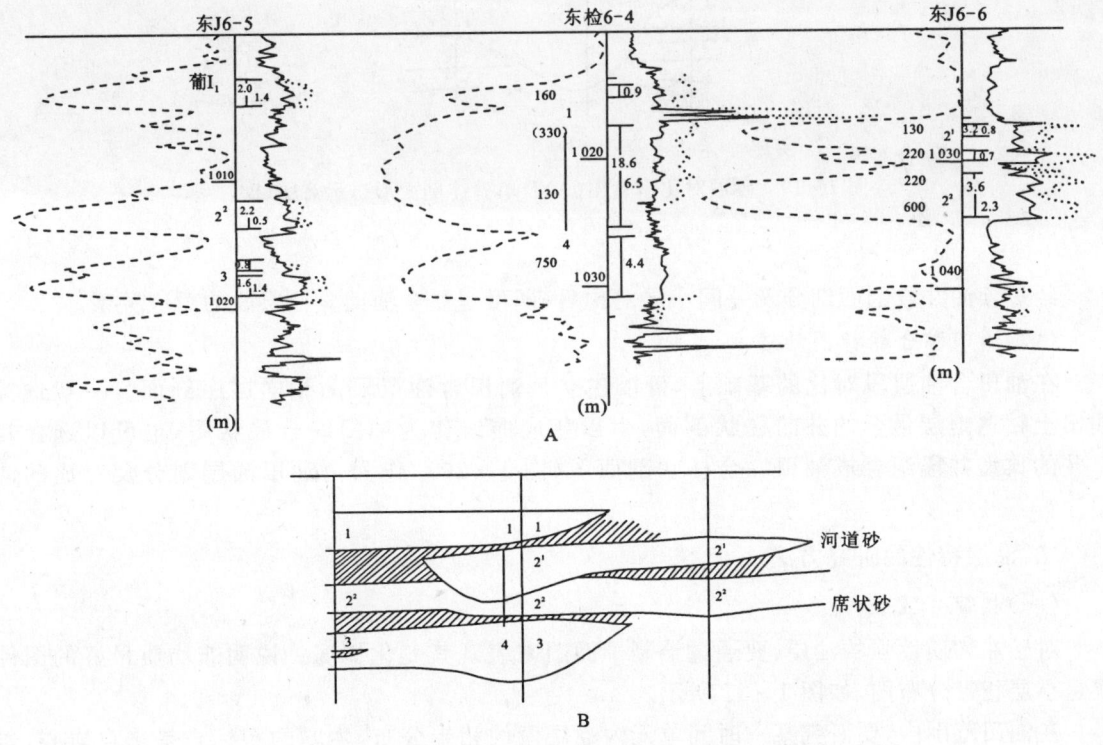

图 1-18 砂层对比示意图(A)及河道砂剖面示意图(B)
(据陈立官,1983)

关系。图1-18B为河道砂剖面图,从中可以看出,席状砂之上发育有河道冲刷、充填沉积。

在大比例尺的砂层对比中,往往可以看到单个砂体的形态,它有助于判断环境。如图1-19所示,砂体上平下凹,代表河道下切、充填的结果。反之,若砂体的剖面形态为下平上凸形,则为砂坝。透镜状砂岩常代表充填式沉积,为水下河道砂的形态特征。

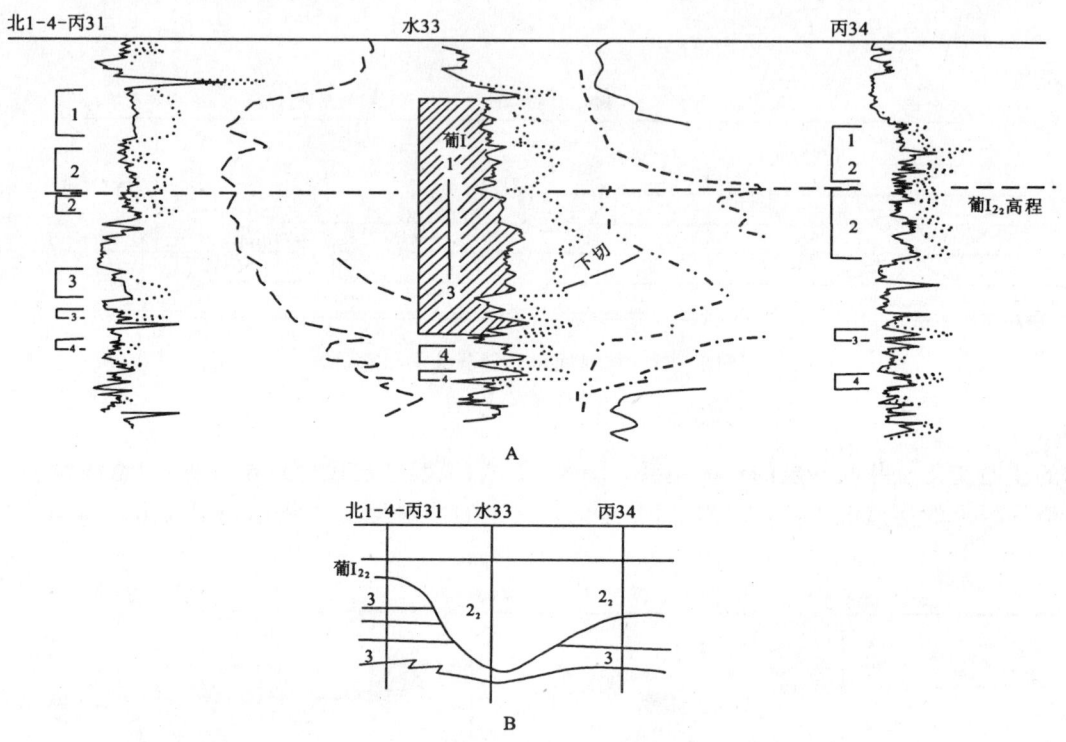

图1-19 砂层对比示意图(A)及单砂体剖面形态示意图(B)
(据陈立官,1983)

经过含油井段剖面细分及井间小层对比后,即可建立全油田含油层段的对应关系。

(四)油田综合柱状图的建立

在油田含油层段对比的基础上,可以建立全油田含油层段的纵向层序剖面。一般选择油田上钻遇地层最全的井的柱状剖面,附以相应曲线作为油田综合柱状图,也可以选择几口井的典型井段组合成油田综合柱状剖面图(图1-20),作为全油田油层划分及对比的依据。

二、油层特性的研究方法

(一)相带分区

对于非均质性强的油层,要通过绘制平面图来表现其变化情况。说明非均质最好的图件就是小层相带分布图,如图1-21所示。

在油田范围内,要研究某一时间单元内油层段的相带分布,主要的相标志是来自岩心、岩屑和录井资料,以及其他标志着岩性组合特征的平面图件,如曲线形态分区图、纯砂岩等厚图、砂泥岩百分比图、粗砂与细砂层厚度比值图和层次频率图等。利用所有上述资料及图件,进行

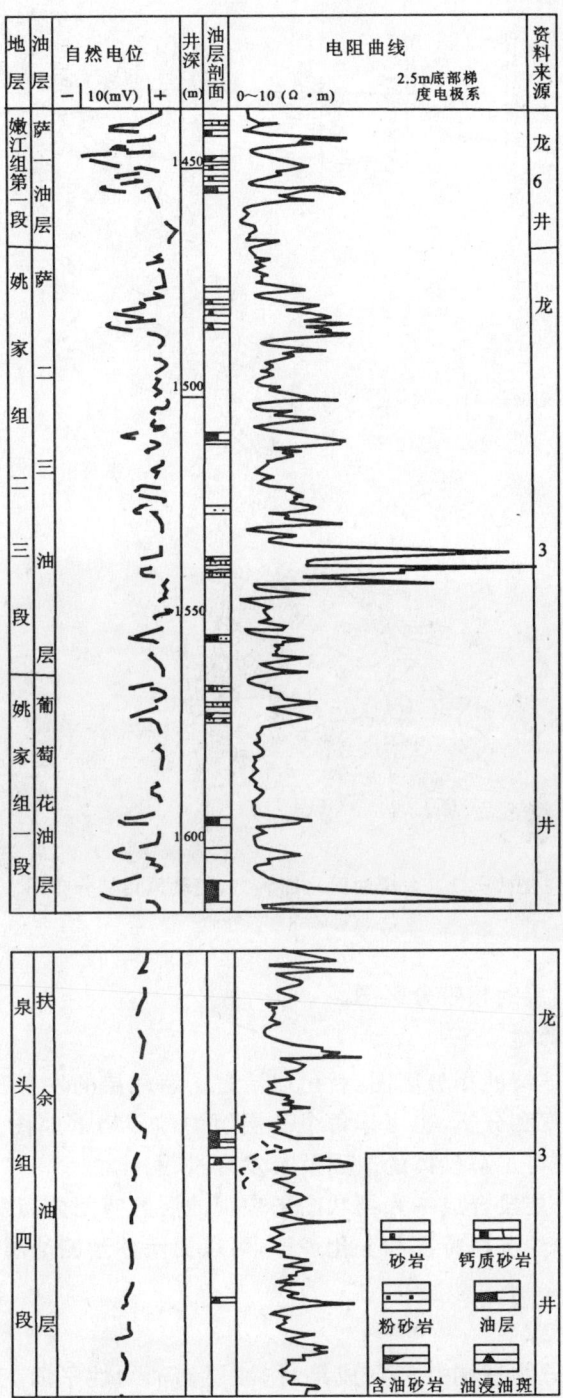

图 1-20 龙虎泡油田油层综合柱状剖面图
（据陈立官，1983）

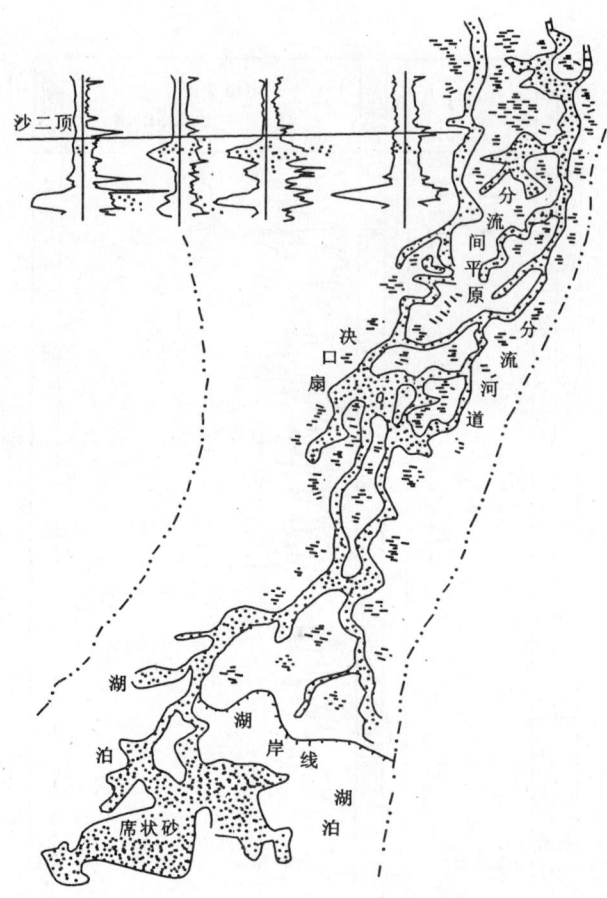

图1-21 大庆油田北部姚二、三段顶相带分布图
（据陈立官,1983）

综合解释,最后绘制出油层的相带分区图。

(二) 油层时空概念的建立

如果有一组时间上连续的相分区图,就可以清楚了解油层的发育和展布情况,建立油层的时空概念。为了便于观察和分析,也可作每个砂层组的纯砂岩等厚图及测井曲线分类图。如果有若干层这样的图,便可了解砂体的成因及其发育过程。

此外,还可以将几个层段合成一张栅状图来表现油层的空间分布及连通情况(图1-22)。

总之,利用不同相带的沉积特征和变化规律,可以揭示并预测油层内部的连通性及非均质性。

(三) 油层物性图

利用岩心分析及地球物理测井解释成果,作油层储油物性平面变化图,如小层等孔隙率图、等渗透率图、等泥质含量图等,可将它们与相应的地质图类相配合来研究油层的非均质性问题。

研究油层特性还应做到动静结合。要在生产过程中不断利用小层动态分析资料,验证、充实和完善对油层特性的认识。

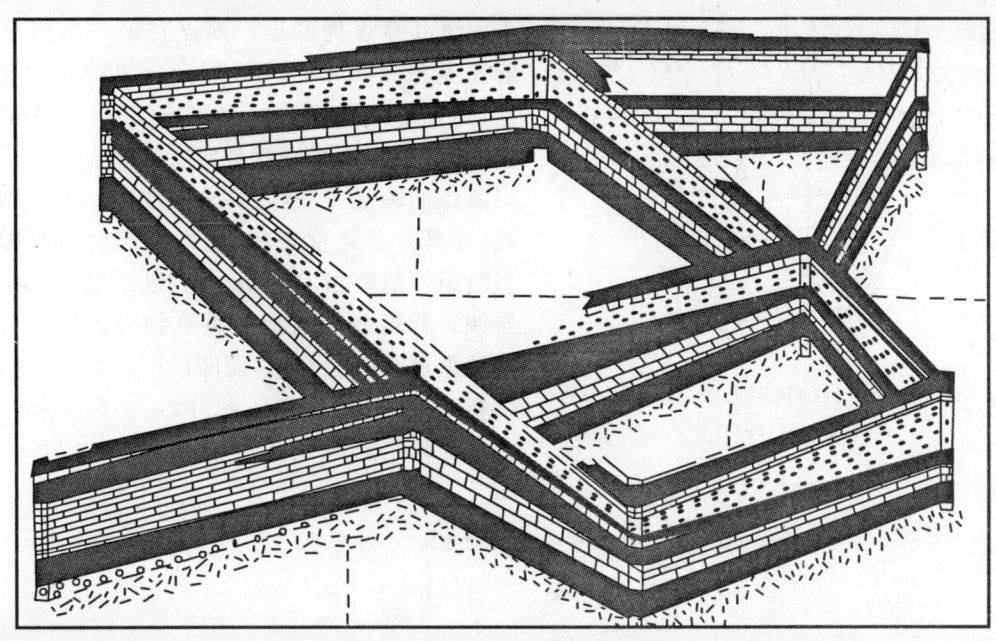

图 1-22 栅状图
(据陈立官,1983)

只有在对油层特性进行仔细分层研究的基础上,才能建立油层分布的时空概念;只有在充分掌握静态、动态资料后,才能真正认识油层的非均质性;也只有在这个前提下,才能掌握油水在地下的运动规律,从而指导油田的合理开发和开采,提高石油采收率。

1.3 断层及其封闭性研究

在研究地下断裂时,除了分析断层的性质、延伸状况和形成时期外,还应该考察其对流体的封闭性。

一、井下断层的识别

井下钻遇断层的标志,主要表现为岩性、产状、古生物组合的突然变化。另外,从钻进过程中泥浆的漏失和意外的油气显示,编绘构造图出现的异常情况,开发时期同层的相邻两块面积动态上相互隔绝等,都可以帮助我们来判断地下断层的存在。

(一)井孔地层剖面的重复或缺失

将井孔的综合解释剖面图与该区的综合柱状剖面图对比,可以确定地层的重复或缺失以及同一岩层厚度的急剧增厚或减薄。在地层倾角小于断层面倾角的情况下,钻遇正断层地层缺失,钻遇逆断层则地层重复。反之,当地层倾角大于断层面倾角的情况下,穿过正断层地层重复,穿过逆断层则地层缺失。在图 1-23 中,2 井钻遇的是正常地层剖面 1～8 层,但 1 井与正常剖面的 2 井对比,则缺失了 5 层下部、4 层及 3 层的上部,可以判断 1 井钻遇了正断层。3 井与正常剖面对比,重复出现了 5 层下部、4 层和 3 层的上部,可判断 3 井钻遇了逆断层。

确定了断层性质之后,就要进一步确定断点的深度和断距大小。如图 1-24 所示,乙井是

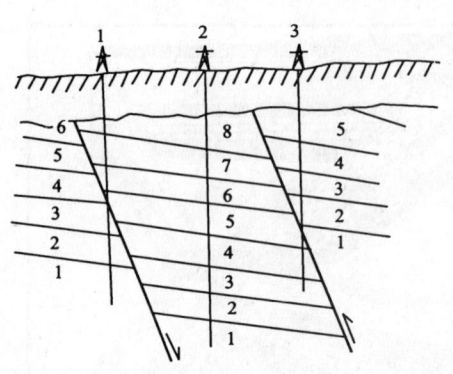

图 1-23 断层产生的地层重复与缺失示意图
（据陈立官，1983）

正常剖面,甲井剖面中的 D_1、D_2、E、F 重复出现表明该井穿过逆断层。断点在第一次出现 F 层的底界井深 851m 处,F 层两次出现时的底界之差,是重复地层的钻厚为 27m(878～851m)。如果是铅直井,此厚度就是地层的垂直断距。正断层断点的确定方法相同,缺失层段起始点即为断点,如果井身是垂直的,缺失层段的钻厚即为垂直断距。值得指出的是,在判断断层时必须注意与倒转背斜造成的地层重复加以区别。后者的地层重复是由老到新,而断层引起的地层重复是由新到老(图 1-25)。此外,还必须注意与不整合面上地层超覆造成的地层缺失加以区别。但

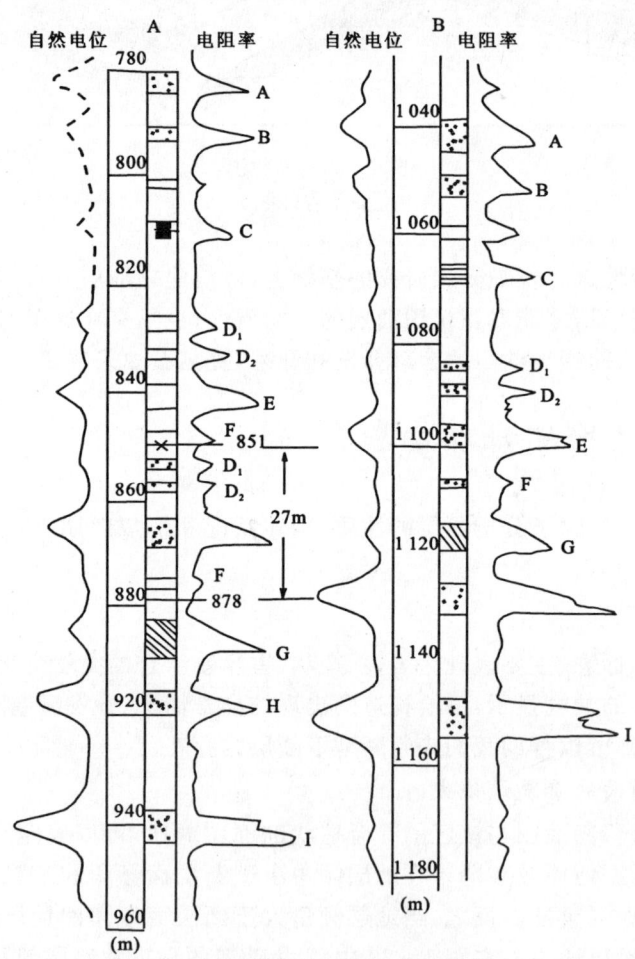

图 1-24 断点的确定示意图
（据陈立官，1983）

是,特别是在新区,仅仅从一口井的地层缺失来区分是正断层还是不整合面是相当困难的,需要作全面细致的对比分析,特别要研究区域地层剖面。关于不整合的特点及其识别方法将在第二章作详细介绍。但要指出的是不整合具有区域性,而断层则只是在钻遇断层的井才出现地层缺失,并且沿断面倾斜方向,各井钻遇断层的深度和缺失层位均不断变化,并伴随有因牵引而造成的倾角变化、断层角砾岩及破碎带等现象。

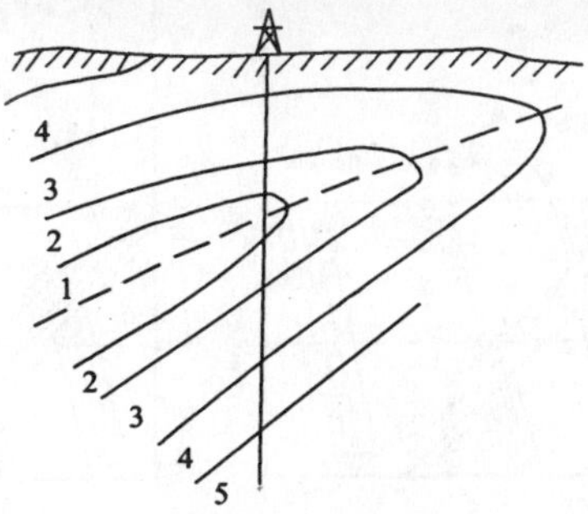

图 1-25 地层倒转在井剖面上的地层重复
(据陈立官,1983)

(二)非漏失层发生泥浆漏失和意外的油气显示

钻井时,倘若在渗透性很差或致密的岩层中,突然发生泥浆漏失现象,或者在不该有油气显示的地层中出现了油气显示,都说明可能钻遇断层。

(三)近距离内标准层的标高相差悬殊

相邻两井虽未钻遇断层,但发现标准层的标高相差悬殊。这种不正常现象可能预示着相邻井间存在着未钻遇的断层。

相邻井标准层标高相差悬殊,也可能是其他因素引起的。例如构造产状的剧变,单斜或背斜一翼的挠曲都会引起类似现象,这时必须参考地震资料和区域地质构造特征等进行综合判断。

(四)短距离内同层内流体性质、折算压力和油气水界面有明显差异

断层把油层分割成为互不连通的断块,因各断块的油气藏形成和保存条件不同,使同层流体处于不同的地球化学条件下,造成流体性质上的差异。或由于断层两盘互不连通,同一地层的埋藏深度不同,形成各自独立的压力系统,使断层两盘的折算压力和油气水界面有明显的差异(表1-2)。

表 1-2 相邻两断块同一产层原油性质、油-水界面高度比较表
(据陈立官,1983)

断块名称	代表井号	密度(d_4^{20})	粘度(Pa·s)	凝固点(℃)	含蜡量(%)	油气界面埋深(m)
某42块	42井	0.8977	24.33	−28	5.46	−2 050
某7块	7井	0.8468	6.54	24	15.07	−2 300

(五)断层在地层倾斜矢量图上有特殊显示

由于构造应力的作用,通常在断层带附近发生牵引现象,使局部地层变陡或变缓,在倾角测井矢量图上形成红、蓝模式;或者在断层面附近形成破碎带,倾斜矢量图上呈现杂乱模式或空白带;或者由于断层上、下两盘地层产状不同反映在倾斜矢量图上则有明显差异。因此,根据倾斜矢量的变化情况,就可以比较准确地确定断点的位置。在资料完好的情况下,还可以确定断层的走向以及断层面产状(图1-26)。除同生断层所产生的逆牵引现象外,一般正牵引的倾向与断层面的倾向是一致的,牵引处最大倾角也接近于断层面的倾角。

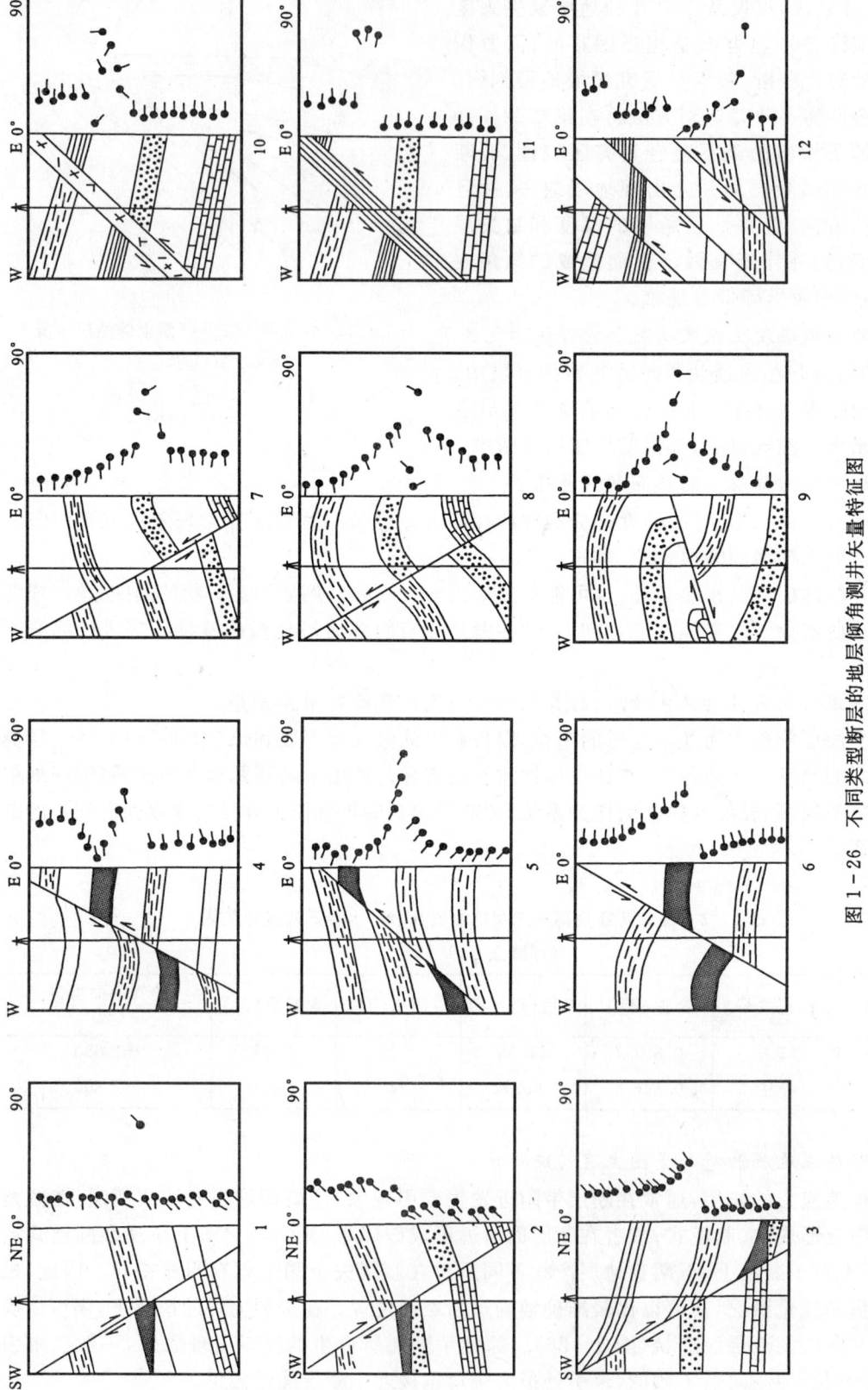

图 1-26 不同类型断层的地层倾角测井矢量特征图
(据陈立官,1983)

1—上下盘底层产状一致无牵引;2—上下盘地层产状不同;3—上盘具牵引下盘无牵引;4—下降盘为凹形褶曲;5—上升盘为凸形褶曲;6—滚动构造(逆牵引);7—逆断层(上盘具牵引);8—逆断层(上下盘都有牵引);9—逆掩断层;10—有断层泥或断层角砾岩存在;11—具断面系列;12—阶状断层

利用地层倾斜矢量图判断断层的最大优点是直观,只需要一口井的资料即可。尤其是在测井曲线对比难以确定断点的具体位置时,它可以指出断点的确切位置。这对一个新探区的第一口井来讲,更为重要。缺点是当断层两盘地层产状一致又无牵引现象存在时,断层在倾斜矢量图上无明显反映。

二、断点组合

单井确定了断点,只能说明该井钻遇断层,在无倾斜测井资料时,还不能确定断层面的走向、倾向和倾角等断层要素。当一口井钻穿几条断层时,井孔剖面上将出现几个断点。在多口井各自都有若干断点时,哪些断点属于同一条断层,哪些断点又属于另一条断层?这就需要对断点进行研究,把属于同一条断层的各个断点联系起来,才能全面分析各条断层的相互关系,这项工作称为断点组合。

(一)断点组合的一般原则

进行井间断点组合时,应遵循以下几项基本原则:

(1)各井钻遇同一条断层的各个断点,其断层性质应该一致,断层面产状和垂直断距应大体一致或有规律的变化。

(2)经组合后的断层,同一盘的地层厚度不能有突然变化。

(3)断点附近的地层界线,其升降幅度与垂直断距基本符合,各井钻遇断缺层位应该是大体一致或有规律的变化。

(4)断层两盘的地层产状要符合构造变化的总趋势。

(二)断点组合方法

(1)当有地层倾斜测井资料,可用其确定各个断点断层面的走向和倾向后,就可以按上述原则对各个断点进行组合。

(2)如果没有倾斜测井资料,为了不使具有相同走向、倾向但又不属同一条断层的诸断点错误地组合在一起,最好还是通过尽量多的井,作一系列纵横剖面草图,使同一断点至少能通过两条剖面进行组合。值得注意的是,同一条断层在不同方向剖面中的同一井点,其产状应该是不变的,不能在这条剖面上是向东倾,到另一剖面上又变为向南倾。

(3)在断层彼此交叉的复杂地区,往往一口井会钻遇多条断层,具有多个断点,这时应该绘制断面等值线图来组合断点。作图先从只有一个断点的井区开始,求出这条断层的产状要素后,再根据已知的走向、倾向、倾角、断距等资料延伸到复杂区。把断层相交的点逐个地加以区分,从而作出各条断层的断面等值图,分解复杂区的断点(图1-27)。

在地下构造复杂地区,断点组合往往有多解性,需要综合分析各项资料,互相验证,找出合理的断层组合方案。为此首先应将

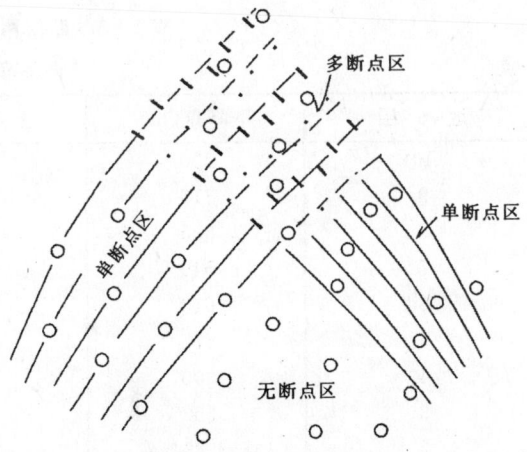

图1-27 利用断面等值线组合断点示意图
(据陈立官,1983)

断面等值图、构造剖面图和构造草图互相参证,同时还应参考地震资料、油气水分布情况以及动态方面的资料,检验断点组合是否正确。

三、断层面图的编制与应用

断层面图即断层面等高线图,是表现断层面形态的图件。编制断层面图的原始资料是各井在同一条断层面上的断点标高和井位图。作图一般多用三角网法,有时也用剖面法。井数越多,反映断面起伏变化就越细致。将断面等值线图与油层构造等值线图重叠,把相同数值的等高线交点相连,即为构造图上的断层线位置。

断层面图可以使我们比较直观而形象地了解地下断层的产状要素及变化情况,掌握断层的延伸范围和断层对地层的切割关系(图1-28)。把两条断层的4条断层线与断层横剖面图对照起来看,还能清楚地反映出整个油层顶、底界面被断开的具体位置和水平断距,以及上下盘油层厚度的变化情况。断层面图不仅可以从整体上研究断层的展布和规模,而且还可以检查断点组合是否正确。尤其是在断层附近部署开发井时,是不可缺少的图件。

四、同生断层发育时期与活动强度的分析

同生断层在我国东部油区特别发育,其成因虽然是多方面的,但具有下列共同特征:断层下降盘地层厚度明显增大;断距一般都随深度而增大;断层面弯曲,倾角上陡下缓,凹面朝上;平面上多呈弧形或雁行状排列;具明显的方向性,总的走向与区域地层走向、沉积等厚线平行,延伸可达几十或上百公里,向着盆地中心阶梯状下掉。由于同生断层是在沉积盆地发育过程中边隆、边断、边沉积时形成的,因而与油气运移聚集有密切关系。断层常常具有较好的封闭性。在靠近断层的下降盘,往往砂岩层数增多,厚度增大,成为良好的储集层。

同生断层的活动情况,可根据断面两侧厚度变化来研究。若断层两盘地层厚度发生显著变化,说明断层在这些地层沉积期间是有活动的。地层沉积期间断层的垂直位移大约等于断层两盘地层厚度之差。从表1-3中可以看出,断层活动开始于2层,3层时幅度最大,以后各层变化频繁,直到10层时,两盘厚度差值为零,说明断层停止活动。由此可以推知断层活动阶段是在2～9层沉积时期,但各期活动强度有所差别。

表1-3 断层两盘地层厚度对比表

(据陈立官,1983)

地 层	下降盘(m)	上升盘(m)	两盘厚度差值(m)	生长指数
10	200	200	0	0
9	215	200	15	1.08
8	595	545	50	1.09
7	540	435	105	1.24
6	610	510	100	1.20
5	675	535	140	1.26
4	300	228	72	1.31
3	562	312	250	1.80
2	1 234	1 025	205	1.20
1	400	400	0	0

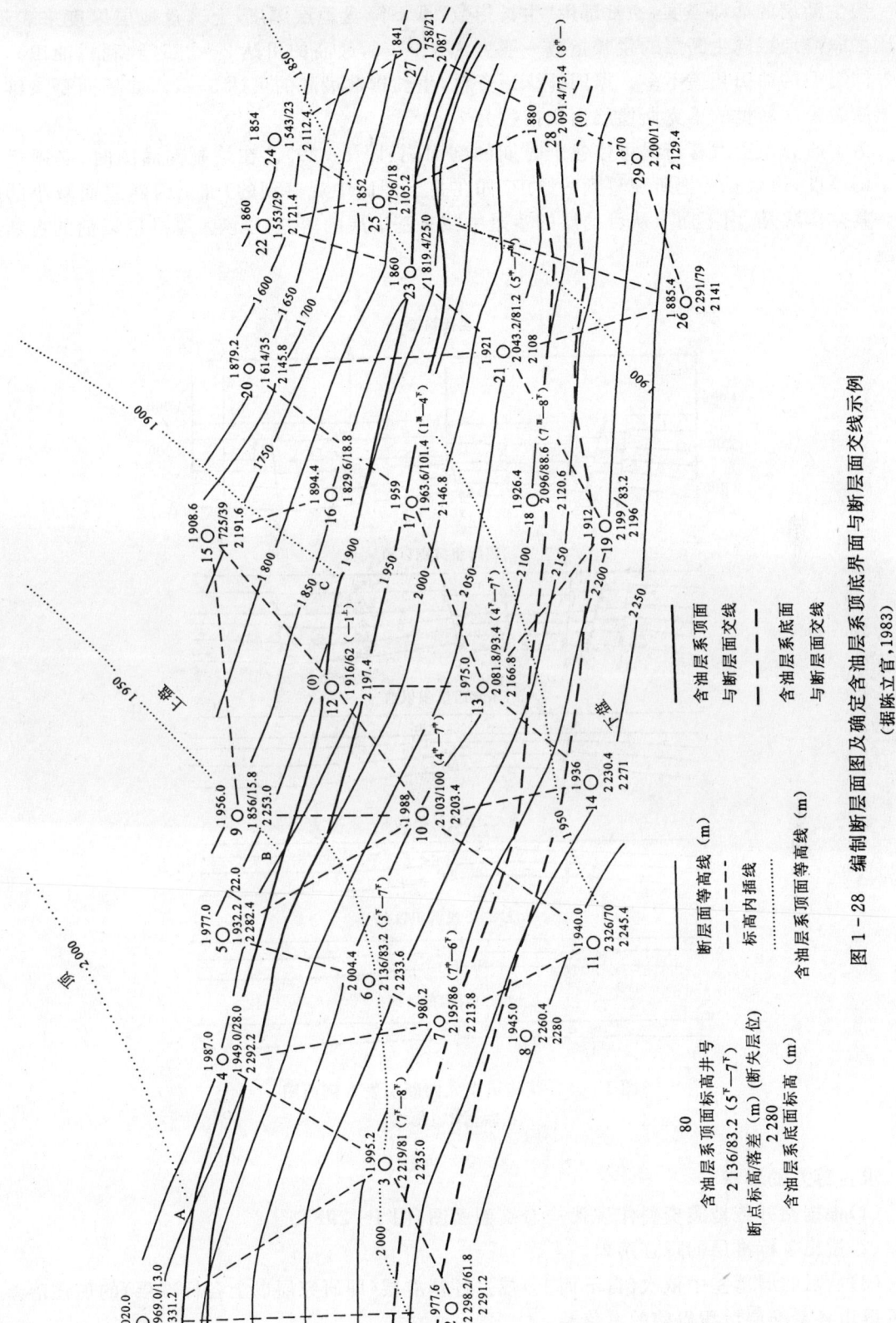

图 1-28　编制断层面图及确定含油层系顶底界面与断层面交线示例
(据陈立官,1983)

同生断层的活动强度,通常都用"生长指数"即下降盘地层厚度/上升盘地层厚度来表示。我国渤海湾地区同生断层的生长指数一般为1.1～1.5,最高的可达2～2.6(胜利村油田),与国外同类型的油田相差不多。据国外统计资料,生长指数最高的可达5～10,如墨西哥湾维克斯堡断裂带渐新世的维克斯堡层生长指数为7。

为了研究断层发育情况可作各个时期的剖面图(图1-29)。在绘制剖面图时,必须运用完整的厚度,也就是要把所观察到的厚度(如在井下剖面中观察到的)加上因断层而减小的厚度。具体作法是,由下而上从目的层的落差中减去基准层的落差,以恢复基准层以前的古断层情况。

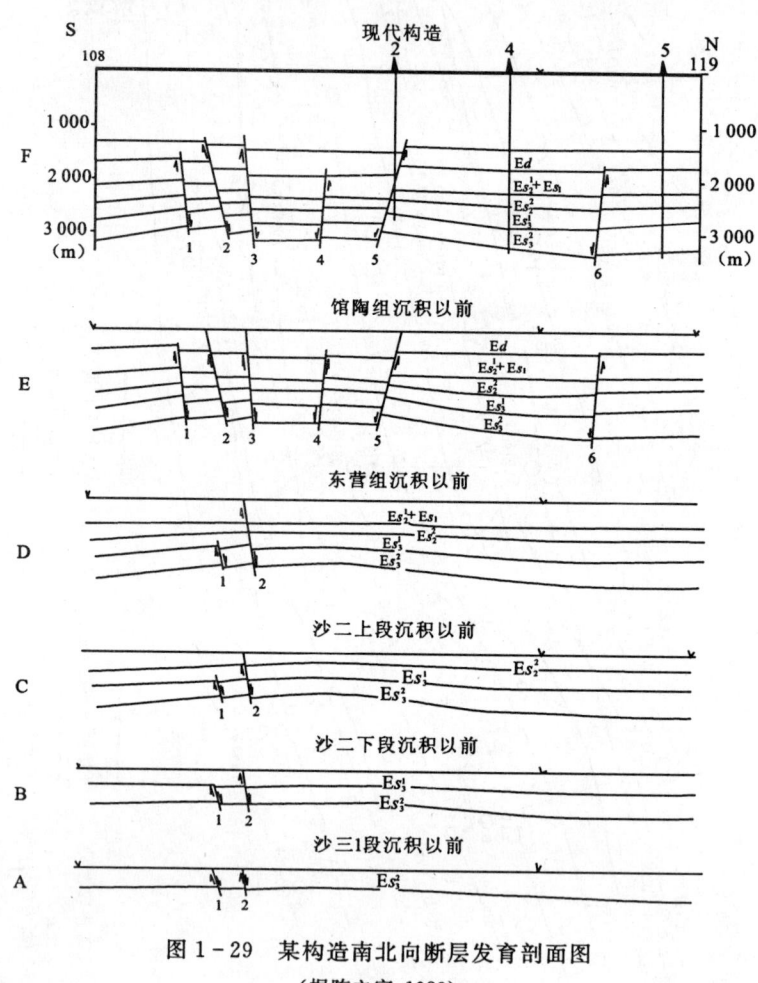

图1-29 某构造南北向断层发育剖面图
(据陈立官,1983)

求古落差的步骤:

(1)根据钻井或地震资料作现代构造横剖面图(图1-29F)。

(2)量出各标准层的现在落差。

(3)从目的层落差中依次(自下而上)减去各基准层(即研究层以上各标准层)的现在落差,就可得出各基准层沉积以前的古落差。

(4)自下而上分别以每一个标准层为目的层,减去其上各标准层的现在落差,就可得出每一个标准层各时期的古落差。

下面以图1-29为例来说明断层的发育情况。从该图中可以看出:在S_3^1沉积以前(A图),已有同沉积背斜存在,背斜在2号井之南,向斜在北端比较明显,背斜南翼发育两条阶梯状断层,使S_3^2厚度有变化。在沙二下段沉积以前(B图),构造和断层继续稳定发展,北端向斜日趋显著,断层落差增大。在沙二上段沉积以前(C图),构造继续上隆,与沙二下段沉积前的区别仅在于1号断层停止了活动,两侧厚度逐渐补偿,2号断层继续活动。在东营组沉积之前(D图),该地区稳定下降,北端向斜已不明显,1号断层仍停止活动,2号断层继续发育,但位移很小。在馆陶组沉积之前(E图),经过新、老第三纪之间较强的地壳运动,背斜顶部产生了一系列断层,1号断层又重新活动,形成一地堑式构造,在构造顶部形成了东营组沉积最厚的地区。从现代构造剖面图(F图)分析,自馆陶组沉积时起,本区处于稳定下沉阶段,断层活动基本停止。由上述可知,在构造发展的不同阶段断层的发育情况是不同的,有的是长期发育,有的是间歇性发育,有的是一次形成。

研究断层发育情况除常用这种图示法外,有时也用曲线来表示。

五、断层封闭性的研究

众所周知,断层是控制油气分布的重要因素之一。有些断层能够阻挡油气的运移,另一些断层则可成为油气运移的通道。即使是同一条断层,在它形成发展早期可以是开启性的,油气可沿断面向上运移。到了后期,由于上覆地层的压实以及其他作用,也可以变成封闭性的。研究断层的封闭性,不论在理论上或者在油气勘探开发实践中,都是非常重要的问题。

根据油气圈闭理论,盖层或断层面之所以能够对油气形成遮挡,从本质上讲是由于盖层或断层面和储层之间具有不同的排驱压力所致。只有当盖层或断层面的排驱压力大于储层的排驱压力时,才能阻止油气运移。对断层封闭性的研究,可从下列几个方面着手。

(一)断面处的测井曲线显示

从理论上讲,封闭性断层反映在组合测井曲线上,断层面是不渗透的。开启性的断层,因断面和断裂破碎带具有渗透性,在砂泥岩剖面测井曲线上,声波时差变大,密度和电阻率值降低,井径扩大;在碳酸盐岩剖面中,开启性断层和裂缝性渗透层一样,会出现"三低一高一大"的特点(自然伽玛值、中子伽玛值、电阻率低,声波时差高,井径大)。四川石油管理局利用声阻抗曲线,发现川东某井阳新统灰岩断层破碎带处有明显的低异常,说明该断层是不封闭的(见图1-30)。

(二)断面两侧的岩性条件

当断面两侧为渗透层与非渗透层接触时,通常断层被认为是封闭的。但是断层两侧渗透层与非渗透层沿断面延伸方向,接触情况是有变化的,因此位置不同,断面的封闭性质也将有很大差异。

(三)断层面及其两侧岩层的排驱压力

理论研究证明,在亲水岩石内,断面两侧岩层和断面物质的排驱压力,决定了断层是否封闭。如果断面两侧岩层的排驱压力相同或接近,则此处断层是不封闭的。反之,如果断面两侧岩层的排驱压力差别很大,则该部分的断层就是封闭的。排驱压力相差愈大封闭性愈好。如果断面物质的排驱压力大于断面两侧岩层的排驱压力,断层也是封闭的,反之断层就不封闭。

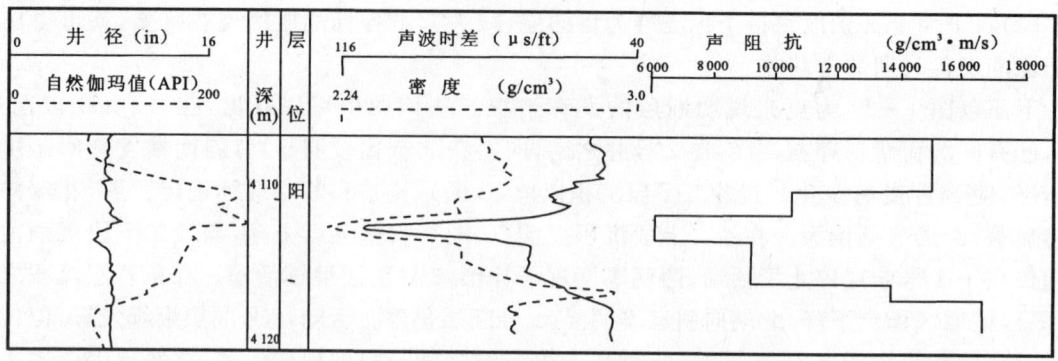

图 1-30 川东某井断层破碎带声阻抗曲线图
（据陈立官，1983）

值得注意的是，断层的封闭性不是一成不变的（如图 1-31A、B 所示）。当储层 1 的排驱压力 P_{dR} 小于储层 2 的排驱压力 P_{dB} 时，断面是封闭的，油气从边界向储层 1 的高部位聚集。根据毛管压力理论得：

$$h_{omax} = \frac{P_{dB} - P_{dR}}{(\rho_w - \rho_h) \times 0.433}$$

式中：h_{omax} 为油气柱连续高度（ft）；P_{dR}、P_{dB} 分别为储层 1 和储层 2 的排驱压力（10^{-5} N/cm²）；ρ_w、ρ_h 分别为油层条件下水和油气的密度（g/cm³）；0.433 是用 b/in²、g/cm³、ft 为单位表示毛细管压力、流体密度和高度而导出的常数。当被断层圈闭的油气柱达到 h_{omax} 时，断面 A 点处的毛细管压力 $P_C = P_{dB}$，过量的油气则通过断层面向储层 2 运移，此时断层就变为不封闭或半封闭性的。同理，在图 1-31C、D 中，当断层下盘储层 1 的排驱 P_{dR} 小于断面物质的排驱压力 P_{dB} 时，断层是封闭的，油气在储层 1 中聚集。当油气柱高度达到 h_{omax}，使 A 点处的毛细管

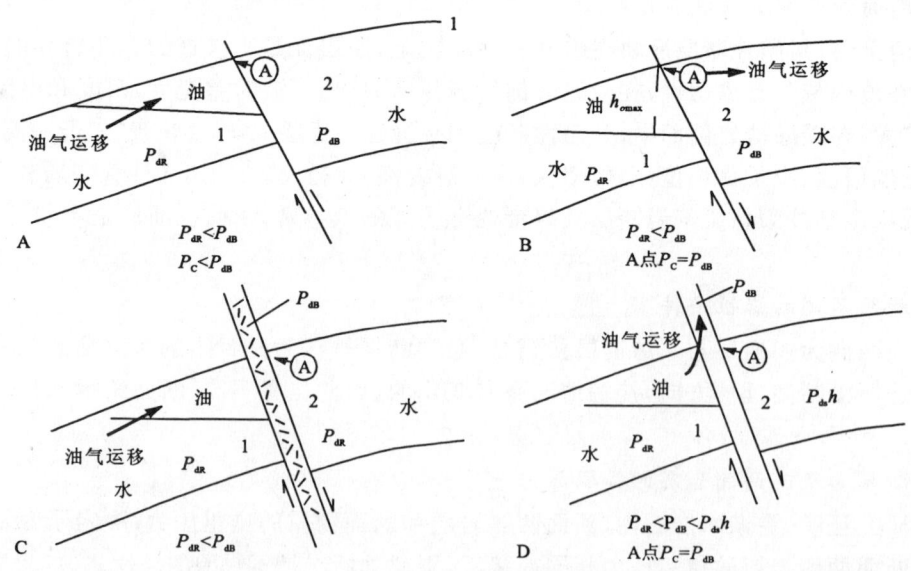

图 1-31 由于断面两侧岩层和断面物质的排驱压力不同引起断层封闭或开启的示意图
（据陈立官，1983）

压力等于断面物质的排驱压力并且小于上盘岩层 2 的排驱压力时,断层就不封闭,油气沿断面向上运移。

(四)断层的力学性质

从定性的观点讲,通常认为张性的断裂容易造成开启性断层,而压扭性的断裂则容易形成封闭性断层。但具体问题应具体分析,如我国渤海湾地区很多井都钻遇到张性正断层,有的在一个井孔中就碰上 6~7 条,但多数并未发现在断点处有井漏现象,一般都认为断层是封闭性的。我们可以从断层面受力的情况作一具体分析。在断层面上,上覆地层必将有一个垂直于断层面的分力,这个分力与静水柱压力之差,就是对断层面裂缝的压应力,以 P 示之。如果断面裂缝壁的强度抗拒不了这个压力,断面裂缝必将合陇并逐渐形成封闭。

$$P=\frac{H(\rho_r-\rho_w)}{10}\cos\theta$$

式中:P 为断层裂缝所承受的压应力(kg/cm^2);H 为断点井深(m);ρ_r 和 ρ_w 分别为岩石和地层水的密度(g/cm^3);θ 为断面倾角。

现假设 $\rho_r=2.25g/cm^3$,$\rho_w=1.03g/cm^3$ 时,当断面深度为 1 000m,断面倾角为 60°~45°时,则 $P=61$~85.4kg/cm^2。当断面深度为 2 000 m,断面倾角为 60°~45°时,则 $P=122$~170.8kg/cm^2。据岩样测定结果,沙河街组砂岩的抗压强度为 60~70kg/cm^2,泥岩抗压强度为 20kg/cm^2。由此可见,在 1 000~2 000m 深处的断面所承受到的压应力,远远大于岩石的抗压强度。

从地质力学的观点分析,即使断面受到的应力小于岩石抗压强度,但是在漫长的地质年代中,时间因素也会使岩石发生蠕变现象。因此,在长期处于静止状态下断距较小的断层,其断面多是封闭的。

(五)断层的活动强度

通常认为断裂活动强,断层多,裂隙发育,容易形成开启性的断面,给油气运移造成良好通道;断层活动弱,断层少,裂隙不发育,则相对容易形成封闭性断面。例如东营凹陷某断块,从其断层发育剖面图就可以看出,东营组到明化镇组沉积时期,断裂活动强度小,断裂也少,封闭条件好,就形成了某断块油藏(图 1-32)。而东营凹陷的另一断块,从其断层发育剖面图上可看到,由于断裂活动强度大、断裂多,因而形成开启性断面(图 1-33)。

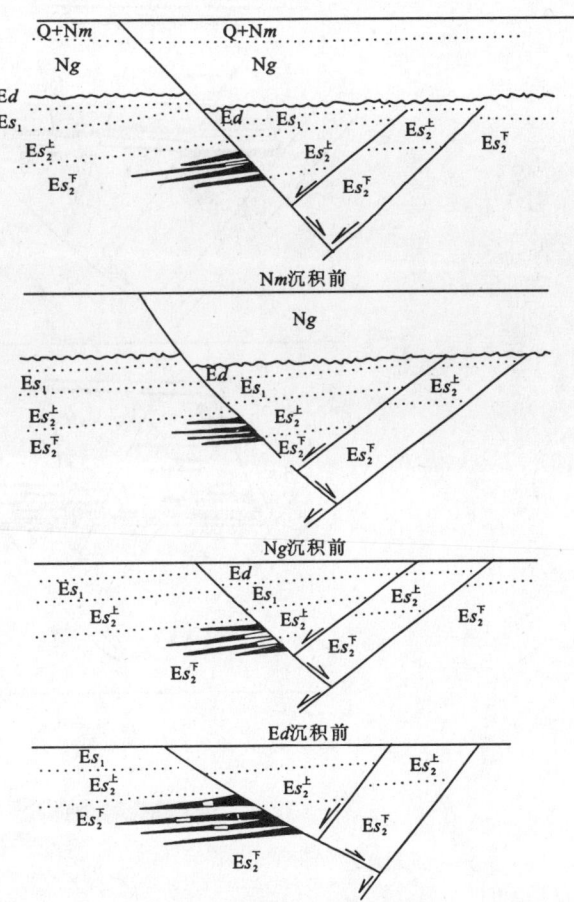

图 1-32 活动强度小的断层封闭性好

(据陈立官,1983)

(图中黑色部分为油层)

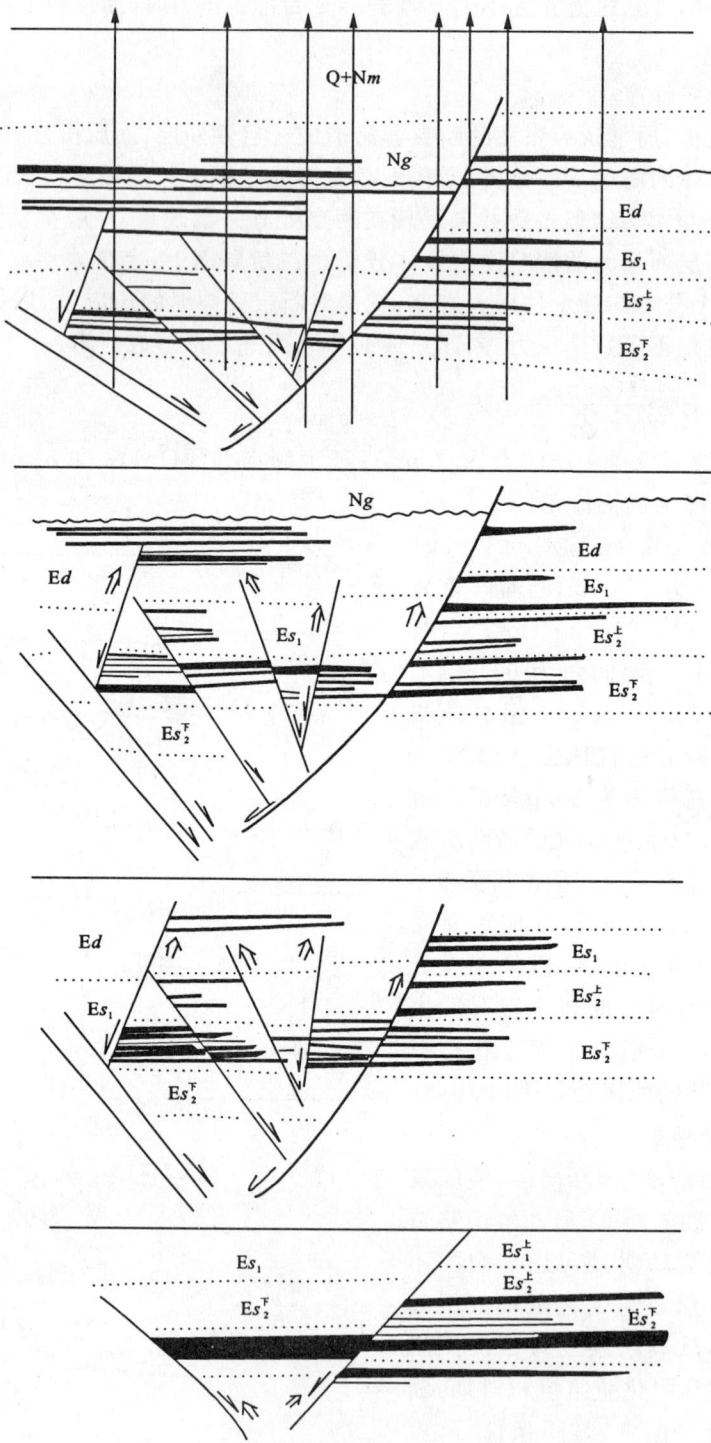

图 1-33 活动强度大的断层断面开启示意图
(据陈立官,1983)

（六）断层两盘的流体性质及分布

若断层两盘流体性质不同,油-水界面高度不一样,则说明断层是封闭的。如下辽河地区某油田42断块与南面的某7断块为一条断层所隔,但两个断块沙一下油层的原油性质则完全不同(表1-2),说明该断层是封闭型的。

又如东营凹陷的某油田,其东营组和馆陶组地层本身并不具备生油条件,但由于断层的通道作用,使深部沙二段、沙三段的油气沿背斜轴部断层向上二次运移,形成了东营组和馆陶组中的浅油气层。纵向上,某油田各含油层系的油气性质也呈现有规律地变化,原油比重、粘度、含硫和异构烷烃与正构烷烃的比值,由下向上增高,而凝固点、含蜡量、馏分则由下向上变低(表1-4);溶解气比重和重烃含量由下向上降低,甲烷含量增高,东营组油层中天然气的重烃含量很少为0.5%～4.0%,到明化镇组气层基本上为干气,重烃含量只有0～0.2%(图1-34)。上述事实均表明,断层是不封闭的。

表1-4　某油田各层系原油性质数据表
（据陈立官,1983）

层位	相对密度 (d_4^{20})	粘度 (Pa·s)	温度 (℃)	含硫 (%)	含蜡 (%)	馏分 (200℃)	异+环/正构 (%)
馆陶组	0.97	4 267	12	1.06		0	
东一段	0.97～0.95	1 141～3 607	2～10	0.82～0.87		0	
东二段	0.96～0.94	350～3 200	(-9)～5	0.75～0.90		0	94
东三段	0.95～0.93	1 300～1 000	(-6)～14	0.70～1.10	7.3～13.8	0～5.6	95
沙一段	0.93～0.89	25～300	1～28	0.50～0.80	2.5～16.5	2.1～9.7	77～92
沙二段	0.94～0.88	28～1 400	0～34	0.41～1.10	4.4～24.1	1～15	36～62
沙三段	0.94～0.89	36～2 400	0～34	0.51～1.44	8.2～23	0～10	66～85

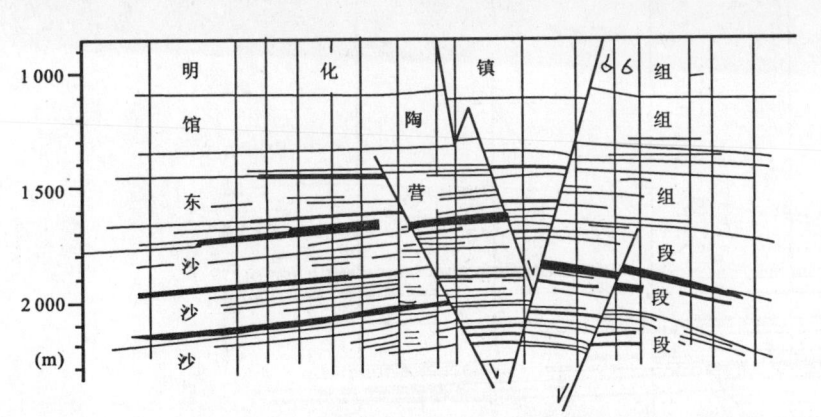

图1-34　某油田油气性质纵向变化图
（据陈立官,1983）

（七）断层活动时期与油气聚集期的关系

一般认为在油气聚集期已停止活动的断层具有封闭性,在主要油气聚集时期之后产生并继续活动的断层具有纵向开启性质,多为油气运移的通道。许多次生浅层油气藏就是沿该类断层向上二次运移形成,如图 1-35 所示。同生断层常常具有良好的封闭性(图 1-36)。因为沉积和断裂同时发生,泥质层还没有被压实固结而呈半塑性状态,泥质层很易沿断面或破裂带发生塑性流动,从而在断面处形成一个天然的不渗透边界。

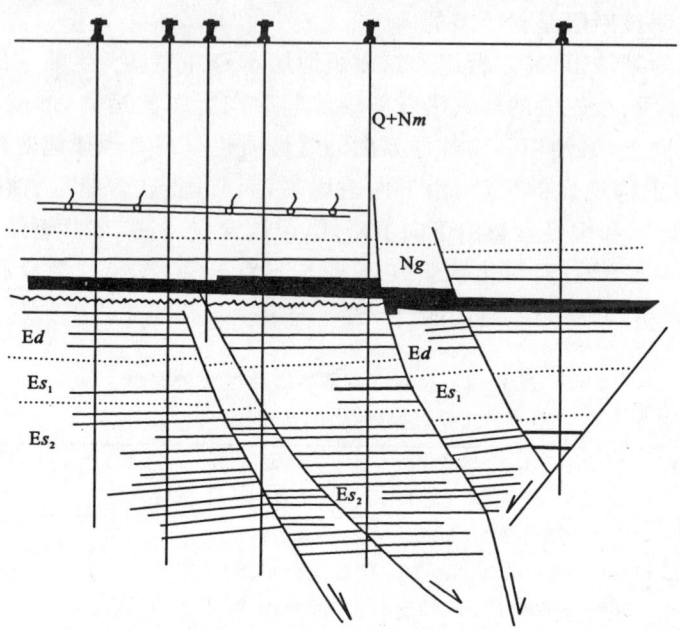

图 1-35　东营凹陷新第三系后生和继承性断层纵向开启油藏剖面示意图
(据陈立官,1983)

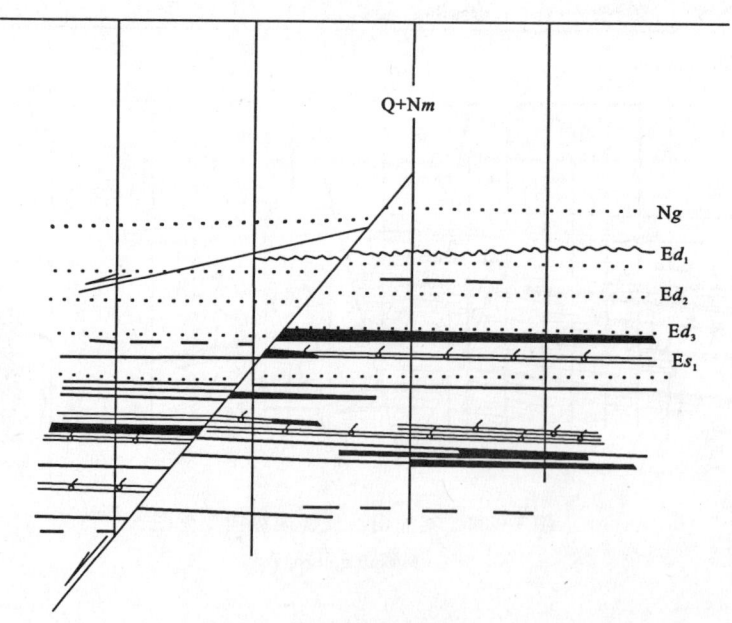

图 1-36　东营凹陷老第三系同生断层所封闭的油藏剖面示意图
(据陈立官,1983)

1.4 地下古构造研究

1.4.1 地下古构造的研究方法

油气勘探实践说明,古构造的形成时期对油气的聚集有着重要影响。所谓古构造或古隆起,就是指那些在沉积过程中形成的隆起,又称同沉积背斜。同沉积背斜常具有上缓下陡的构造形态,上、下构造形态常常不吻合,高点有明显偏移;岩层的厚度由轴部向翼部变厚,构造顶部地层与两翼比较,常欠完整或有多次局部不整合在顶部出现;在岩层厚度变化的同时,由于沉积补偿条件的差异、沉积分异以及水下冲刷等作用的影响,使同沉积背斜上同一层的岩性由顶部向翼部发生变化。根据以上特点,古构造研究主要是采取厚度分析法,并结合岩性、岩相、沉积间断、构造形态等来进行的。

一、岩性、岩相分析法

岩相古地理的研究表明,盆地水体深度及古地形特征,对岩性、岩相的分布有着明显的控制作用。由于同沉积背斜是一个继承性的古隆起,在古地理上为水下一个高地,受波浪和底流冲刷比翼部强烈,沉积在古隆起上的碎屑物质,比离隆起较远的地方要粗,因而同一层砂泥岩的百分比就有所变化。所以,在陆相沉积盆地中,主要是通过编制砂岩百分含量等值图和砂岩厚度图以及岩性岩相图,定性判断古构造的存在和分布。在碳酸盐岩发育地区,当有古隆起存在时,靠近古隆起顶部因水流较浅,细粒物质被带走,有利于形成生物滩和鲕滩沉积。在构造运动作用下,有时生物礁滩会出露水面,遭受淋滤和溶蚀,成为良好的储集层,例如沪州古隆起就可能属于这一类型。

二、沉积间断分析法

沉积岩剖面中的不整合面和剥蚀面,都是某一地质时期地壳运动性质、延续时间和影响范围的反映。因此,可根据沉积岩系上下层位不整合接触或沉积间断,来确定地壳上升或古构造隆起的时间。如图1-37所示,该图为松辽盆地杏树岗构造短轴方向的剖面,上下白垩统之间为不整合接触。构造顶部下白垩统上部遭受剥蚀,在构造顶部上白垩统下部地层逐层超覆于下白垩统的侵蚀面之上。第三系与白垩系不整合接触关系更为清楚,上白垩统

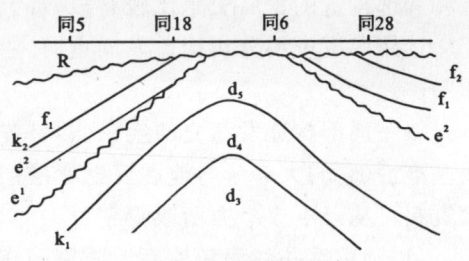

图1-37 杏树岗构造短轴方向的剖面示意图
(据陈立官,1983)

地层有明显的构造隆起,第三系几乎水平。这说明构造在早白垩世末和晚白垩世末,经过两次隆起而增大定型。但是,地层的间断并非到处可见,而且同一个间断面在不同地区,所显示的程度也不尽相同。所以,最好是编绘出不整合面以下各组岩层的平面分布图,即所谓古地质图。在这种古地质图上,不仅可以表示出沉积连续区和沉积间断区,而且还可以把不整合面以下的剥蚀程度和新的水侵以前古隆起的形状明显表示出来。如果将古地质图和前期的地层等厚图叠合在一起,对阐明构造发育历史就更有意义。

三、构造形态分析法

今构造形态是构造发展的最后结果,构造发育过程中的各种变化,都会刻划在今构造形态之中。所以,对今构造形态的分析,可以粗略判断局部构造的发育情况。

松辽盆地的研究结果表明,有 3 种类型的构造:第一类,从剖面上看,构造顶薄翼厚,且翼部倾角为下陡上缓,闭合幅度为下大上小,这类构造则是逐渐隆起的老构造,即所谓的同沉积背斜,如扶Ⅲ、双兴等构造;第二类,构造为一翼厚一翼薄,翼部倾角为上陡下缓,闭合幅度为上大下小,这类构造则是后期形成的新构造,如红岗子、林甸等构造;第三类,构造为顶厚翼薄,深层为向斜,浅层为背斜,这类构造是属于先凹后隆的新构造,如三兴、杨大城子等构造。另外,从平面形态及其各级构造间的关系分析,也可以估计构造形成的新老次序。一般情况是:构造轴向与区域构造走向斜交的,多为老构造,如双兴、扶Ⅲ等构造;相一致的为新构造,如登娄库、大安等构造;基岩隆起带上的弯隆或似弯隆状的大面积小幅度构造,则多为伏龙泉组以前发育的老构造。而呈带状的大面积、大幅度的构造多为伏龙泉组以后的新构造。

构造形态分析是一种定性分析方法,必须以剖面形态分析为主,综合考虑平面形态,其结论才能比较正确。

四、厚度分析法

上述岩性、岩相、沉积间断和构造形态分析方法,都只能定性讨论古构造的发展情况。而厚度分析方法,却能够较为定量地研究古构造的发展史。其基本原理是:假设盆地接受沉积时,各类沉积物在水体中的沉积深度始终保持不变,当地壳持续下沉,沉积物相应进行补偿,即沉积厚度与地壳的沉降幅度相一致,或简称沉降和补偿一致。这种情况在一定条件和范围内是正确的,如海洋陆栅区(200km 以内)和湖盆长期比较稳定的主要坳陷区。所以对于那些地壳活动不太频繁,沉积比较稳定的海盆或湖盆,运用地层的厚度资料,研究含油气盆地区域构造和局部构造的发展史是比较有成效的。

运用厚度资料分析构造发展史时,主要是通过编制古构造图和构造发育史图(又称"宝塔图")。

编制局部构造发育史的宝塔图,首先要选择油层顶面和其他有意义的地层界面为标准面或基准面(它们大部分与地震反射标准层相当),然后算出各井或地面剖面各层组的厚度。厚度资料可从以下 3 个方面取得:

(1)利用钻井剖面和地面地质剖面直接读取厚度。
(2)利用地震剖面并参考附近钻井资料读取厚度。
(3)用构造图叠合,取等高线交点,求出厚度。

取得厚度数据后,就可着手编绘古构造剖面图和古构造图。现举例说明:例如某构造经钻探,在生油层之上的地层共划分为 6 套,由老至新为 1~6 层,因第 5 层顶面为一遭剥蚀的假整合面,厚度不准确,不能单独采用,只能采用第 5、6 层之和为一单位。值得注意的是厚度应为地层的真厚度,岩相变化大时,还应附加岩相校正。

根据以上厚度资料,沿井 2、井 1 和井 3 及井 4、井 1 和井 5 方向,作该构造的古构造纵横剖面图,如图 1-38 所示。其作图方法是,首先沿各井身分别卡出 1~6 层的厚度,然后连接同层各点为圆滑曲线。值得特别指出的是,该图与一般剖面图不同,先沉积的老地层画在上面,后沉积的新地层画在下面。这只是为了能直观地说明该构造的发育过程,故意将新老地层的沉积顺序颠倒过来。该图的1层面代表第1层沉积后底面的构造形态,这时在纵、横剖面上都可看出为一向斜。2层面代表第2层沉积后第1层底面的构造形态,在横剖面上为向3井方向倾斜的单斜层,在纵剖面上则近乎水平。3层面代表第3层沉积后第1层底面的构造形态。在纵横剖面上都有背斜隆起显示,但是在横剖面上更为明显。同理,在第4～6层沉积后,第1层底面的构造一直保持了背斜形态,而且愈来愈明显。这些资料说明,该构造第1层底面的构造形态,经历了从向斜到单斜,由单斜再向背斜发展的过程。在第3层沉积后,背斜才略现雏形。

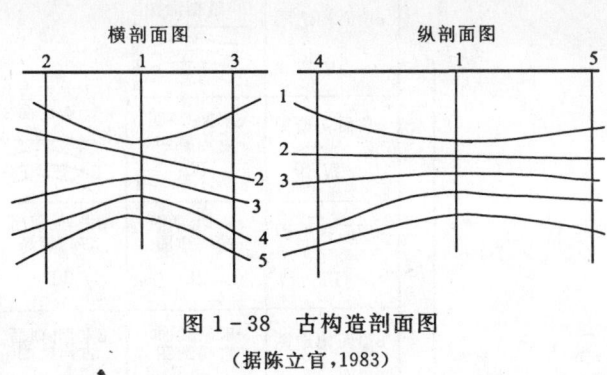

图1-38 古构造剖面图
(据陈立官,1983)

根据这5口井的资料,还可以作上述各层的古构造平面图。如图1-39所示,图中的A～E分别代表第1层底面在第1、2、3、4、5和6层沉积后的构造形态。它提供了更全面的情况。

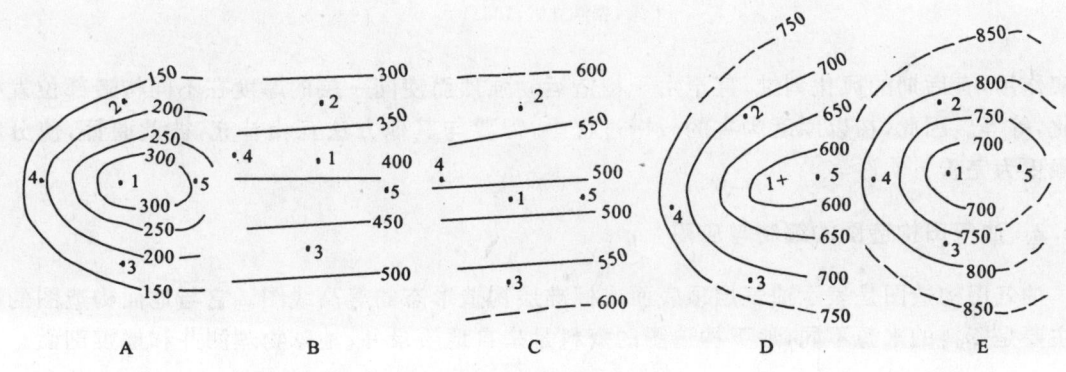

图1-39 古构造平面图
(据陈立官,1983)

为了清楚地表示不同时期的构造发育情况,还可以编制构造发育的宝塔图。如图1-40所示,它反映了该构造5个标准层的5幅今构造和10幅古构造状况。由这15幅图(在图1-39中用文字代替)可以了解各标准层的古构造发展过程。

为了使地层厚度能更准确的反映古构造轮廓,在区域构造研究中还应注意结合岩性、岩相方面资料,对划分的标准层进行沉积深度的校正。除深度校正外,还要考虑到地层的缺失、不整合面或沉积间断面及残余地层厚度,为此应对缺失的地层厚度进行恢复。上述4种分析方法,是岩性定性、接触关系定时、上下构造定发展、厚度定量的综合研究方法。也就是根据同一沉积层在平面上的岩性、岩相变化,推测古构造隆起的大体位置;根据上覆岩层的厚度变化,定量的确定古构造隆起幅度;根据上下层位的不整合接触或侵蚀面,确定构造形成的具体时期;根据上下构造层和构造形态的差别以及两翼陡缓的变化,定性地了解古构造发展历史和性质。但是,地质情况复杂,地层厚度受多种因素影响。有沉积和补偿的不同情况,有成岩过程中的

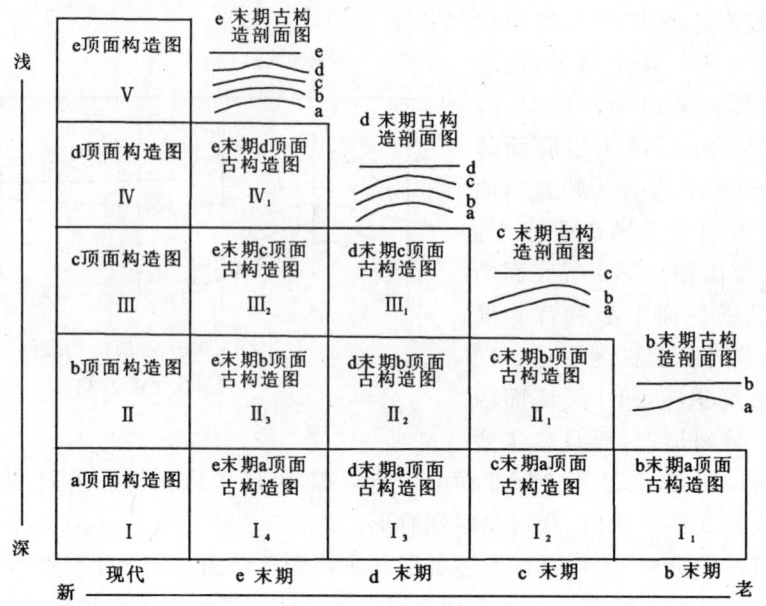

图 1-40 构造发育宝塔图
(据陈立官,1983)

压实作用,有后期的风化剥蚀,甚至由于构造运动强烈而使同一层的厚度在不同构造部位发生变化,等等。因此,在以厚度为主的分析过程中,需要与其他方法互相补充,彼此验证,使分析结果更为完善。

1.4.2 油气田构造图的编制与应用

油气田构造图是表示油气层顶底面或标准层构造形态的等高线图。它与地面构造图的区别主要是资料的来源不同,地下构造图的资料是来自地质录井、地球物理测井和地震剖面。

一、编制构造图的准备工作

(一)选择制图标准层

用来编制构造图的地层界面应为等时面,称为制图标准层。一般选择井下油气层或邻近油气层的标准层作制图标准层。有时由于井中取心少,对测井、岩屑等资料研究不充分,特别是对区域资料对比分析不够,把剥蚀面误选为制图标准层,这种情况应当避免。

根据勘探工作需要,有时制图标准层还专门选用标志明显、起伏大并在地震剖面图上反应清晰的不整合面作构造图。这是出于寻找不整合地层油气藏的需要,如找潜山油气藏等。

(二)斜井、弯曲井地下井位的校正和标高换算

在编制油气田地下构造图时,对斜井和弯曲井的地下井位校正和标高换算,主要是为了获得制图标准层的准确海拔高度,以保证构造图的质量和精度。常用作图法的步骤如下:

(1)求弯曲井水平总位移 L 及其方位角 β。

设共有 N 段,首先计算出各斜井段的水平位移 S_i:

$$S_i = L_i \sin\delta_i (i = 1, 2, 3, \cdots, N)$$

在方位坐标上,从井口依次逐段地根据 β_i 和 S_i 值,连续地画出各斜井段的水平位移(图 1

-41A),一直作到制图标准层上的那一井段为止。将井口与该尾点相连,即为弯曲井到制图层总的水平位移 L。L 与正北方向的夹角就是 L 的方位角 β。有了 L 和 β,就可以画出在制图标准层上的地下井位。

(2)求弯曲井的铅直投影井深。

如图 1-41B 所示,作任意水平线代表海平面,引海平面的垂直线作铅直井段;根据井斜角 δ_i 和斜井段长度 L_i,从井口依次逐段连续地作出斜井段,直到制图标准层为止,将各斜井段向通过井口的铅直线作垂直投影,自井口至最末一点投影的长度即为弯曲井的铅直井深 H。

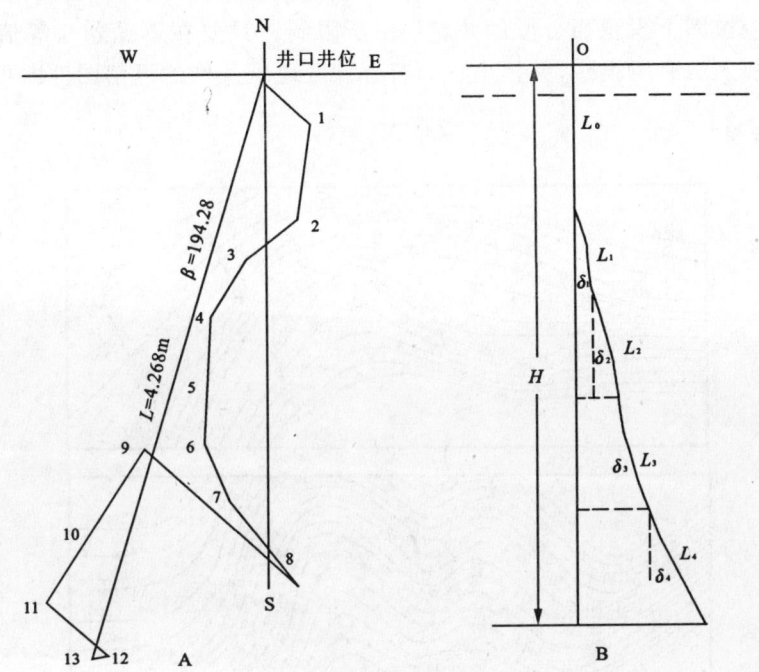

图 1-41 求斜井水平位移距离和方位图(A)和用作图法求弯曲井铅直井深示意图(B)
(据陈立官,1983)
A—平面图;B—剖面图

二、编制地下构造图的方法

编制构造图实质上是以等高线来描绘标准层界面相对于基准面的起伏特征。人工编制地下构造图的方法有下列 3 种:

(一)内插法

内插法又叫等值内插法,适用于比较平缓而变化不大的构造。用此法绘制构造图时,首先在平面图上把所有的地下井位点好。然后将每口井制图标准层顶(或底)面的海拔标高算出并分别注在各井位旁边。把相邻的井点连成三角形控制网,对每个三角形的边按给定的等高距进行等值内插,将相同标高值的各点用平滑曲线相连。勾绘等高线的原则是:

(1)等高线从高部位井点到低部位井点间内插穿过。不同翼和不同断块之间等高线不能相互穿越。

(2)等高线彼此不能相交。倒转背斜及逆断层例外,但下盘被隐蔽部分一般不画图或以虚线表示,以免混淆。

(3)当层面近于陡立时,等高线重合。

图 1-42A 就是按上述原则内插绘制的构造图,技术上虽没有错误,但是它未能反映协调的构造形态。这样的构造图是不符合真实形态的。而 B 图虽然利用了同样的井点,但却勾绘出了两个鼻状构造。这张图未用简单内插法,而是根据井点所提供的倾角和走向资料经过构造形态分析后编绘的。在井点稀疏时,区域构造的性质和特征将有助于对地下构造的解释。在了解构造特征并利用稀散井点作等值线时,其形态要显示出区域构造的特点。在解释井点数据时,常犯的错误是,认为高部位的井点代表构造高点,低部位的井点代表构造的最低点。实际上往往构造顶点海拔超过已有最高井点的海拔,而最低处海拔低于已钻的最低井点海拔。因此,勾绘时不应被图上少量而分散的井点数据所限制。只要在遵循勾绘等值线技术要求的前提下,允许地质人员有所设想,并提出一个符合该区地质条件的可信图件即可。C 图就属于这样的例子。

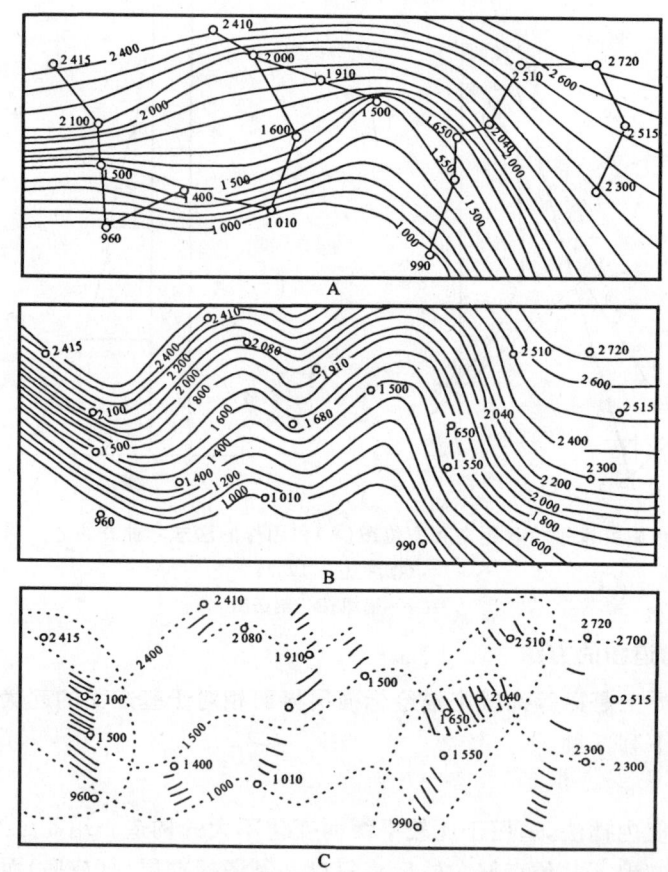

图 1-42　忽视地质条件的构造图(A)和通过 C 图编图过程考虑到地质因素的构造图(B)
(据陈立官,1983)

此外,当构造条件比较复杂,井点资料又比较多时,可以在编构造图以前,先对断点组合和构造剖面图进行充分研究,并预先在图上标明断层线和层面产状,以免在连三角网时发生错误。

(二)剖面法

用剖面法绘制构造图,适用地层倾斜较陡和被断层复杂化了的构造。当储油气构造属于狭长的线状背斜时,探井剖面往往与褶曲走向垂直,井剖面之间距离较远,更利于用制图标准层的一系列平行横剖面(或加一条纵剖面)来绘制构造图。横剖面是根据钻井资料编制的。构造图上的等高线,可看成一组等间距的水平面与该标准层的交线。因此,利用构造横剖面绘制构造图时,首先应在剖面上按选定的等高距作平行于海平面的若干平行线,把这些平行线与制图标准层的交点垂直投影到水平基线上,并注明各投影点的海拔标高。每个剖面都按这种方法进行投影。投影完后,将各剖面水平基线上的投影点移到对应的剖面线上,再把同一翼相同标高的各点连成平滑曲线。图1-43就是根据5个已知剖面编绘的构造图。由于构造东翼地层倒转,造成等高线的交错。倒转部分的等高线应以虚线表示。

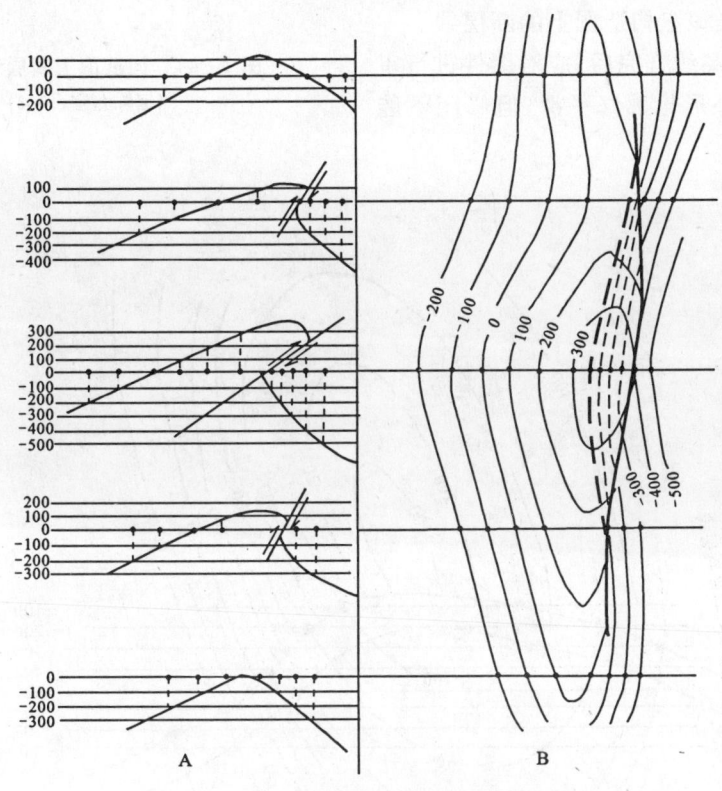

图1-43 用剖面法编制构造图
(据陈立官,1983)

对于有断层的构造,若剖面方向垂直断层走向,剖面上标准层与断层面的交点也按上述方法投影。在勾绘构造图时,首先应将各条剖面上断层上、下盘与制图标准层交点的投影连接起来,便可得到表示同条断层的两条断层线。只有断面直立时,这两条线才合二为一。在断层消失的地方,同一断层的两条断层线相交。如图1-44所示,1号断层向北消失,2号断层向南消失。画好断层线之后,再画等高线。把各剖面上制图标准层标高最大的点连接起来,便可得到背斜的轴线。

断层两盘的某些等高线,当不能从一个剖面延续到另一个剖面时,必须要与断层线相交,等高线与断层线相交的具体位置,可根据同一盘相邻两剖面间制图标准层与断面交点的标高内插确定。

对于用横剖面无法控制的横断层或斜断层,通常采用断层面等高线交切法来绘制断层线,如图 1-45 所示。首先应根据各井同一断层断点的海拔标高,绘制断层面等高线图。然后将同一盘上构造等高线与断层面等高线相同标高的各交点相连,即为断层面与该盘构造面的交线,也就是该盘构造图上的断层线。

断层线与等高线作完后,应对图件进行审校,把等高线的外形轮廓修平滑,但修图不能违背实际资料。

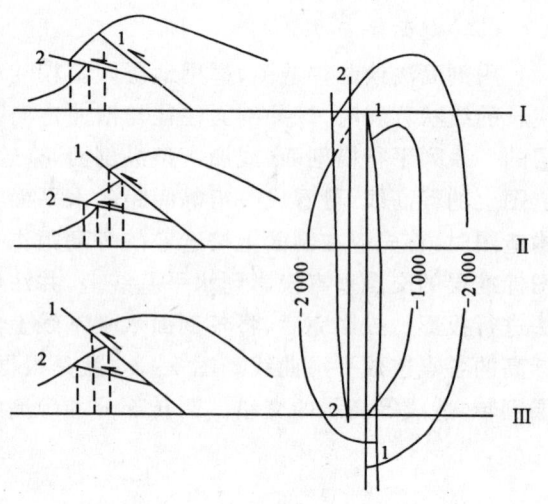

图 1-44　构造图上断层线的绘制
（据陈立官,1983）

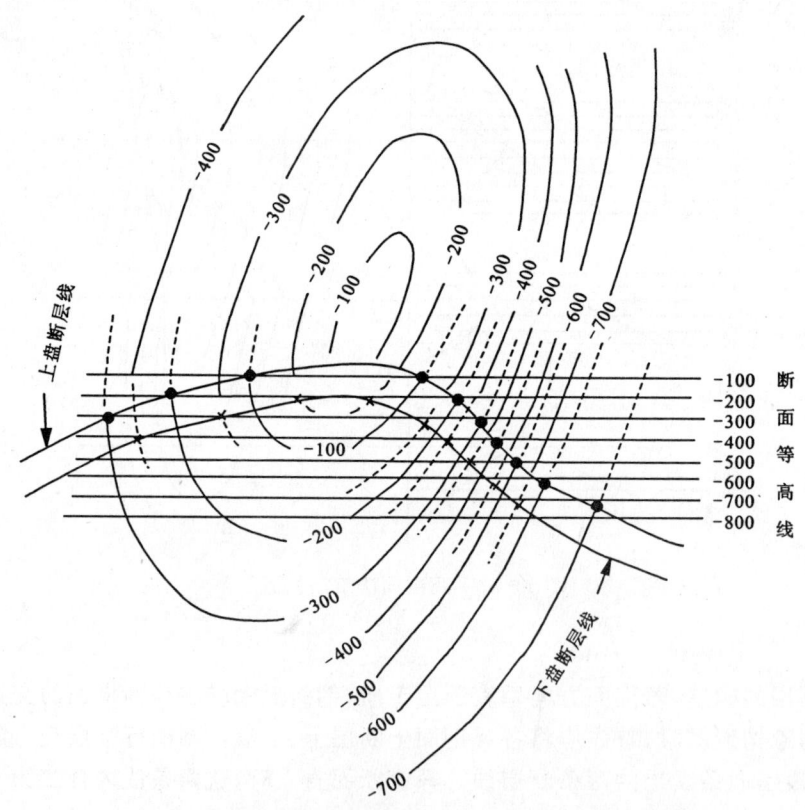

图 1-45　用断面等高线和构造等高线绘制断层线示意图
（据陈立官,1983）

（三）地震构造图的深度校正法

在一个勘探程度不高、钻井不多的地区，主要依靠地震构造图进行深度校正以绘制构造图。此外，在老探区勘探深部油气层时，也可以应用仅有的少数钻井资料去校正地震构造图的深度，从而绘制出深层构造图。深度校正常采用等差值校正法，具体作法如下：

(1) 经过井斜、井位校正，把井点投到地震构造图上。

(2) 计算各井点由地震法定出深度与实际深度的差值，并标记于井位旁边。

(3) 按内插法勾绘等差值曲线。如果区域大，就应分析等差值曲线的变化趋势，分区选出适当的深度校正差值，分别对各区地震深度进行校正。如果地区小，就对等差值线与地震构造等高线的交点逐一校正。交点上的实际标高等于地震标高值减去差值。

(4) 按校正后的标高勾绘等高线，即得到经钻井深度校正后的深部构造图。图1-46是经校正后的构造图，与原地震构造图比较，高点向东偏移。如果地震剖面上有井点时，可直接校正剖面深度，或者通过井点在地震构造图上切剖面，进行剖面深度校正。利用校正后的剖面作出的构造图，就是经钻井深度校正后的构造图，精度较高，适用于复杂的窄长构造。

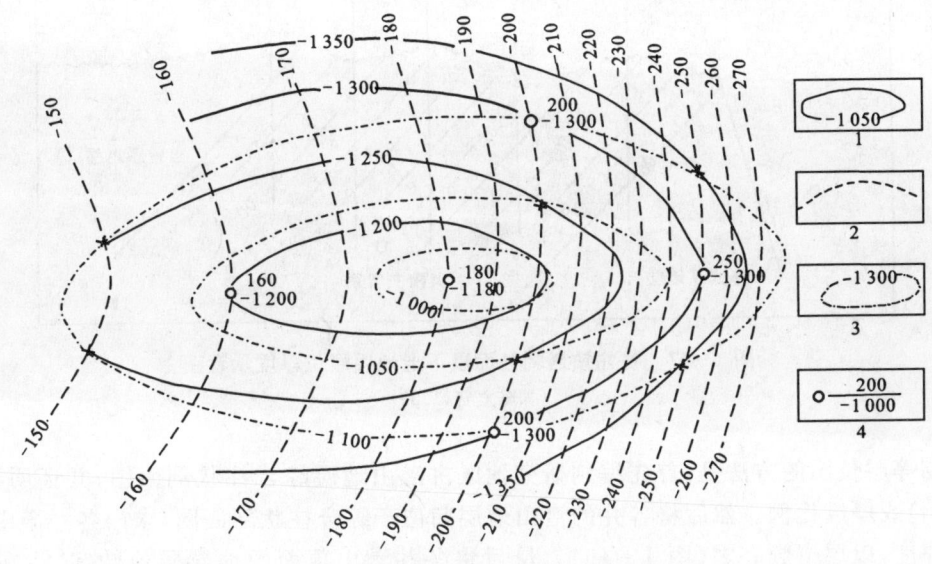

图1-46　等差值深度校正构造图
(据陈立官，1983)

1—地震构造图等值线；2—等差值线；3—深度校正后等高线；4—井位等差值校正后标准层海拔

三、地下构造图的应用

地下构造图的用途有：①反映构造类型、轴向、高点位置、各部位的地层产状、断层性质及其分布等地下构造特征，为研究圈闭类型和油气藏类型奠定基础。②根据构造图上的等值线，可以确定任何一点制图标准层的深度，因而能为新井设计提供深度依据。③可在构造图上圈定油气边界，为储量计算提供面积参数；为开发方案如边外注水、切割注水、面积注水等提供地质依据。④作为编制开发与开采现状图的背景图，观察油、水或气、水边界在油气藏各部位的推进情况，分析油层动态，以便调整生产和开发部署。

四、表征地下构造的其他图件

(一)等层位图

华北油田勘探二部在分析古潜山地质结构中,创造性地编绘了任北油田古潜山顶面等层位图,取得了良好地质效果。

等层位图主要用于研究剥蚀面以下厚度大(数百米或上千米)、分布广、岩性比较单一的大套碳酸盐岩或页岩地层。对古潜山来说,由于内、外动力地质作用结果,使各地区的残余厚度差别很大。为了清晰地反映潜山顶面地层的详细分布情况和古地形,根据综合柱状剖面图上的测井曲线特征(本区主要用自然伽玛曲线),从顶界(设为零)向下,每隔一定深度(或厚度)人为地将地层分为许多等厚的小层(图1-47、1-48),将各井中这些等厚层的相同层位用等值线相连接,即成等层位图。也就是说同一等值线上的点都具有相同的层位。

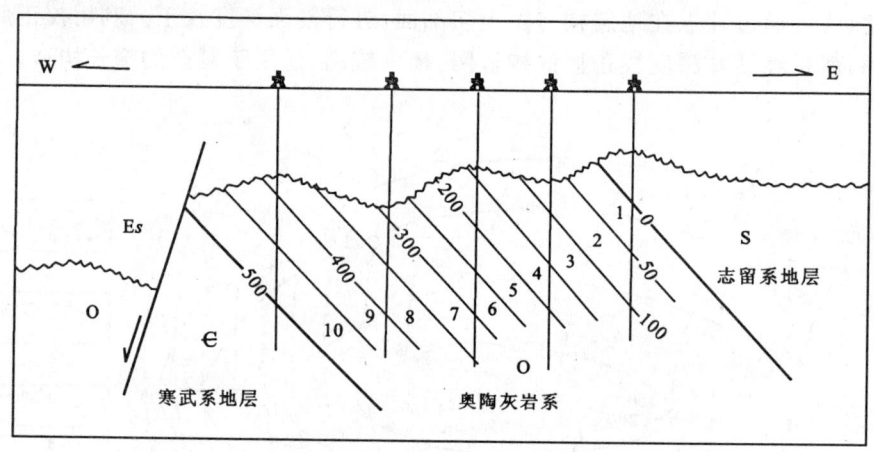

图1-47 各井钻遇剥蚀面以下老地层层位厚度示意图
(据陈立官,1983)

编制等层位图的方法是:首先编制研究地区古潜山地层综合柱状剖面图,并证明深度(从顶界开始)或厚度比例。然后将各井的潜山地层归位于综合柱状剖面图,求出各井潜山顶面所对应的深度,以层位数表之(图1-49)。最后将各井潜山顶面的地层层位数字,注在井位旁边,按内插法勾绘"层位等值线"。和勾绘某标准层界面等值图一样,在有断层存在时,等层位线不连续。为了准确划定断层位置,要充分利用地层对比和倾斜测井资料,以确定井下断点深度、断距、断层性质等,并结合地震测线及其他有关资料,判定断层的产状要素。断层问题处理得愈好,等层位图的精度也就愈高,其所反映的潜山地质结构也就愈接近真实情况(图1-49)。

等层位图的用途有:

(1)反映潜山地层的剥蚀程度。如果综合柱状图(或简称为"层位尺")的深度比例数值,以潜山地层最新层位点为零值,则层位数值愈小,表示剥蚀程度愈浅;层位数值愈大,剥蚀程度愈深。所谓等层位线,实质上就是等剥蚀线。因此,等层位图也可称作"剥蚀程度图"。

(2)反映潜山地层残余厚度。因为潜山地层某层系的总厚度与剥蚀厚度之差值等于该层段的残余厚度,所以每条等层位线实际上也就是等残余厚度线。如任北古潜山等层位图所示,

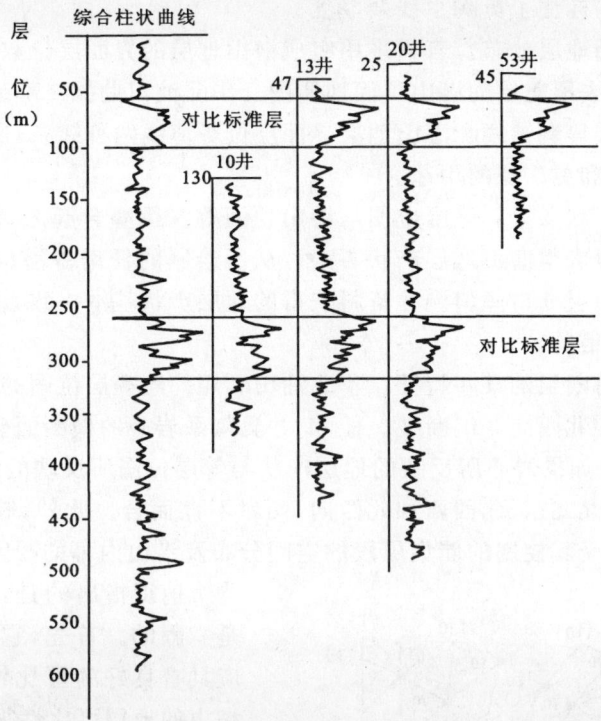

图 1-48 自然伽玛曲线与综合柱状图对比后确定各井潜山顶面层位数示意图
(据陈立官,1983)

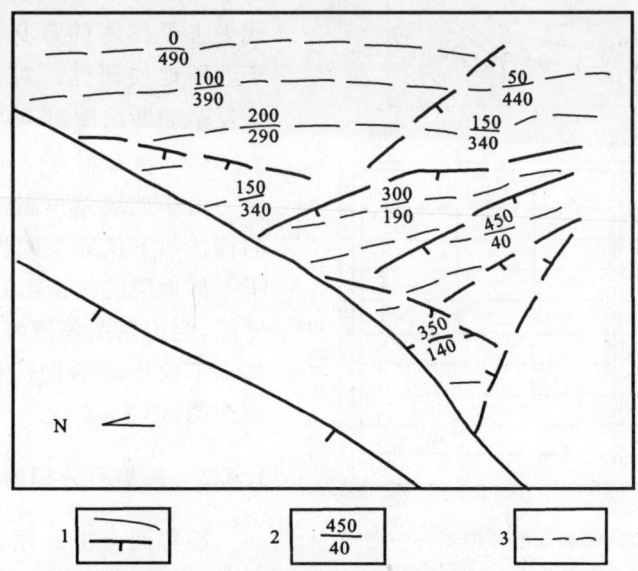

图 1-49 任北奥陶系古潜山等层位图
(据陈立官,1983)
1—断层;2—剥蚀程度/残余厚度;3—层位等值线

在等层位数值的下面,标注了奥陶系残余厚度。

(3)反映潜山顶面地层分布。若只采用组成潜山地层的界面层位数值勾绘等层位图,则这样的等层位图就是剥去覆盖层的潜山顶面地质图。华北油田勘探二部编绘的任北古潜山等层位图,采用了潜山地层等剥蚀线和潜山地层界面层位等值线两种线条,所以较之潜山顶面地质图具有更丰富的内容和更广泛的用途。

(4)求潜山地层产状要素。等层位图与潜山顶面等深图叠合起来,谓之"潜山顶面地质结构图"。根据该图可以求得潜山地层产状要素。从所绘制的任南古潜山地质结构图上所求得的地层产状,与该油田上 9 口倾斜测井资料获得的地层产状基本一致,说明利用等层位图判断潜山的地层产状是可信的。

(5)反映潜山内幕断层的某些特征。华北油田利用勾绘等层位图的方法,推测任北古潜山具有北北东、北西西和北西向 3 组断裂。任 89 井奥陶系岩心的横断面确也存在互成 50°、60°、70°交角的 3 组裂缝。如果岩心所反映的地层产状与等层位图所反映的地层产状大体一致,则这 3 组裂缝也分别为北北东、北西西和北西向,两者不谋而合。此外,等层位图还可以反映潜山内部"泥质隔层"和受其控制的储集层段的空间分布及潜山内幕的圈闭条件等。

值得指出的是,等层位图的适应范围是有限的。首先,它要求组成潜山的地层应具有良好的可比性和稳定性,如果组成潜山的地层可比性很差或对比标志层的间隔很大,厚度变化也大,则此种方法难以应用。其次,等层位图和其他等值线图一样,要求一定的井网密度,如果井间距离过大,就失去了作图的意义。因此,它主要适用于油田地质研究。对于断层很多、结构过于复杂的断块油田,也不便应用。

(二)收敛图

由于地层厚度的变化,常使上部地层的构造与下伏地层的构造不一样。如果有了上部地层的构造图和上下地层之间的等厚图,利用两图等值线交点的差值,就可以作出下伏地层的构造等高线图,此图又称收敛图(图 1-50)。

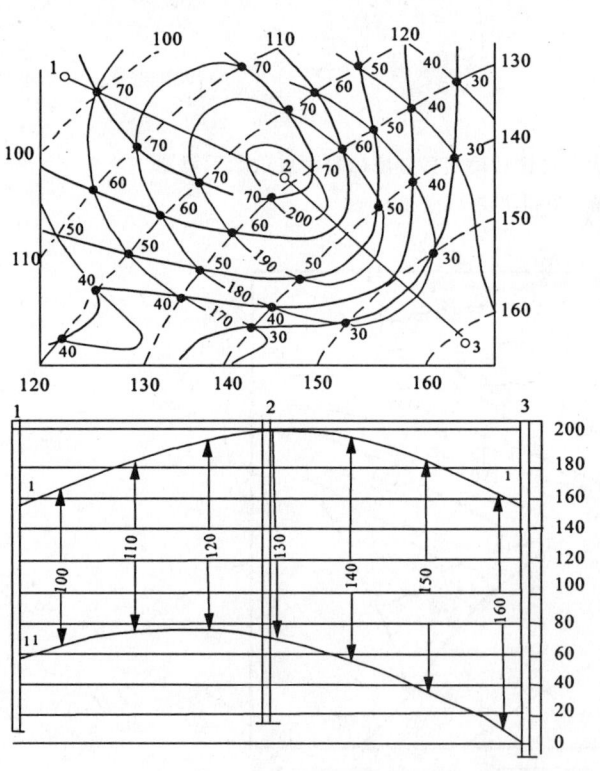

图 1-50 利用构造图和地层等厚图作收敛图
(据陈立官,1983)

图中细实线为Ⅰ层构造等高线图;
虚线为Ⅰ、Ⅱ层间等厚线图;
粗实线为利用二者相减得出的Ⅱ层收敛构造图

1.4.3 趋势面分析的应用

趋势面分析是用某一函数,对地质体的某一特征或某种组合特征在空间上的分布进行研究,用该函数所代表的曲面来拟合或逼近该地质特征在空间上的分布。也就是用数学方法把观察值划分为两部分,即趋势部分和剩余部分。受大范围因素控制的趋势部分反映区域性变化的总特征;受局部因素和随机因素控制的剩余部分反映了局部异常和随机误差。通过趋势面分析,能使地质工作者排除人为主观因素的干扰,更好地认识区域变化规律与局部地质特征。

用来进行趋势面分析的函数较多,在此只概略讨论多项式趋势面分析。现以三阶(或三次)趋势面为例,设在 $i(i=1,2,\cdots,N)$ 口井(井即观察点)中某标准层标高(即观察值)为 Z_i,则拟合多项式为:

$$Z_i^* = b_0 + b_1 X_i + b_2 Y_i + b_3 X_i^2 + b_4 X_i Y_i + b_5 Y_i^2 + b_6 X_i^3 + b_7 X_i^2 Y_i + b_8 X_i Y_i^2 + b_9 Y_i^3$$

式中:Z_i^* 为第 i 个观察点标准层标高的趋势值;X_i、Y_i 为对应于第 i 口井的地理坐标;b_0、b_1、b_2、$\cdots$、b_9 为待定系数。

为了便于趋势面更好逼近观察值在空间构成的复杂曲面,可采用最小二乘法原理,即使所有观察点的观察值与相应的趋势值之差的平方之和为最小。也就是在使下式中的 Q 为最小的条件下,求解出待定系数 b_0、b_1、b_2、$\cdots$、b_9。

$$Q = \sum_{i=1}^{N}(Z_i - Z_i^*)^2$$

一、利用趋势面分析寻找有利油气储集构造

油气田的勘探经验表明,受构造控制的油气藏占有很大比重,采用传统的地质方法研究构造与油气关系时,有些局部构造常常被区域构造的展布特性所掩盖,不易很快发现。但趋势面分析却能弥补这方面的缺陷,在分离区域构造背景之后,突出局部构造,为寻找油气田提供新的依据。例如美国勘萨斯州中东部的密西西比砾岩,其构造为一区域性的向西倾斜的单斜,其上最大的局部圈闭才 20 尺高,似乎不会形成大的油气藏。但是用趋势面分析之后,存在着大面积的正剩余区,与探明的油田分布范围颇为吻合(图 1-51)。图 1-52 是另一个用趋势面分

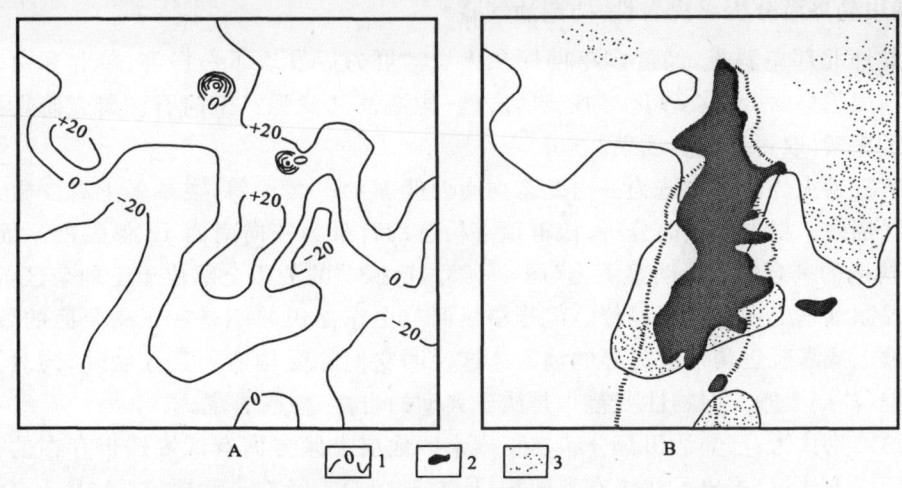

图 1-51 堪萨斯州中东部密西西比燧石砾岩顶面构造二次趋势面剩余图(A)
和洛斯特普林油田(黑色)(B)

(据陈立官,1983)

1—二次趋势面剩余等值线;2—1955 年产油区;3—正剩余区

析研究正剩余区与油气田分布关系的例子。从图中可看出大多数油气田均位于正剩余区内。虽然油气的聚集与多种因素有关,尽管如此,趋势面分析仍可为我们提供一方面的依据,指出构造油气藏的可能分布地区,便于进行勘探部署。值得注意的是,不能单从趋势面分析就得出结论,而应该综合各种地质资料全面解释。既要重视正剩余区的有利部位,也不能忽视负剩余区的有利地带,因岩性油藏和地层油藏可在负剩余区找到。

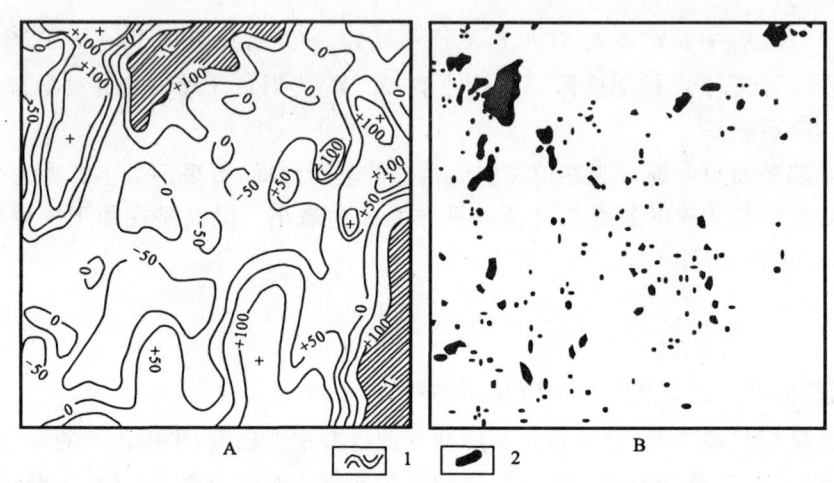

图 1-52　堪萨斯州东南地区(地区 II)的构造趋势分析结果
(据陈立官,1983)
A—剩余值图;B—油气田分布图
1—二次趋势面剩余等值线;2—鞋带状砂岩油气田

二、利用趋势面分析寻找岩性-构造油气藏

酒西盆地北部单斜带,经过多年勘探在火烧沟群先后发现了白杨河、单北和白东 3 个油田。能否利用趋势面分析在该区寻找新的岩性-构造油气藏呢?玉门石油研究院勘探室的同志们进行了探索,取得了初步成果。

该区第三系火烧沟群构造为一由北东向南西倾斜的平缓单斜,在单斜上有少数几个鼻状构造和膝状挠曲。根据趋势面分析,该群顶部构造的背景为一向南西 12°倾斜的平面,倾角为 11°6′。从构造的剩余值图可明显看出(图 1-53),已探明的油田全部位于正剩余区,说明了构造因素在控制油气上占有重要地位。但是白杨河与白东油田并不是在正剩余区的最高部位,而是在斜坡上或靠近正剩余区边界的地方。这说明它们除受构造因素控制外,同时更受岩性变化的控制(油层上倾方向物性变差),是属于典型的岩性-构造油藏。

研究的结论认为:已知油田都分布在正剩余区地层上倾方向有低渗透带存在的有利构造部位。基于以上认识,提出了几块有利面积(见图 1-53)。经初步钻探,在 A、B、E 3 块面积发现了好的油砂或工业性油流。

三、利用趋势面分析研究地下断裂分布情况

趋势面分析的基本功能在于将数据中的区域性背景与局部特征和随机干扰分离出来,以期从中找出隐蔽的或被掩盖而有意义的信息。在一般情况下,岩体顶面的起伏虽然有较大的

1. 地质钻井方法

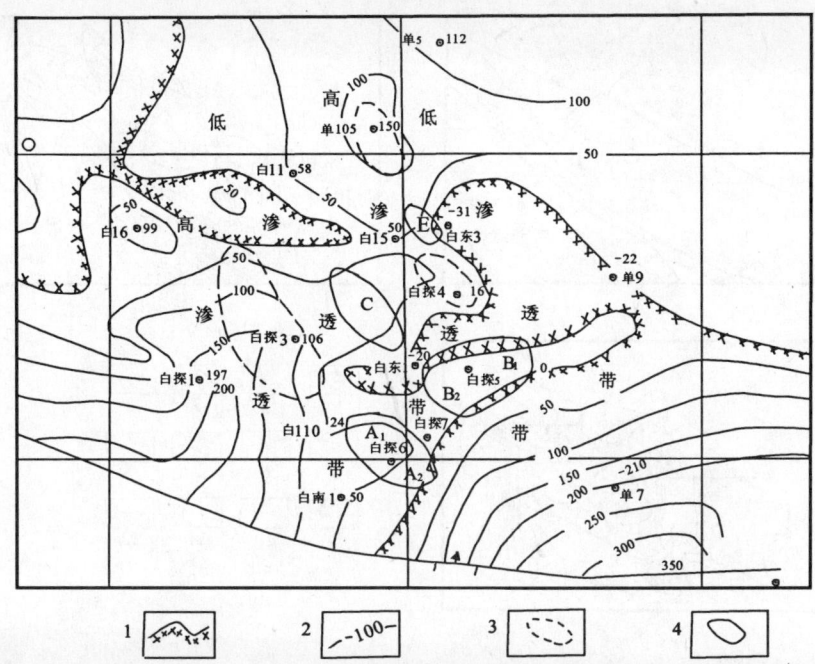

图1-53 酒西盆地北部单斜带第三系火烧沟群顶一阶趋势剩余等值图和有利地区预测图
（据陈立官，1983）
1—正负剩余区边界；2—剩余值等值线；3—老油田位置；4—预测有利面积

随机性，但往往是连续变化。然而构造断裂所造成的起伏则具有线状展布、方向性明显和非连续性的特点。这就是地下断裂能通过趋势面分析加以显示的前提。

由于趋势图能表现大范围的总体变化，而剩余图则包含了小范围的局部特征及无规律的随机部分。因此，对剩余值再进行分解，又可得到次一级的趋势图和剩余图。因第一次趋势图已将大范围的变化特征分离出去，于是第二次计算的数据就基本上不包含主要的区域性分量了，尤其是在拟合度较高的情况下更是如此。因此，第二次作的趋势图表现了小范围的变化特征。而第二次剩余图则更集中地反映了更小的局部特征和随机成分。呈线状延伸，且有一定方向的断裂，必然要在第二次趋势分析的剩余图中反映出来。图1-54A为某地区寒武系地层地面资料所绘制的断裂分布图。图1-54B为该区五阶趋势分析的剩余图，它反映了地下断裂的情况。从两张图上可明显看出：区内两条NEE走向的大断裂是非常吻合一致的。但图1-54B中最醒目之处，是中央的SN向正剩余区等值线梯度变化特大，使人毫不怀疑这里存在着向东倾斜的断裂，但地面地质图上却无反映。后来通过钻探证明，该区深部确实存在一条较大的断裂。最富有说服力和令人感兴趣的是图1-54C。它是对第一次五阶剩余值进行再次趋势分析的七阶剩余图。可以看出它与图1-54B十分相似。从已知断裂部位等值线的方向性、梯度变化、正负残差值的界线看，都非常吻合，甚至有些部位，把呈平行带状出现的断裂更准确、更细致地反映出来了。从此例不难看出趋势面对断裂构造的研究十分有用。一般情况下，剩余图中等值线排列的方向性、规模大小和梯度变化，能够反映地下断裂及其产状，尤其对具有一定规模和垂直位移较大的断裂，效果更好。

据胜利油田研究院研究，对于断块油田，利用地下标准层的标高作趋势分析，在剩余图上

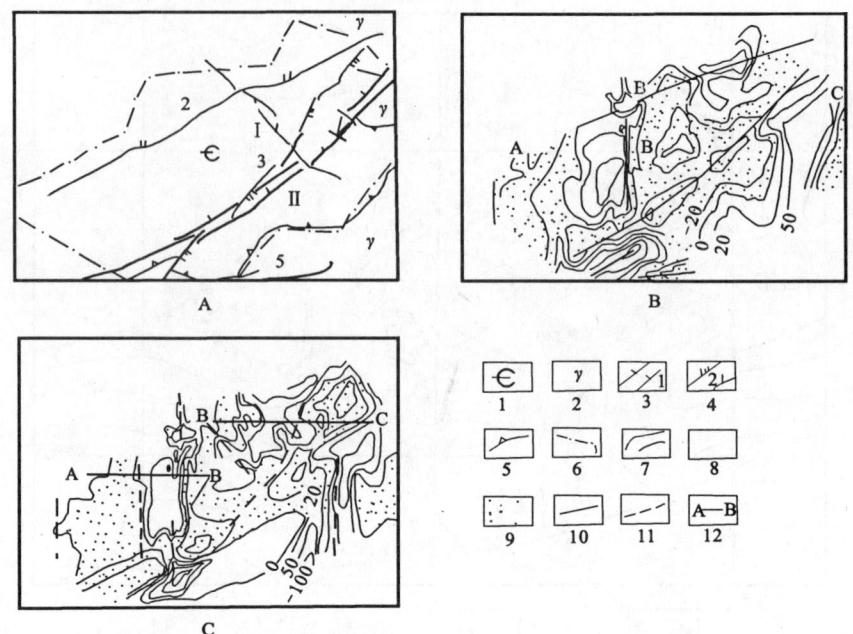

图 1-54　某研究区地质图(A)、某研究区趋势分析五阶剩余图(B)和某研究区第二次的七阶剩余图(C)
(据陈立官,1983)

1—寒武系地层；2—花岗岩；3—张性、张扭性断裂及编号；4—压性、压扭性断裂及编号；
5—岩体与围岩接触界限；6—数据点分布范围；7—剩余值等值线；8—正剩余区；9—负剩余区；
10—已知断裂；11—趋势分析后预测的断裂；12—平面线位置及编号

等值线密集的地方,往往就是断层分布的位置,密集等值线的方向,也就是断层延伸的方向。

在寻找油气过程中,通过地面地质调查或地球物理勘探,可以指出含油气有利地区和有利构造。但必须通过钻井和试油,才能证实有无工业油气藏。钻井地质工作的任务,是在钻井过程中取全取准各项直接和间接反映地下地质情况的资料和数据,为油气层评价提供可靠的第一手资料,为油气田的勘探与开发奠定基础。各种地质录井(包括测井)的质量好坏,将直接关系到能否迅速查明地下地层、构造、含油气水等情况,影响油田的勘探速度和开发效果。因此,钻井地质工作在整个油气田勘探开发过程中十分重要,必须认真做好。

1.5　油气田地质剖面图的编制与应用

油气田地质剖面图是沿油田某一方向切开的垂直剖面图。剖面方向垂直于油田构造轴线的称横剖面图,平行轴线的叫纵剖面图。它们可以反映油气田的构造情况、地层接触关系、岩性和厚度变化以及油气水的纵横向分布状况。编图时主要靠录井和测井资料,也参考地震资料。

一、剖面位置的选择与井位校正

为了能较全面地反映地下构造形态和油气水的分布状况,原则上剖面线应尽可能垂直或平行于构造轴向,尽量穿过更多的井,还尽可能分布均匀。为了充分利用更多井的资料,对于剖面线附近的井,要将它们移到剖面线上。移位方法有如下两种:

(1)当剖面线垂直或斜交地层走向时,位于剖面线附近的2、3井,应当沿着地层走向移到剖面线上。移位后各标准层的标高应保持不变,才能正确反映地下构造形态。如果把2、3井垂直移到剖面线上(图1-55),则2、3井标准层的高程被歪曲,将导致有断层存在的错误结论。

(2)当剖面线与地层走向平行时,剖面线附近的井不得不沿地层倾向移到剖面线上(图1-56)。这时标准层的标高发生了变化,应该进行校正。设校正值为 x,L 为井口移动前后之间的距离,θ 为地层倾角,则 $x = L\mathrm{tg}\theta$。将2井沿地层倾向向下投影到剖面线上2′井的位置,2′井标准层的标高是 $-h' = -(h+x)$。相反,把3井沿地层倾向向上投影到剖面线上3′井的位置,3′井标准层的标高是 $-h' = -(h-x)$。

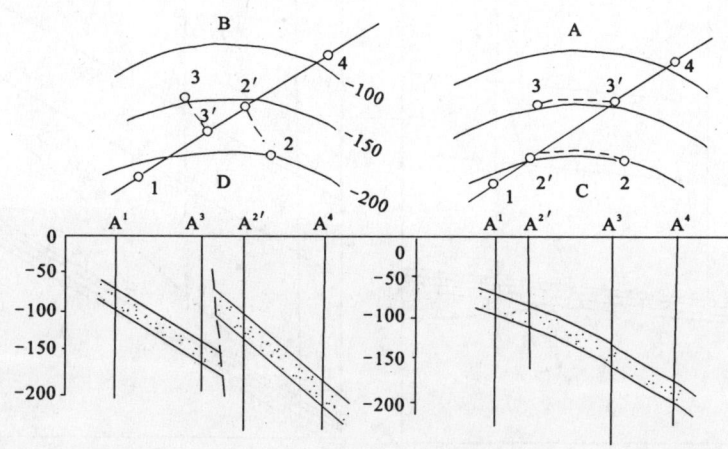

图1-55 井位校正示意图
(据陈立官,1983)

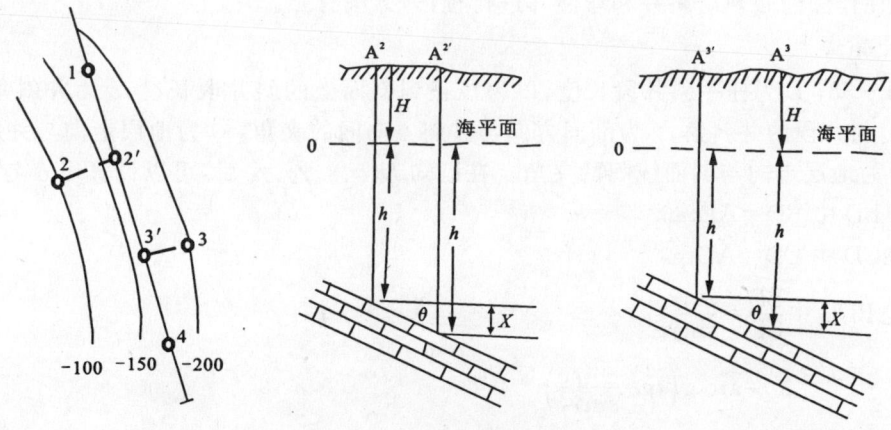

图1-56 海拔标高校正示意图
(据陈立官,1983)

二、斜井和弯曲井的井身投影

如果井是铅直的,经上述井位投影后就可作剖面图了。但是,由于各种原因,实际钻出的部分井孔在空间是倾斜或弯曲的。有时为了勘探和开发需要,还人为地向一定方向钻斜井或弯曲井。如果把斜井或弯曲井当做直井作剖面,就必然要歪曲地下构造形态。如图1-57A所示,该井弯曲方向与地层倾向一致,如果当作直井处理,a点就会错误地画到b点,地层的实际深度被夸大,导致地层倾角变小,甚至使地层倾向颠倒。而图1-57B的弯曲方向与地层倾向相反,如果仍当直井处理,a点则被歪曲到b点,使地层的实际深度减小,地层倾角变大。

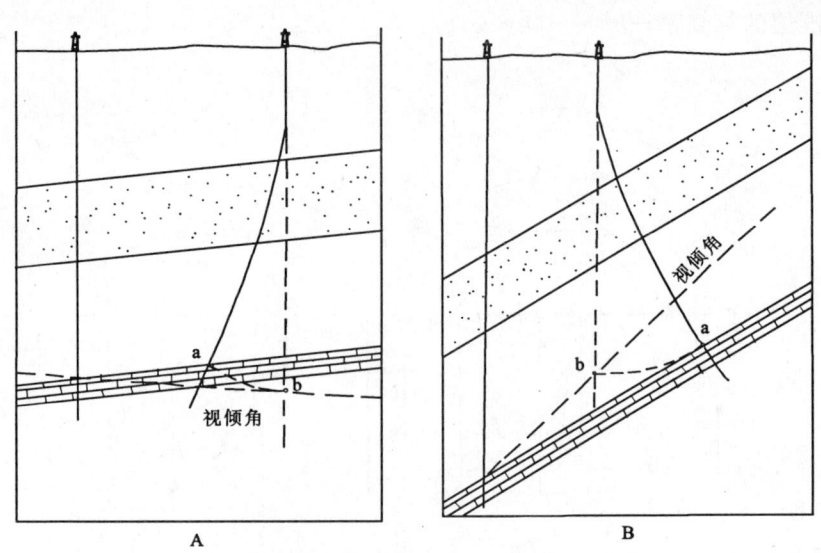

图 1-57 弯曲井对标准层海拔和地层产状的影响
（据陈立官,1983）

因此,在作图前必须对斜井和弯曲井进行校正,方法有三:

(一)计算法

见图1-58,L为任一斜井段长度,L'为校正到剖面上的斜井段长度,δ为井斜角,δ'为校正到剖面上斜井段的井斜角,γ为剖面方向与井斜方向间的夹角,γ_1为地层走向与井斜方向间的夹角,γ_2为地层走向与剖面线间的夹角。在已知L、δ、γ、γ_1、γ_2后,可以计算出δ'与L'。

在$\triangle ABD$中 $BD = AD\operatorname{tg}\delta$

在$\triangle ACD$中 $CD = AD\operatorname{tg}\delta'$

又在$\triangle BDC$中 $\dfrac{BD}{CD} = \dfrac{\sin\gamma_2}{\sin\gamma_1}$

$$\delta' = \operatorname{arctg}\left(\operatorname{tg}\delta\,\dfrac{\sin\gamma_1}{\sin\gamma_2}\right)$$

在$\triangle ABD$中 $AD = L\cos\delta$

又在$\triangle ACD$中 $L' = \dfrac{AD}{\cos\delta'}$

$\therefore L' = \dfrac{L\cos\delta}{\cos\delta'}$

当剖面线垂直于地层走向时，即 $\gamma_2=90°$，$\sin\gamma_2=\sin90°=1$，上式可以简化为：
$$\mathrm{tg}\delta' = \mathrm{tg}\delta \cdot \sin\gamma_2 = \mathrm{tg}\delta \cdot \cos\gamma$$
求得 δ' 与 L'，便可在剖面上画出这一斜井段的投影来。

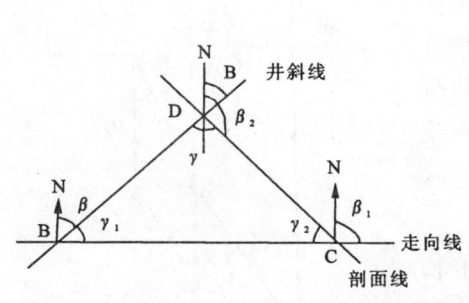

图 1-58 井斜投影示意图
（据陈立官，1983）

（二）作图法

从图 1-58 可知，$AD = L \cdot \cos\delta$，如果能求得 L' 在水平方向上的投影 DC，因 $\angle ADC$ 为直角，很容易画出 L' 的长度。

求 DC 的方法很简单，先算出 BD（$BD = L\sin\delta$），然后 D 点不动，将 B 点沿走向方向投影到剖面线上 C 点处，即得 DC。连结 AC 便是 L'。

用作图法进行井斜校正，比计算法简单，其步骤如下（图 1-59）：

(1) 设水平线 DM 为剖面线，以 D 为斜井段的起点，过 D 作井斜方向线，在其上截取 DB，其长度为斜井段 L 的水平投影，即 $DB = L\sin\delta$。

(2) 过 B 点作地层走向线与剖面线 DM 相交于 C 点，过 C 点作剖面线 DM 的垂线，并截取 CA' 等于斜井段的垂直投影 H，$H = L\cos\delta$。剖面线不是东西方向，也无关系，可以将图沿水平方向任意转动，并不改变井斜线、走向线与剖面线之间的相对位置。

(3) 连接 DA'，斜井段在剖面上的投影 L' 与 H 之间的夹角即为校正后的井斜角 δ'。

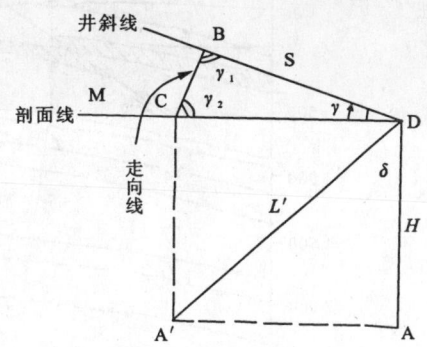

图 1-59 作图法求 δ' 和 L'
（据陈立官，1983）

以上讨论的仅为一个斜井段的校正方法，对于一口弯曲井，可以按井斜测量点分段进行校正（图 1-60）。把每一段近似看作是斜井段，用上述作图法从开始弯曲点依次地作出各个斜井段的 L' 和 δ'，便可以把整个弯曲井身投影到剖面上。

井孔所钻遇的地层界面、含油气井段、断点位置都可以用以上方法投影到剖面上去。此外，还可用电子计算机连续处理井斜资料，进行垂直井深的计算，其结果用来作剖面图就比较容易了。

三、绘制地质剖面图的步骤

经过井位和井斜投影后,把选择好的剖面线,按比例画出,标出海拔零线,把各个井位点标在剖面线上。按各井井口海拔标高,参照地形图描绘出沿剖面线的地形线。然后把井身、地层界线、标准层和断点等画出。最后将各井相同层位的顶、底面连接起来,把属同一断层的各断点连接成断层线。

四、油气田地质剖面图的应用

油气田地质剖面图,是表征油气田地下构造、地层和含油气情况的基础图件。图中内容不宜包括太多,不然重点不突出,看起来不够清晰。矿场常根据需要,突出主要部分,删去次要内容,编制不同类型的剖面图,如构造剖面图、地层剖面图、油气层剖面图及岩相剖面图等。

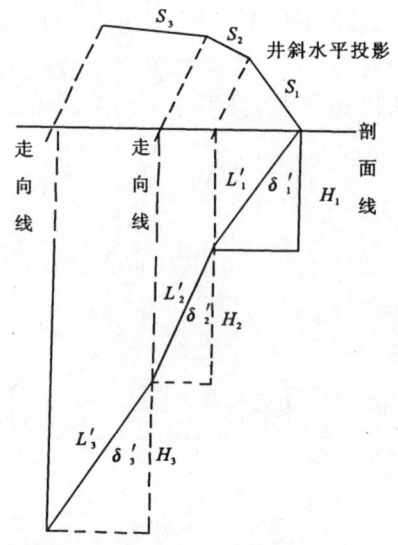

图 1-60　用作图法将弯曲井身投影到剖面上
（据陈立官,1983）

油气田构造剖面图(图 1-61)着重表现整个钻遇地层或油气层和标准层的构造特征。通过它还可以组合断层、绘制构造图和研究各层产状变化。

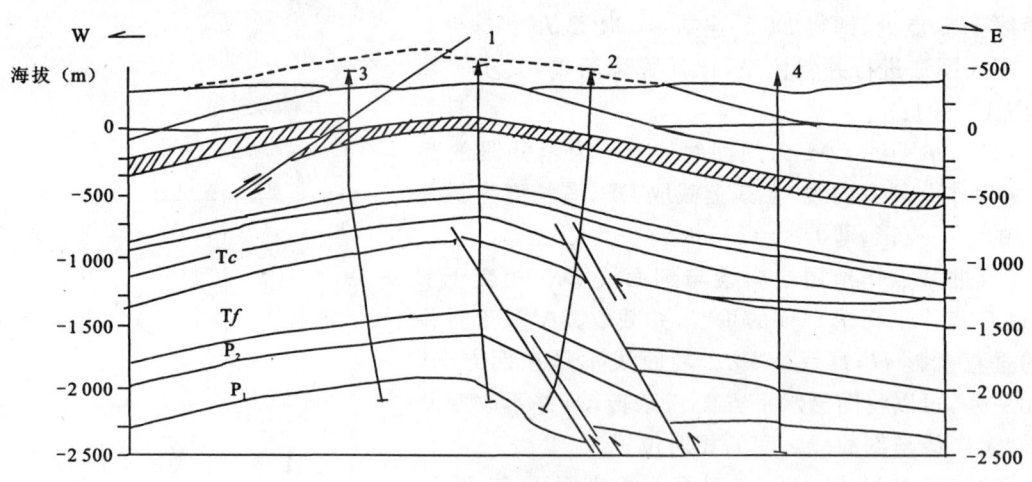

图 1-61　油气田构造横剖面图
（据陈立官,1983）

油气田地层剖面图或油气层剖面图着重表现地层的厚度、岩性或含油气层的纵横向变化。只画地层的称地层剖面图,只画油气层的称油气层剖面图,着重表现沉积相带分布的称为岩相剖面图。

油田剖面图在矿场上应用十分广泛。除上述而外,对于分析油气藏类型、油气水层在纵向上的分布规律、断层产状、不整合,特别是设计新井等,都起着十分重要的作用。

2. 地球物理方法

地球物理勘探简称物探。它包括重力、磁法、电法、放射性、地震和地球物理测井等勘探方法。任何一种物探方法的有效性都受到地质、地球物理条件的限制。或者说每一种物探方法所能解决的地质问题和提供的有用信息都受到一定的局限。然而,每种有活力的物探方法都有自己独具的特点。

在油气普查阶段,重、磁、电等各种方法往往是与野外地质调查同时进行。这里所指野外地质调查,除了调查测区周围地层、岩性、构造等常规项目外,另外一项重要工作就是物性研究。

在新区或勘探程度很低的地区进行非地震勘探,往往缺乏可靠的物性资料,这对物探资料的处理、解释造成极大困难,所以,在进行地球物理工作前或同时,就要对测区周围各套地层的电阻率、密度、磁化率等物性参数进行系统而准确的测试和研究,获得这些物性参数的主要途径有:①钻井岩心测定;②野外地质露头实测;③测井资料计算;④地震资料计算等。

对于勘探空白区或勘探程度很低的地区,非地震勘探的部署原则可概括为"地质领先、重磁扫面、电法穿线、同步实施、综合勘探"。地质调查要突出重点,在充分收集和分析已有资料的基础上,有针对性地对勘探目的层岩性、构造等进行调查,物性测定力求全面、准确,能够体现出测区主要地层(包括基底地层)的电阻率、密度、磁化率等变化情况;重、磁测网采用 2km×1km 或 1km×0.5km;MT 沿测线点距采用 1~3km,以区域大剖面测量为主,测线两端尽量向测区周缘延伸,力求查清盆地边界及盆地内主要电性层分布情况。

根据上述思路进行非地震勘探部署,则可用重、磁资料控制测区构造的平面特征,以 MT 资料控制不同地层或构造的剖面变化特征,多种资料综合解释,即可迅速而较准确地查清测区基本构造情况,及时为地震勘探部署或钻探提供靶区。

2.1 重力方法

2.1.1 重力方法概述

重力勘探方法是发展较早的一种地球物理勘探方法。它是在重力测量学的基础上发展起来的。各种岩石和矿物的密度(质量)是不同的,根据万有引力定律,其引力也不相同。据此研究出重力测量仪器,测量地面上各个部位的地球引力(即重力),排除区域性引力(重力场)的影响,就可得出局部的重力差值,发现异常区,这一方法称做重力勘探。它就是利用岩石和矿物的密度与重力场值之间的内在联系来研究地下的地质构造。重力勘探是通过测定自然存在的重力场,或测定重力场沿不同方向的变化率在地球表面的分布特征,解决地质勘探中诸如划分大地构造单元、圈定沉积盆地分布范围、寻找油气构造、提取含油气信息、普查及勘探各种金属及非金属矿藏等地质任务。

重力勘探的理论基础是万有引力定律。重力测量中,通常观测的数据不是地球的绝对重力值,而是各测点相对于工区某一固定点的重力值之差,即测得的是相对重力值。重力归一化总梯度法是20世纪60年代中期由前苏联别列斯基等人提出的。该方法在石油物探中用来确定储油气构造和直接找油。可以说重力归一化总梯度法是当前重力勘探的热点。

重力测量常用来研究区域构造,划分出进一步进行地球物理勘探工作有希望的地区,寻找一、二级油气构造,直接提取油气信息,还可能寻找煤盆地和大型岩、矿体等。根据不同地质任务,重力测量可以分为4个阶段。

(1)重力预查:任务是短期内得到有关工区的大地构造分区方面的资料,以配合地质预查和作为选择重力详查地区的依据。因此,预查经常是在很少做地质及其他物探工作的地区进行。

(2)重力普查:任务是划分区域构造,圈定大型岩、矿体范围和指出油气及煤等成矿远景带。在重力普查阶段常配合相同或更大比例尺的磁法测量。

(3)重力详查:通常是在远景区内寻找圈定对储油气有希望的局部构造(即二级构造)及煤盆地,查明岩体大致产状,划分出最有希望的找矿远景地带。此阶段内经常配合其他物、化探工作。

(4)重力细测:是在已经找到的对储油气有希望的局部构造上、煤盆地上或对成矿有希望的岩体上进行的,目的是为了确定构造或岩体的范围,在有利条件下可以确定地层或岩体的产状要素,即确定地层的倾向、倾角及埋藏深度、厚度等。

2.1.2 重力方法应用及实例

在油气勘探中,重、磁研究的作用主要体现在:划分构造单元;研究基底的深度、起伏和岩性;研究深部构造和火成岩的分布等几个方面。

重力勘探不仅在区域地质研究方面发挥重要作用,而且在研究局部构造和直接找油气方面也能有所作为。这是由油气构造本身的地球物理特征所决定的。在勘探程度高的地区,重力细测研究的进展是:①断层褶积分析;②利用重力高次导数寻找沉积岩内部构造;③利用重力归一化总梯度法检测油气异常。

重力勘探是物探工作中的一个组成部分,只能合理地应用在地质勘探工作中的某一适当阶段,解决它力所能及的问题。为了提高重力勘探效果,必须使其与地质和其他物探方法有机结合,形成多种物探方法的综合勘探。重力勘探、磁法勘探配合可以划分大地构造单元、确定深大断裂、区分地槽区和地台区。中比例尺的重力资料可以准确地划分沉积盆地内部的隆起和坳陷,进而圈定出沉积盆地的边界,为地震勘探和电法勘探提供工区。

以往普查阶段的重力勘探一般采用的比例尺为1:20万,其线距为4km,点距为1km。这种测网密度可以圈出较大规模构造带的轮廓,确定大型断裂带的位置及组合特征,对于大型盆地早期普查起到了很大作用。但对于中、小型盆地,地表条件较差或有一定勘探程度的地区,其点、线距显然过大。其主要原因为:①一般中、小型盆地内发育的构造带规模相对较小,油气勘探的主要目标为中、小型构造,点、线距过大,往往不能有效控制构造带的基本轮廓及性质;②地表条件较差,给野外施工造成一定难度,重力勘探很难按照普查—详查—细测的程序进行,从而使点、线距不能够有效控制中、小型构造带;③以前,由于重力勘探效率较低,要完成一个盆地的整体普查任务往往需要几年甚至更长时间,这与油气勘探进程相悖,而要缩短普查周期,只有以放大点、线距,减少物理点数为代价。

目前,卫星定位技术及先进运载设备的应用,使野外施工效率成倍、甚至十几倍的提高,且由于计算机技术的广泛应用,使资料处理能力大大加强,这些都为直接采用较小点、线距进行重力普查提供了有力的保障。

从目前油气勘探实际出发,普查阶段重力测网采用线距2km、点距1km比较合适,在一些有利构造带上,则应采用线距1km、点距0.5km或更小。

一、用高精度重力资料确定局部圈闭

当背斜类构造比较平缓,地震反射质量不好时,可以通过高精度重力勘探来认识地下构造。

(一)寻找背斜型隆起

高精度重力测量解释结果表明,大多数隆起幅度为25～100m的背斜构造,对应于强度为0.4～0.8mGal的剩余重力异常,做高精度重力细测,可以发现这类背斜。泌阳凹陷王庄构造的发现就是一个典型实例。

王庄位于泌阳凹陷边缘,浅层地震地质条件复杂,局部构造不落实。为此,在该区开展高精度重力细测,测区布格重力异常表现为一个东西走向的强重力梯级带。在此背景下,王庄附近隐约显示出微弱的重力异常(图2-1)。在重力铅垂四阶导数异常图上,该异常区显示两个高点,呈东西向排列。在二、三、四阶趋势剩余异常图上,王庄正异常圈闭中心位置不随阶次变化(图2-2)。在王庄重力高部位,二维地震于1985年发现T_5界面存在一个背斜构造,但在T_5上下的反射界面看不出该构造显示。根据高精度重力资料的解释结果,再次详细复查二维地震资料,最后肯定了T_5界面的背斜,幅度近200m,圈闭面积约2.3km^2。根据趋势剩余异常和重力铅垂二阶导数的异常特征以及地震提供的大致界面深度,计算了T_2、T_3、T_4构造模型,正演重力值与实际异常比较吻合(图2-3)。

高精度重力细测资料证实了地震解释不清的王庄构造,该构造地处泌阳凹陷油气聚集有

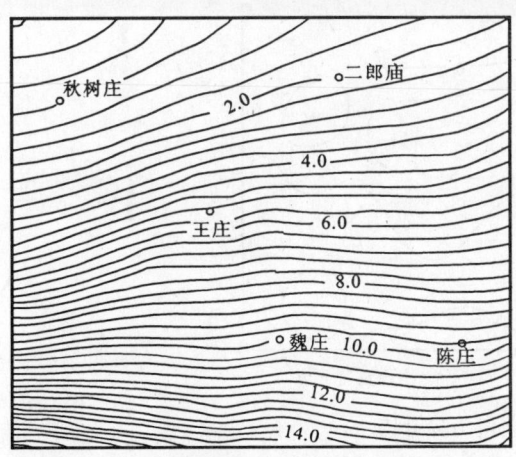

图2-1 泌阳凹陷王庄地区布格重力异常图
(据裴雪林等,1995)
单位为mGal

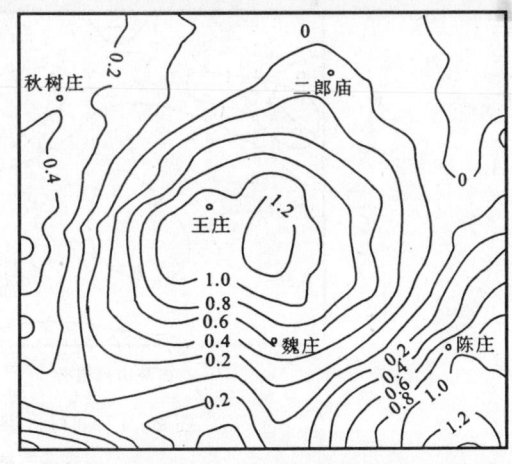

图2-2 泌阳凹陷王庄地区四阶趋势剩余重力异常图
(据裴雪林等,1995)
单位为mGal

利地带,可作为找油的重要目标。

(二)寻找非背斜圈闭

地震技术寻找非背斜圈闭比较困难,但运用高精度重力技术则有一定效果。例如美国在密执根州通过重力勘探查明了29个与岩性、地层圈闭相关的油气田。高精度重力资料对寻找礁体油气藏也有较明显的效果,美国德日松油田就是用重力寻找礁块的实例。该油田重力场在很强的区域背景下有一局部异常,去掉区域背景后划分出十分明显的数值达0.5mGal的重力极大,在它的周围有一圈闭极小,在极大带中钻探,于1 830m处发现存在一个幅度为180m的礁体。从礁体计算出的异常与实际划分出的异常相对应。

用高精度重力资料寻找古潜山,效果也很明显。如在华北盆地,1964年获得的中等精度的重力详查资料无法判断刘村古潜山(图2-4),1984年

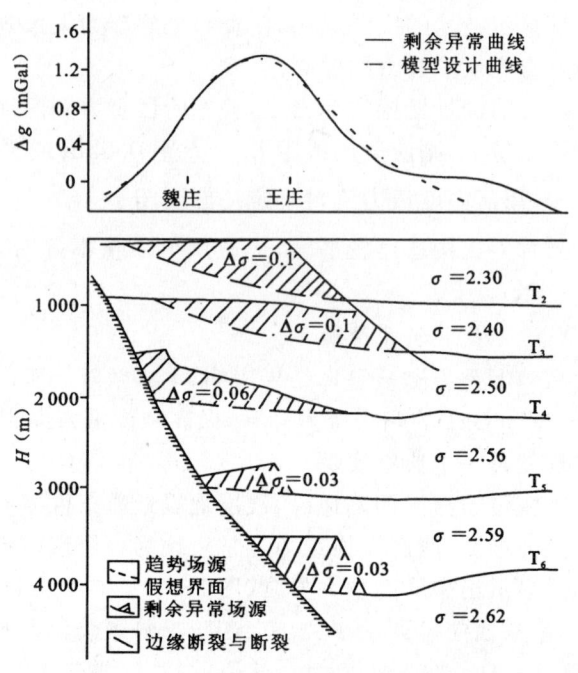

图2-3 王庄重力高四阶趋势重力剩余异常面的解释结果
(据裴雪林等,1995)

用拉科斯特G型重力仪和红外测距仪,做了1×0.5km测网的高精度重力细测,对异常的分辨力有明显提高,刘村古潜山的范围、走向以及相对幅度都有明显反映(图2-5)。

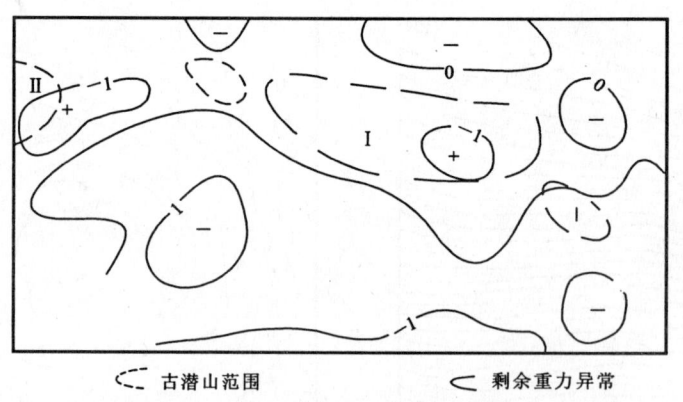

图2-4 刘村古潜山剩余重力异常图
(据裴雪林等,1995)
I—刘村潜山;II—深县北潜山

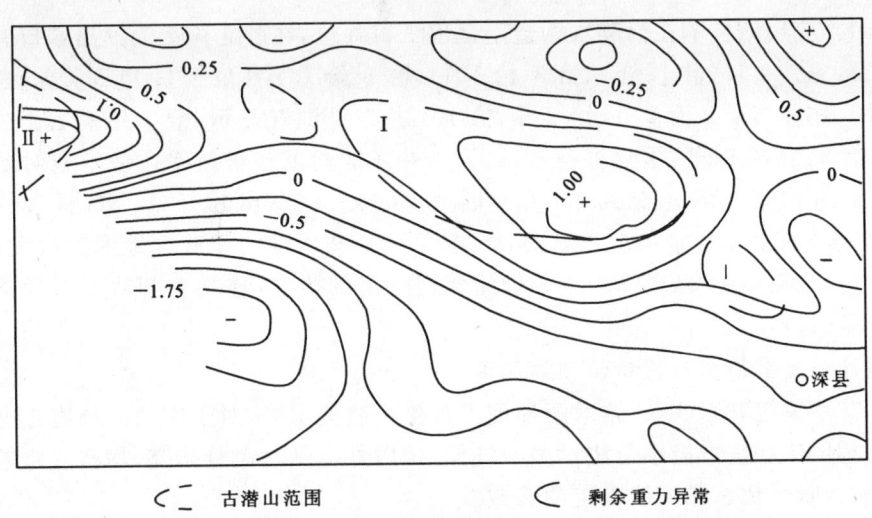

图 2-5 刘村古潜山剩余重力异常图
(据裴雪林等,1995)
I—刘村潜山；II—深县北潜山

二、用高精度重力资料预测油气藏

目前,国内采用的高精度重力直接找油技术有美国的艾菲系统和俄罗斯的 GONG 技术。另外,高精度重力细测资料的归一化总梯度法和锐减重力极小带法也能用于直接预测油气藏。

(一)艾菲系统

艾菲系统使用美国 World 地球物理公司的亚菲尼特仪。艾菲高精度重力勘探技术利用地表重力水平分量变化率与地下油气藏相关性原理进行油气探测。

艾菲系统只能探测埋深 6 000m(或花岗岩基底)以上油气藏的平面分布范围,对多含油层系,其结果反映的是多套油气层叠加响应,难以对油气藏的具体深度作出解释,需结合地质、地震等资料使用,才能取得最佳勘探效果。

1991 年 11 月,运用艾菲系统在我国胜利油田及吉林农安县探区作短期试验,其独立信息解释成果与已知油气分布认识符合率达 75% 以上。1993 年,运用艾菲技术在东濮凹陷刘庄地区、大汶口凹陷等地开展过普查或局部详查与精查,已知含油区均落在艾菲解释的有利区内,还提出了供地质研究参考的艾菲最佳含油区。

(二)GONG 技术

GONG 技术是西北地质研究所 1993 年从俄罗斯引进的另一种高精度重力法直接找油技术。GONG 技术是俄罗斯地球物理研究院米哈依诺夫博士提出的。他认为,重力是由物体中心发射出的向外的一种射线场。他通过长期的研究发现,在含油气区上方可观测到 0.1~0.3mGal 的负异常,一般这样微小的异常在平面图上都被平滑掉了,只有在单条剖面上通过精细的解释才能发现,并且这种异常不受油气层埋深的直接影响,如果结合地震资料的微观解释可使探井成功率达到 80%~90%,油田发现成功率超过 90%。在俄罗斯近 10 年的油气勘探中,应用这项技术找到了十几个新油田,近 400 口井的钻探成功率达 85%。

俄罗斯 GONG 技术首次应用于吐哈盆地的恰勒坎和胜北工区,布格异常总均方差

±0.03mGal。应用该技术在恰勒坎构造上提出 7 口井位,在胜北构造上提出 5 口井位。目前在恰勒坎工区完井 4 口(恰 1、恰 2、恰 3、恰 101),恰 1、恰 101 井位于 GONG 异常区,恰 2、恰 3 在异常区外。钻井结果是恰 2 井、恰 3 井、恰 101 井未见油气显示,恰 1 井获工业油流。也就是说,恰 1、恰 2、恰 3 井证实了这种技术,恰 101 井未能验证这种技术。俄专家对恰 101 井的解释是该井钻井深度不够,应钻到 3 500m,因为 3 000~3 500m 才有 GONG 异常的显示。

GONG 技术在吐哈盆地的应用表明,要把 GONG 技术应用于我国地形起伏大、储层条件不太好的地区,还需结合 GONG 技术的理论作进一步的研究,建立一套适用于我国石油地质条件的 GONG 技术。

(三)用高精度重力细测资料预测油气藏

除上述艾菲系统和 GONG 技术两种重力直接找油技术外,对于应用高精度重力细测资料的归一化总梯度法和重力极小带法预测油气藏,国内外也做过大量研究,均有一定效果。

(1)用重力归一化总梯度法确定油气藏。

高精度重力仪的问世,使得相当微弱的重力异常可以被测量出来。归一化总梯度法不仅可以用来确定局部构造,而且可以研究构造的含油性,前苏联南什顿巴伊油田就是根据这种方法发现的。含油部位所对应的归一化总梯度异常的识别标志是"两高一低",即一个高值圈闭分裂为两个高值圈闭,并在其间形成一个低值圈闭;两个极大值之间的极小值位置与油气藏中心的上方相对应。除了"两高一低"外,还有"两高一拱"或"两高两低"的识别特征。

出现这些特征的物理基础主要与油水界面密度差、含油体积大小、背斜形态及其规模等有关。研究表明,当含油部分引起的重力异常与背斜部分的重力异常之比小于 1/5 时,上述特征不明显,大于 1/5 时,特征比较明显。多年来,前苏联在什顿巴伊等 100 个油田的应用中得到了满意的结果。

国内也做过重力归一化总梯度场的研究。如华北河西务构造,当谐波数 $N=20$ 时,出现"两高一低"特征,当 $N=25$ 时出现"两高两低"特征,且低值圈闭正位于油气聚集部位。

实践证明,背斜、潜山类油田上的重力归一化总梯度异常容易发现,但对断层遮挡的油气藏、重力归一化总梯度异常理论及实践的研究尚不充分,还未能摸索出一套有普遍指导意义的规律。

(2)根据重力极小带寻找油气藏。

应用重力极小带法来评价地层的含油气特性,其物理前提在于油气藏具有比含水储层较低的有效密度值。经计算,油藏剩余密度为 $0.08\sim0.10\mathrm{g/cm}^3$,气藏剩余密度为 $0.15\sim0.20\mathrm{g/cm}^3$ 时,它们能产生强度为 $0.1\sim1.0\mathrm{mGal}$ 的负异常。采用高精度重力细测,通过资料精细处理获得的局部重力极小带,可以用于预测小面积油气藏。

前苏联在刻赤半岛及第聂泊-顿涅茨盆地应用了这一方法。在这项研究中,采用的测网密度为 $100\times100\mathrm{m}$,比例尺为 1∶10 000,异常观测精度达 0.4mGal。完成高精度重力观测后,总共钻了 14 口井,这些井位的确定并未参考重力资料,但有关研究人员用重力解释结果对探井的见油情况做过预测。钻探结果表明,其中 6 口井落入重力极小带之内的探井获得工业气流,如科罗鲍金构造的 3、4 号井(图 2-6),5 口井落在重力极小带之外的探井都未获得工业油气流,只有 3 口井重力预测与钻探结果不符,如科罗鲍金构造的 8 号井(图 2-6)。

由此计算,用重力极小带预测油气藏的符合率达 79%。这项研究表明,在重力极小带内打井,通常都能见到油气显示,多数井能获得工业油气流,重力极小带在平面上的分布,基本能

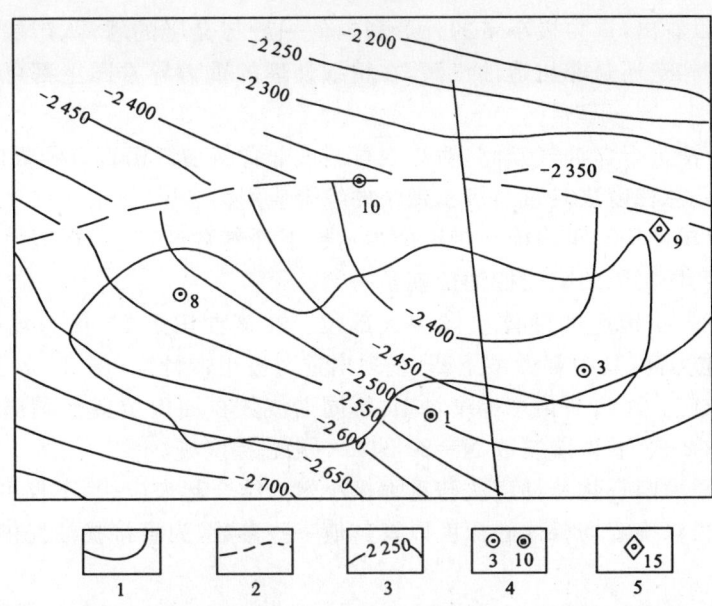

图 2-6 用重力极小带资料预测科罗鲍金构造的含气范围及钻探结果
(据裴雪林等,1995)
1—重力资料预测含气范围;2—地震确定的断层;3—地震等深线(m);
4—重力解释后钻毕井(点中心为见气井,圈中心为干井);5—正钻井

反映油气藏的范围(表2-1)。

表 2-1 锐减重力极小带油气藏统计
(据裴雪林等,1995)

坳陷或盆地	构造编号	储层深度(m)	地层时代	油藏类型	储层岩性	见油气情况	备注
茵多罗	Ⅰ	3 200~3 300	中新世—始新世	多层状凝析气藏	砂、粉砂岩		
库班	Ⅱ	2 270	渐新世—中新世	凝析气藏			
刻赤半岛	Ⅲ	1 806~1 834	晚始新世	岩性油藏		119井获工业油流	面积狭窄
古比雪夫	Ⅳ	2 273~2 293	晚白垩世	非构造气藏		19井获工业气流	气藏面积小
戈尔诺沃	Ⅴ	635±		透镜体油、气藏	砂、粉砂岩		2个油藏、1个气藏
第聂泊-顿涅茨	Ⅵ	2 800~3 300	中石炭世	凝析气田			5个含气层系
		4 100~4 400	早石炭世				2个含气层系
	Ⅶ	3 400~3 500				获工业油流	
	Ⅷ	2 000~2 100	中石炭世	构造油气藏			2个产层
		3 030~3 130	早石炭世				2个产层
	Ⅸ	3 805~3 830				获非工业油流	
	Ⅹ、Ⅺ	为未显示的 Δg 异常					

注:Ⅷ为科罗鲍金构造

从表 2-1 可以看出,重力极小带的外形和幅值一般与储层的埋深、产层厚度和油气藏构造类型无关。不管构造还是非构造油气藏,在精细处理的重力异常图上都可显示出局部锐减的重力极小带。

用重力极小带法进行含油气预测,对寻找背斜或非背斜油气田都有积极的指导意义。

(3) 重力归一化总梯度法与重力极小带法的综合应用。

重力归一化总梯度法与重力极小带法能指示地下油气藏的存在,在国内外一些地区和油田得到验证,其中我国泌阳凹陷安棚油田就是一例。

安棚油田位于鼻状构造的砂体上倾尖灭部位。在该油田上方,重力场出现一个幅值达 0.2mGal 的平缓重力高,其中部微微下凹,呈现出重力极小带特征(图 2-7 上)。这种下凹被认为是油气的负效应。在归一化总梯度场上,不同谐波数在油田位置上均出现"两高一低"的油气识别标志。图 2-7 下为谐波数 N=20 的归一化总梯度场。

事实说明,把重力归一化总梯度法与重力极小带法结合起来应用,不仅可以用于发现与划分局部异常,而且可以确定场源体的深度以及其他一些参数,为直接找油提供信息。

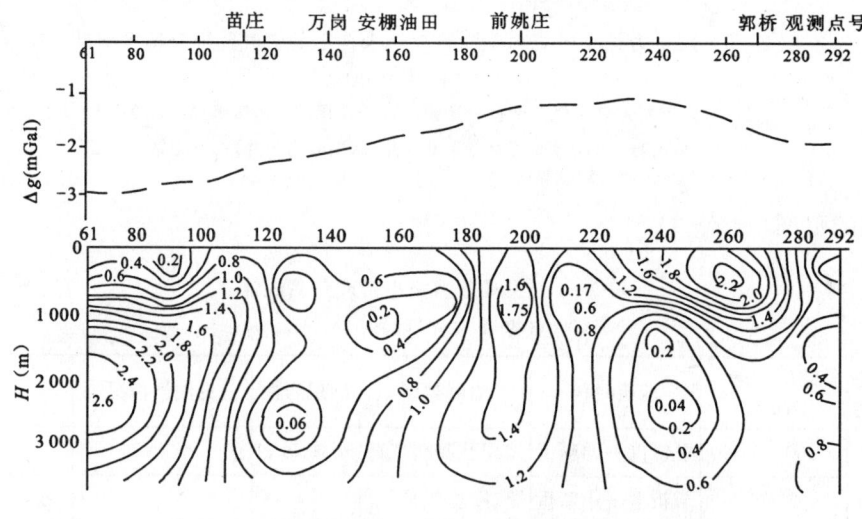

图 2-7 安棚油田重力异常及归一化总梯度断面图
(据裴雪林等,1995)

2.2 磁法方法

2.2.1 磁法方法概述

磁法勘探方法是利用地壳内各种岩(矿)石间的磁性差异所引起的地磁场变化(称为磁异常)来寻找有用矿产和查明地下地质构造的一种地球物理勘探方法。磁法勘探不仅可用于固体矿产的普查,也常用于石油天然气构造的普查和不同比例尺的地质填图及构造的研究。各种岩石和矿物的磁性是不同的,测定地面上各部位的磁力强弱以研究地下岩石矿物的分布和地质构造,称做磁力勘探。由于地球本身就是个大磁体,所以对磁力的预测值应进行校正,求出只与岩石矿物磁性有关的磁力异常。一般铁磁性矿物含量愈高,磁性愈强。在油气田区,由于烃类向地面渗漏而形成还原环境,可把岩石或土壤中的氧化铁还原成磁铁矿,用高精度的磁力仪可以测出这种磁异常,从而与其他勘探手段配合,发现油气田。磁法勘探和重力勘探在理论基础和工作方法上都有很多相似之处,尤其在数据资料的处理中,很多方面都是相同的。当然,它们之间也存在着差别,具体表现在:①地下单一地质体引起的磁异常往往正负异常伴生,而重力异常是单一异常;②在磁法勘探中,绝大多数沉积岩和变质岩几乎没有磁性或磁性较弱,只有各类磁铁矿床及富含铁磁性矿物的矿床及地质构造,才能引起明显的磁异常,因此,磁异常反映的地质因素比较单一。这样一来,利用磁法勘探研究沉积岩下的结晶基底构造,要比重力异常的研究来得方便些。因为,重力勘探中,由于从地表到地下数十公里范围内所有物质的密度的变化都会引起重力的变化,使重力异常成为多个地质因素影响叠加的结果。

2.2.2 磁法的应用及实例

根据磁场的空间分布特征,判断地质体的走向、长度、宽度、埋深、形态、产状等;结合有关的物性参数和已有的地质资料,确定引起异常的性质,在定性和定量分析的基础上,对区内地质构造、岩体和岩层的分布、矿产的赋存以及其他地质问题作出地质解释。高精度磁测在油区可完成以下地质任务:①研究由磁性和弱磁性地层所组成的褶皱基底的成分和构造,编制弱磁性断裂和褶皱基底的构造图;②确定弱磁性基底的埋深和基底面的起伏形态,在此基础上划分沉积盖层中继承性构造;③绘制弱磁性沉积盖层的各种构造图;④在弱磁性沉积地层中划分断裂构造,其中包括含油远景构造。

磁力勘探能够测量出磁场的微小变化。磁性岩石的分布及其发生的任何变化都会引起磁场的相应变化。根据磁异常资料确定了基岩的深度,也就确定了沉积岩的厚度,这对研究油气生成条件有用。如果沉积地层和基底岩层间存在有继承性关系,在确定了基底岩层起伏的情况下,可以间接研究上覆沉积地层中有利于油气聚集的构造,因而也能对油气勘查提供有用的资料。高精度磁测工作的开展增强了磁力方法解决地质问题的能力,它可以测量出弱磁性的沉积岩引起的异常,不仅在查明区域地质构造方面能够发挥作用,就是在查找局部沉积构造方面也能发挥作用,甚至是在直接检测油气中也有所作为。重磁方法在油气勘探中的应用:①直接检测油气;②区域构造研究;③断裂构造推断;④局部构造推断;⑤推覆构造研究;⑥火成岩分布的推断。

一、磁性断块的构造异常

中国北部盆地的刚性基底在中生代和新生代经受过强烈而广泛的断块作用。基底的上升隆起产生了横向磁性差异,在某些场合下,断层可以和基底的磁性差联系起来。因此,可能的储油气构造与重磁异常有关。

牛头镇异常是一个典型的基底断块异常。一个重力高出现在正负极大值之间的陡坡上。异常源的斜磁化导致重磁异常间的偏离。隆起的梳部主要是前寒武纪磁性结晶基岩,其上覆盖以古生代碳酸盐。图2-8是引起牛头镇异常隆起的解释剖面。主断层(在隆起西南侧)对油气场的影响很大。

河间航磁异常是由隆起的基底块引起的,基底块由太古代片麻状花岗岩和中元古代碳酸盐组成。基底块倾斜,并在西侧断裂,错动约3 000m。油气主要聚集在中元古代白云岩中(见图2-9)。

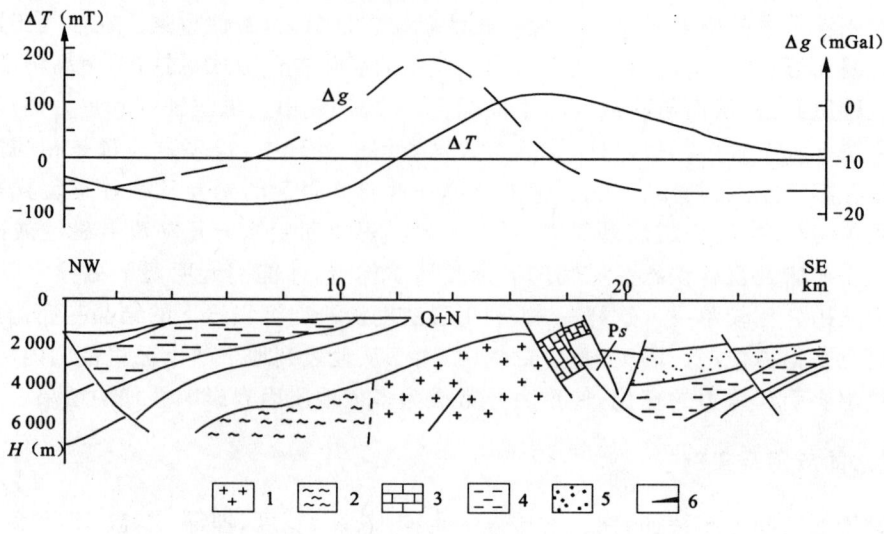

图 2-8 牛头镇隆起的横截面和重磁剖面

(据陈伟,1997)

隆起南部的主断层与古生代碳酸盐岩附近的油藏有关

1—前寒武系磁性结晶基底;2—前寒武系片岩和片麻岩;3—古生代碳酸盐岩;
4—下第三系泥岩;5—下第三系砂岩;6—油藏

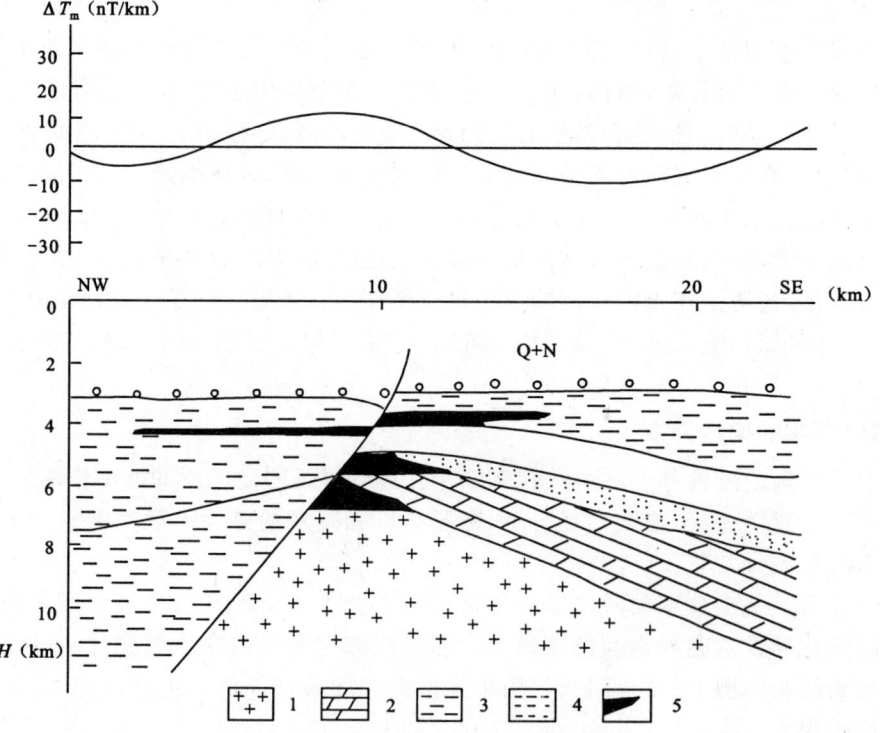

图 2-9 河间的横截面和重磁剖面

(据陈伟,1997)

1—前寒武系片麻状花岗岩;2—中元古代白云岩;3—下第三系泥岩;4—下第三系砂岩;5—油藏

该隆起的磁异常幅度大于100nT,相关的重力异常高点约10mGal。这些异常无须进一步处理即可圈定边界。

大庆穹隆的航磁图上存在许多局部高点(幅度常在40～50nT)。源的深度是3～5km。一口钻井在1 188m深处钻遇厚达104m的上侏罗纪安山岩和玄武岩,正是它们引起了一个局部磁力高(图2-10)。

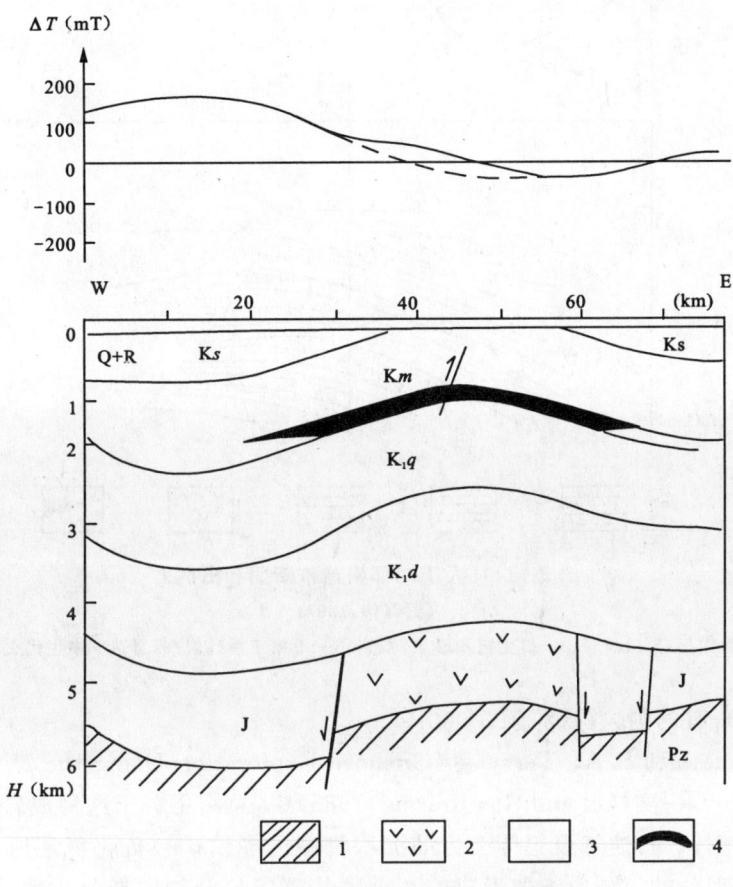

图2-10 大庆穹隆横截面和重磁剖面
(据陈伟,1997)
虚线为消除了所研究异常的局部场
1—古生代某底;2—侏罗系火山岩;3—白垩系碎屑岩;4—油藏

大庆北部地区由一个断块构成,该断块由太古代灰岩和中生代火山岩组成。西北部磁异常则趋于正值,幅度为7～25nT。在1 638m深处,一口井穿透了厚达数十米的中生代玄武岩。由于玄武岩走向刚好沿着由主断层控制的褶皱轴,所以相应的异常与大庆构造吻合得很好(图2-11)。

二、直接探测油气

用磁法直接或半直接圈定油气的基础是探测由碳氢化合物油气苗造成的成岩作用的磁铁矿。油气聚集处的上方磁性体已经指引人们建立了多个油气生产区。这些磁性体有的较浅

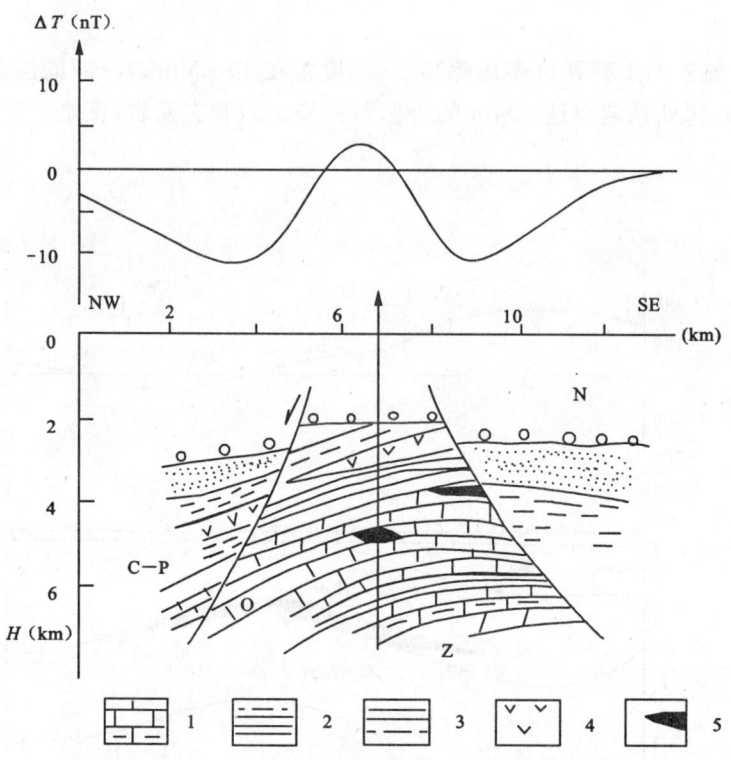

图 2-11 大庆北部构造带断面和磁剖面
（据陈伟，1997）

1—下伏的古生代灰岩/白云岩；2—显生宙粉砂岩/页岩；3—下第三系砂岩/泥岩；4—中生代火山岩；5—油藏

（不超过 1 000ft），有的则较深（深于 3 000ft）。

D. F. Saunders 和 S. A. Terry 在《Onshore Exploration Using the New Geochemistry and Geomorpholoy》一文（Oil and Gas Journal，1985）中，总结了关于这种成岩作用磁铁矿的一些理论成果。他们认为，油气聚集体上方的沉积物中的赤铁矿被硫化氢还原为磁铁矿。这些硫化氢是烃气出现处的硫还原细菌形成的。细菌从碳氢化合物中择取食物，还原侵入水中的硫离子释放出氧气。另种可能是，在溶解状态下的还原铁与赤铁矿和水结合而成磁铁矿。第三种可能是在一定深度产生的铁离子向上运移到氧化区，缓慢氧化会直接生成磁铁矿。

无磁性的赤铁矿转化为磁铁矿，在航磁总场记录中表现为"波纹"异常，在资料处理中能够很容易地被识别出来。Saunders 和 Terry 展示了 4 幅这样的在已知区域的剖面。成岩作用的磁信号可以从它的（相对于背景噪声）较长的"波长"及高幅值识别出来，在资料处理中已经消除或大大压缩了非常长的基底影响和非常短的人文源干扰。

Berezkin 等在他们的文章《油气地质调查中的航磁测量》中提出的俄罗斯模型则有一点儿不同。他们将磁铁矿的出现与菱铁矿的重组联系起来，对生物在磁铁矿形成过程中的作用也另有看法。他们认为，微生物的主要作用是参与烃的氧化，形成最简单的有机酸、碳酸等，这些生成物也与围岩中的矿物相互发生化学反应。

2.3 电法方法

2.3.1 电法方法概述

电法勘探方法是利用人工或天然产生的电、磁场在时间域或空间域的分布特征,来探明地质构造或进行直接、间接找矿的一类地球物理勘探方法的统称,简称电法。电法勘探的实质是利用岩石和矿物(包括其中的流体)的电阻率不同,在地面测量地下不同深度地层介质电性差异,用以研究各层地质构造的方法,对高电阻率岩层如石灰岩等效果明显。电法勘探以岩石和矿石的电性差异为基础,主要研究的电性参数有电阻率、激发极化率、介电常数、导磁率及电化学活动性等。电法勘探种类较多,我国目前石油电法勘探一般用直流电测深、大地电磁测深、可控源声频大地电磁测深等方法,近期又发展了差分标定电法、大地电场岩性探测法等新方法。我们将石油电法勘探方法分为以下 3 类:①直流电法(稳定场),包括垂向电测深法、沉井电极法;②过渡场法(时间场),包括瞬变电磁测深法、激发极化法、差分标定法;③交流电法(交变场),包括大地电磁测深法、可控源声频大地电磁测深法、电瞬变反射法。

井-地电位成像测量技术是 20 世纪 80 年代末发展起来的一种新型电测方法,野外测量原理如图 2-12 所示。在地表向井中套管施加一个大电流,电流大多通过地表无水泥胶结井段和射孔井段流向地层,在地下地层中形成一个非均匀电场,通过测量地表的电位分布可反映地

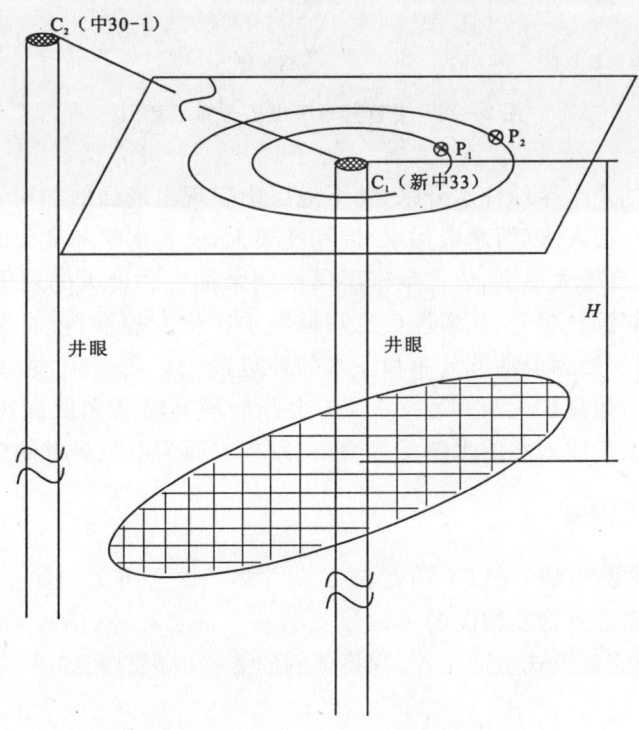

图 2-12 井-地电位测量原理示意图

下的电阻率分布。需要说明的是,在水泥胶结井段,由于水泥的致密性,与射孔井段的地层相比,水泥胶结井段是高阻的。因此,电流主要通过上部的非胶结层段及射孔井段流向地层,如图 2-13 所示。在几千米的套管上,电流分布并非均匀,但在正演计算和反演成像等数据处理中,由于套管直径与套管长度相比可以忽略不计,套管当成线电流源处理。

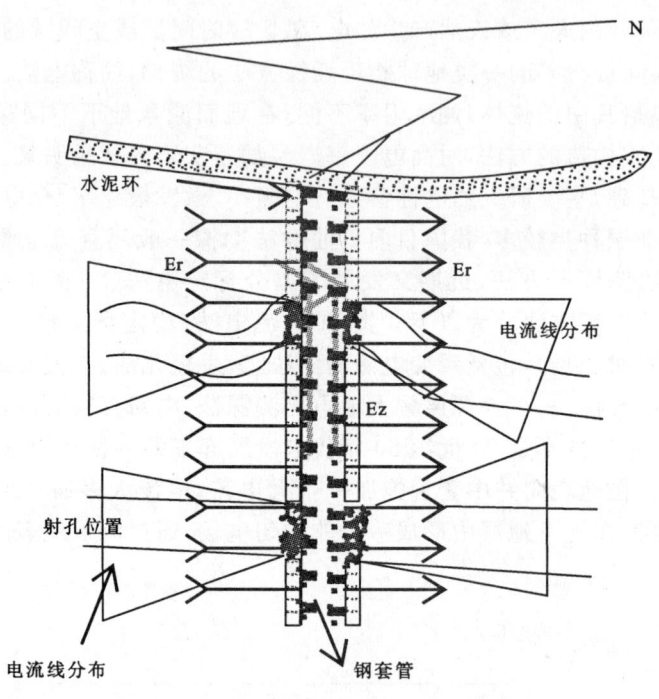

图 2-13 套管井地下电流分布示意图

通常情况下,经过几十年的注水开采,地下地层中表现出极强的非均匀性。尤其在孔渗性较好的"优势通道"中,注入水(清水或污水)饱和度较大,使含水饱和度大的通道上的电阻率与含油饱和度大的区域有较大差别,岩性致密层段及剩余油饱和度大的层段,电阻率相对较高。因此,结合地下地层的沉积相分布、岩性信息和地层水矿化度等资料,能用电阻率差异定性和半定量地研究地下储层的剩余油气分布和注水的推进前沿。进一步,通过在地下地层中加注高矿化度的导电流体,如高矿化度卤水,可以扩大井周围高渗透和低渗透分布区电阻率的差异,一方面指示高渗透带注入水的水窜优势通道,另一方面为电位异常的定量标定提供标准。

2.3.2 电法勘探应用实例

激发极化法(简称激电法)是以不同岩、矿石激发效应之差异为物质基础,通过观测和研究大地激电效应,来探测地下物质情况的一种分支电法。王晓红等(1996)首次在新疆某地区投入了该方法的试验研究兼正式生产工作,现将他们的工作成果总结如下。

一、应用前提

参照前人研究的异常形成机理,为了了解本地区该方法是否具备油气勘探的地球物理前提,研究者在已知油田区、油田附近地区及远离油田区(即背景区)分别进行了激电测深试验工作。

图 2-14 是在已知油田上做的测深试验曲线。从图中可以看出,在本区存在一个明显的高极化率、低电阻率层位,对应 AB/2 极距约 150m 处。视极化率 η_s 最高值达 1.97%,视电阻率 ρ_s 最低约 30Ω·m,且两者对应较好。显然这个层位并不太深,可能是在氧化带向还原带的过渡部位或高价铁氧化物的富集地带,用研究者当时所拥有的仪器设备完全能够探测这个深度,并且能从各种干扰中分辨出来。

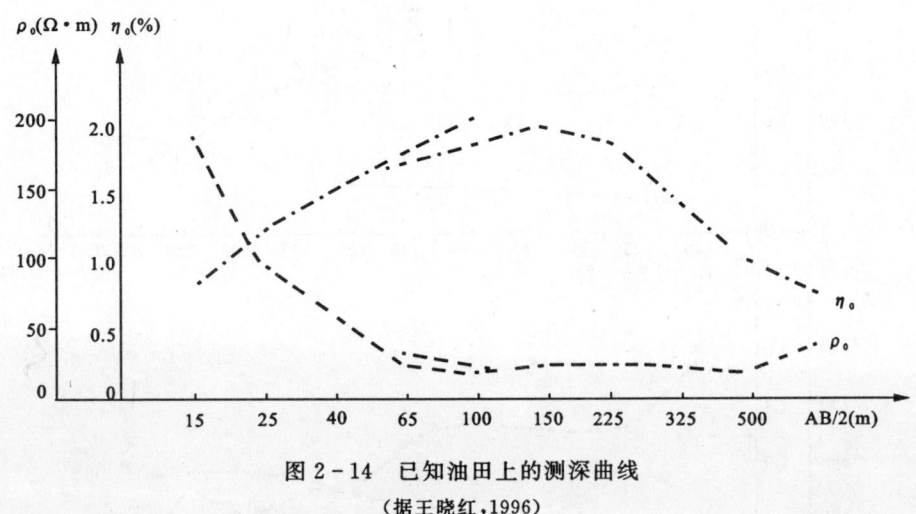

图 2-14　已知油田上的测深曲线
(据王晓红,1996)

图 2-15 是在已知油田边缘做的测深试验曲线,可以看出高极化率、低电阻率异常特征同样存在,但不是太明显,视极化率幅值较低,最高达 1.36%,并且两者的对应关系也不好。视极化率 ρ_s 最高值对应 AB/2 极距为 65m 处,更趋于浅部。

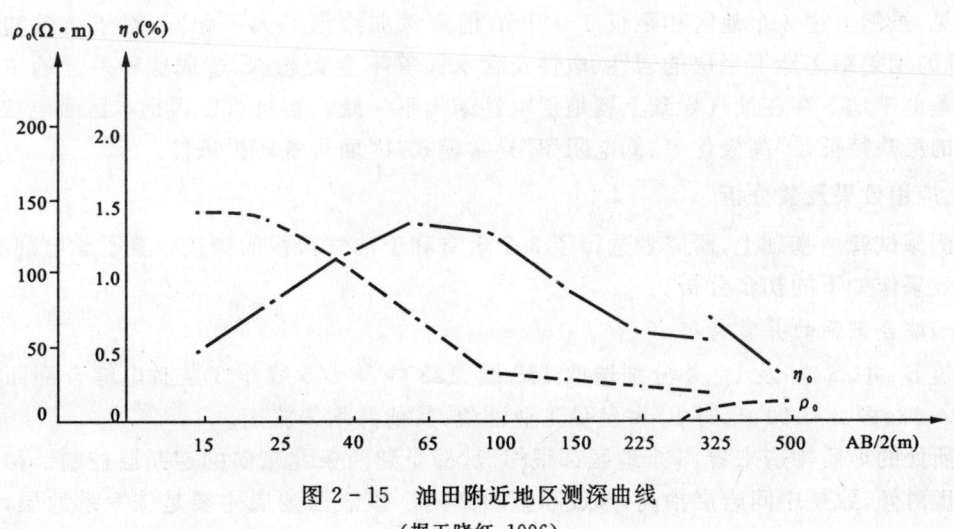

图 2-15　油田附近地区测深曲线
(据王晓红,1996)

图 2-16 是远离油田地区即背景区所做的测深试验曲线,从图中看出视极化率 η_s、视电阻率 ρ_s 明显不同于前述地区反映特征,根本无异常可言。视极化率 η_s 只是随着深度的增加缓慢的上升,最终趋于稳定。在 AB/2 极距达到 1 000m 时极化率仅为 0.95%、0.78%,没有出现"K"型曲线,视电阻率 ρ_s 普遍较高,且比较稳定。

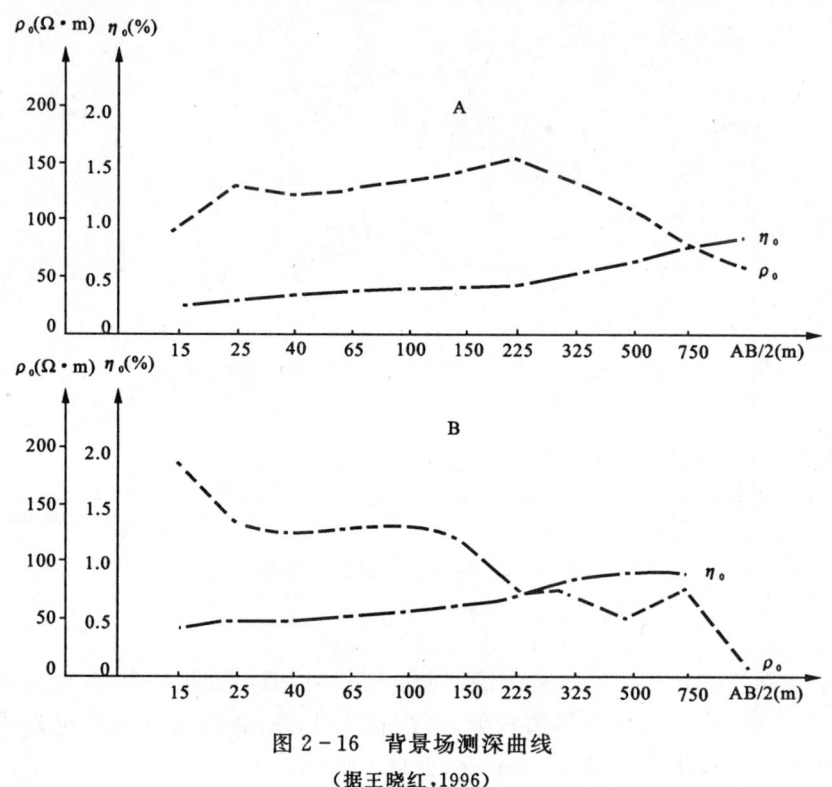

图 2-16　背景场测深曲线
(据王晓红,1996)

可见,虽然上述 3 个地区相距仅 1~2km,但测深曲线形态大不相同,对于浩瀚的沉积盆地,这样的相差距离地下岩层的岩性、电性及含水性等不会太悬殊,造成这种差异的主要原因可能还是由于地下存在油气导致上覆地层电性结构不一致。暂且可以得出本区激电法在油气田上方的反映特征是"高极化率,低电阻率"异常模式,因而具备前提条件。

二、应用效果及其分析

在测深试验的基础上,研究者选择了 3 个最有利于油气聚积的构造布置了激电剖面,现就其应用效果作如下的初步分析。

(一)综合剖面的异常特征

通过 B_1 井、S_1 井及 D_1 井分别选取 168 线、128 线及 146 线作 3 条激电综合剖面(图 2-17、图 2-18、图 2-19),当时 B_1 井已见工业油流,其他井均未施工。

从所处的地质构造来看,3 个地区都很相似,都受到两条北东向的逆断层控制。两条逆断层高角度对倾,致使中间岩层抬高,形成断背斜圈闭。该区储油层主要是侏罗系地层,自生自储,油藏埋深都在 3 000m 左右,构造很发育。3 个圈闭的面积中等,幅度较高,形成较早,保存条件好,都有可能形成油藏。

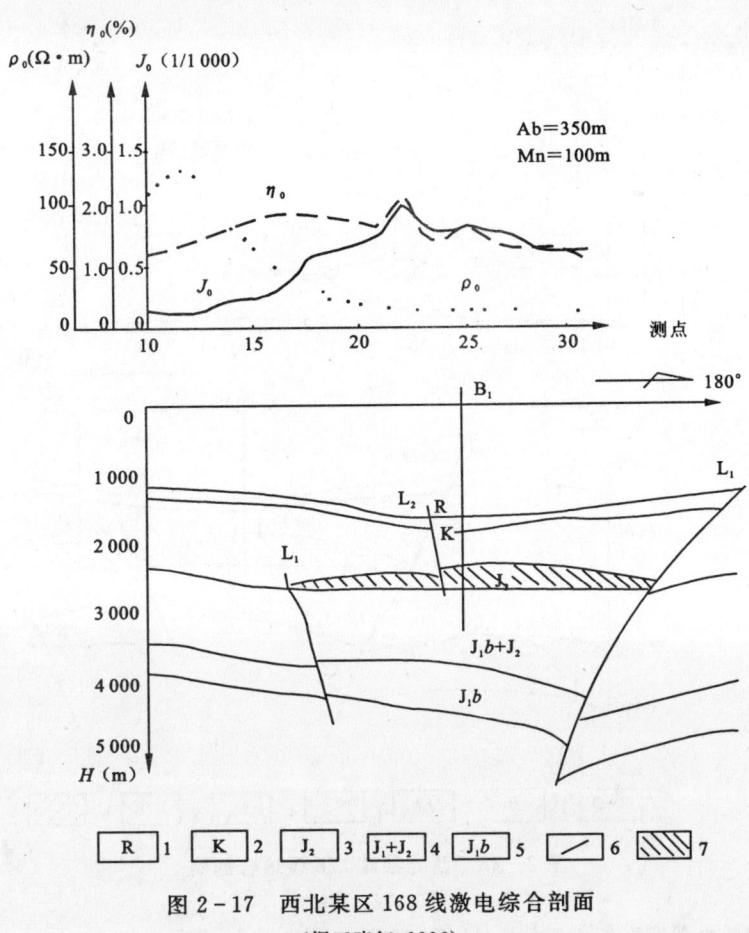

图 2-17 西北某区 168 线激电综合剖面
(据王晓红,1996)
1—第三系;2—白垩系;3—上侏罗系;4—中侏罗系;5—下侏罗系;6—断层;7—油藏

从 168 线剖面看(图 2-17),在已知油田上方出现了高极化率、低电阻率异常,视极化率 η_s 最高达 2.26%,大多数异常值都在 1.5% 以上,而本区的极化率背景值约为 0.7% 左右,异常值高出背景 2 倍之多。在油田边界视极化率开始下降。视电阻率在油田上方相对较低,一般只有十几欧姆米。复合参数 J_s 是 η_s 和 ρ_s 的综合反映,更能全面地反映地下是否存在油气。J_s 异常与地下油田对应关系较好。

从 128 线剖面看(图 2-18),视极化率 η_s 最高达 1.96%,大多数异常值超过 1.2%,高出背景值,在剖面两边极化率值明显下降(本次工作因受南、北地理条件的限制,激电剖面太短),视电阻率在北部比较高,达到三百多欧姆·米,在南部比较低,仅为十几欧姆·米。

后经钻探证实,该区地下存在如图 2-18 所示的油藏,与激电异常对应关系较好。

146 线是通过另一个构造中心做的一条激电综合剖面。当时 D_1 井正打算施工,是否含油情况不明,但通过激电测量后发现该处不论那个参数均没有异常显示,3 条曲线近似水平(图 2-19)。视极化率最高值仅为 0.93%,平均值约为 0.7%,明显低于已知油田上的视极化率值,最后经钻探结果证实,该构造不含油气。

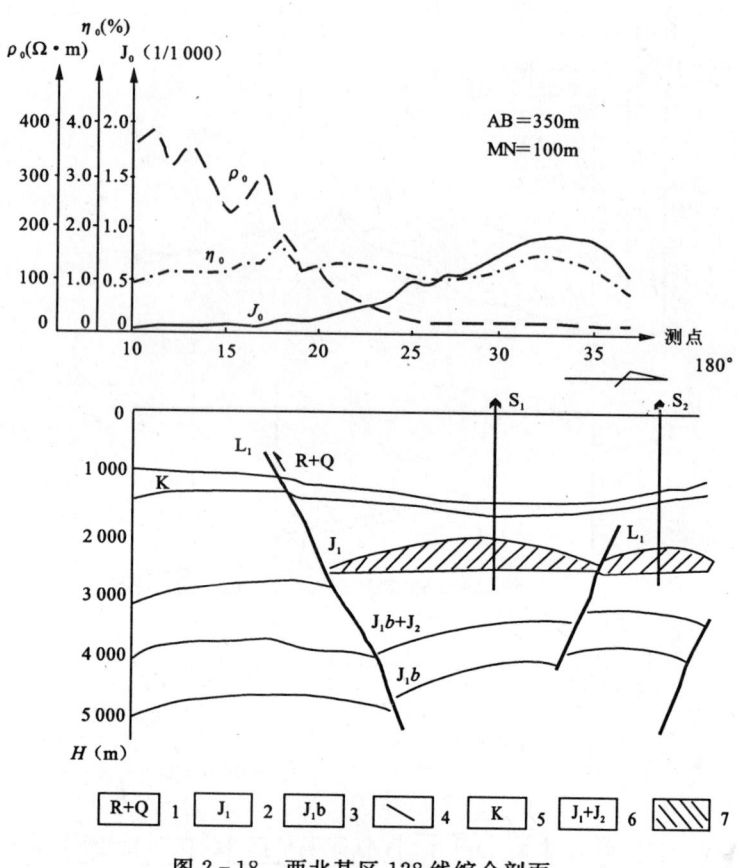

图 2-18 西北某区 128 线综合剖面
(据王晓红,1996)
1—第四系、第三系;2—上侏罗系;3—下侏罗系;4—断层;5—白垩系;6—中侏罗系;7—油藏

(二) 平剖图上的异常效应

从上面综合剖面中看出,复合参数 J_s 异常与油田的对应关系较好,所以制作了这 3 个地区 J_s 剖面与地质构造对应图来探讨 J_s 异常与地下油气藏的关系。

图 2-20 中通过该构造中心做了"十"字型剖面来大致控制该油田的分布情况。可以看出 J_s 异常很明显,构造高部位与 J_s 极大值相对应,油田的北部边界即Ⅰ号断层处 J_s 曲线梯度较大。在Ⅱ号断层以南,虽然 J_s 值有所降低,但相对背景还是比较高,此处资料不完整,无法进一步推断。总的看来 J_s 异常控制了油田范围。

图 2-21 是另一个含油构造上所作的激电剖面,由于构造范围较大,布置了 4 条激电剖面来控制。可以看出在油田上方 J_s 异常很明显,对应关系较好,4 条剖面上均有清晰的 J_s 异常显示, J_s 最高值达到 1.49‰,背景值仅为 0.3‰ 左右。在北侧纵向 3 条剖面上 J_s 突变的位置正好对应Ⅰ号断层,此断层就是该油田的北部边界。在Ⅱ号断层处 J_s 曲线开始下降,但值还是较高,由于剖面太短,异常没封闭。从最长的 A_1 剖面看有两个 J_s 异常中心,北边 J_s 异常幅度高,异常明显,南边较弱,这两个异常中心正好对应两个油田。

图 2-22 是另一个构造上所做的激电"十"字剖面,结果发现无任何异常显示,不论是 A

2. 地球物理方法

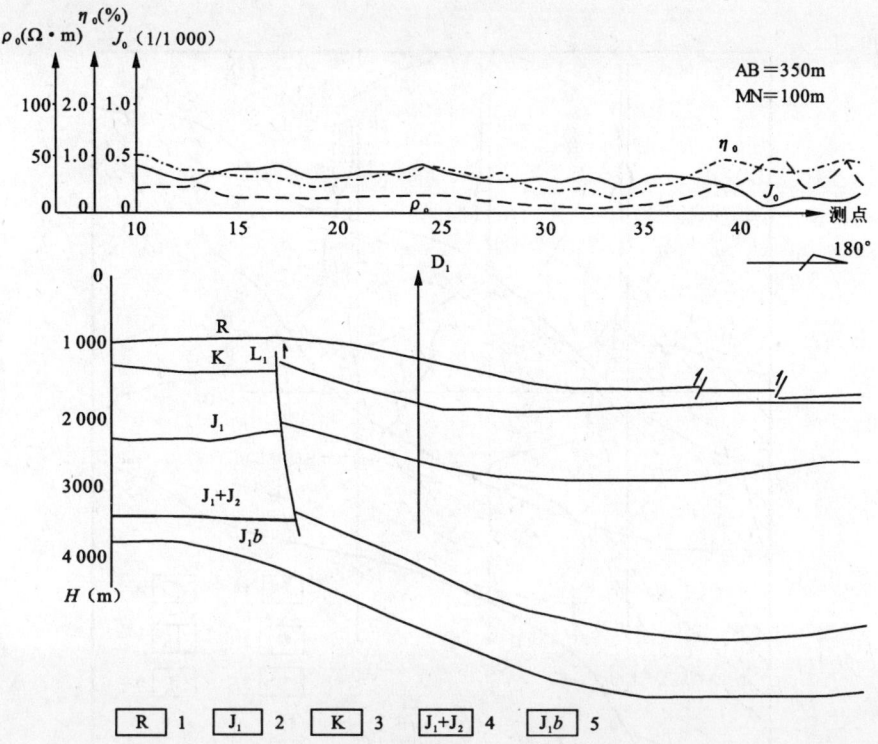

图 2-19 西北某区 146 线综合剖面
（据王晓红，1996）
1—第三系；2—上侏罗系；3—白垩系；4—中侏罗系；5—下侏罗系

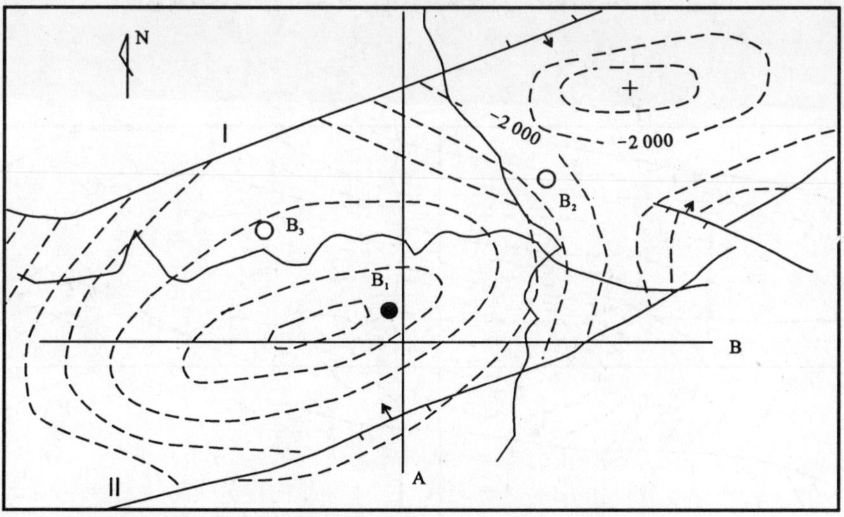

图 2-20 某含油构造 J_s 剖面与构造位 t 对应图
（据王晓红，1996）
1—逆断层；2—构造线；3—出油井；4—设计井；5—剖面线；6—J_s 曲线；7—断层编号

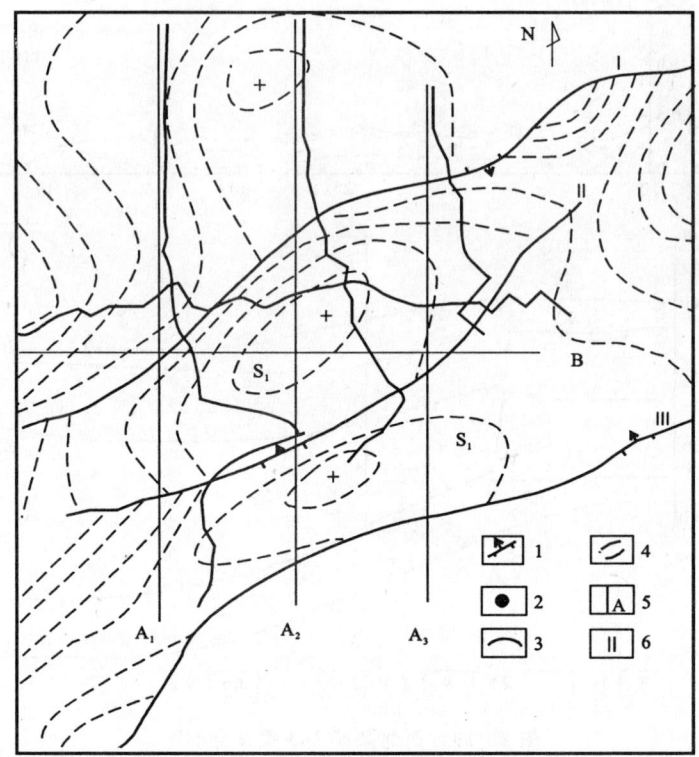

图 2-21 某含油构造 J_3 剖面与构造位置对应图
（据王晓红，1996）
1—逆断层；2—油井；3—J_3 曲线；4—构造线；5—剖面线；6—断层编号

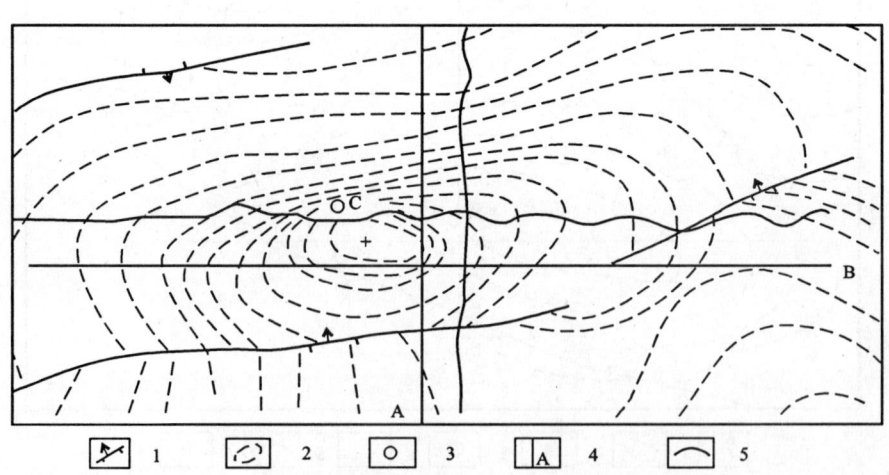

图 2-22 某不含油构造 J_3 剖面与构造位置对应图
（据王晓红，1996）
1—逆断层；2—构造线；3—干井；4—剖面线；5—J_3 曲线

剖面还是 B 剖面，两条曲线近似平行于剖面轴的直线，最终的钻探结果跟研究者的认识一致。

三、结论

通过试验和生产工作，得出如下结论：

(1)利用激电法在本区条件下寻找油气藏是有效的，效果比较明显。

(2)在该区油田上覆地层中确实存在一个高极化率、低电阻率层位，这个层位离地表不是太深，用现有的仪器设备能够探测这个深度并且能从各种干扰中反映出来。反复的对比试验证明该层的形成与地下油气藏有关。

(3)进一步证实了油田上方激电异常模式为高极化率、低电阻率。

2.4 放射性方法

2.4.1 放射性方法概述

油气放射性勘探方法是利用放射性测量仪器探测油气田上方地表辐射场的变化规律来寻找油气藏的。这种辐射场的变化主要由放射性元素的分布变化决定，因而地表放射性元素分布与地下油气藏的关系，就是油气放射性勘探的根本问题。

油气放射性勘探方法主要有：航空伽玛能谱测量、地面伽玛能谱测量、常规射气测量、α 径迹测量、钋-210 法、α 聚集器测量、活性炭测量、热释光法等。下面简单介绍以下 3 种放射性勘探方法。

(1)航空伽玛能谱测量：是借助于安装在飞机上的伽玛能谱仪从空中测定地表岩(矿)石引起的伽玛射线谱，从而确定其伽玛射线照射量率(也称为总量)和钾、铀、钍元素含量的一种放射性测量方法。该方法主要用于放射性元素分布的调查和钾、铀、钍矿产资源的普查，并可作为寻找与放射性元素存在稳定或者比较稳定相关关系的其他金属、非金属矿产的辅助方法。目前该方法已经被广泛应用于铀、金、有色金属、钾盐、油气等矿产资源，进行地质填图以及环境监测等许多领域，并获得了良好的应用效果。

(2)地面伽玛能谱测量：是利用轻便伽玛能谱仪在野外直接测定浮土、岩石和矿石中铀、钍和钾的含量。近年来，它在油气勘查中也得到较广泛的应用。

(3)常规射气测量：是利用射气仪测量土壤空气中的放射性气体的浓度，并根据不同地点所测量到的射气浓度值的分布规律来找矿及解决某些地质问题的一种放射性测量方法。

2.4.2 放射性方法应用实例

一、航空伽玛能谱测量应用实例

D. F. Saunder 等(1994)采用新的钍归一化方法，重新处理和研究了澳大利亚的航空伽玛能谱资料，研究范围包括 Canning 盆地中的 5 个油田和 Otway 盆地中的 1 个有商业价值的气田(PPL-1)试验区。研究区已知油气田上均出现了明显的低 $\delta\omega_k$ 和 $\delta\omega_v$ 异常(图 2-23)。根据 3 个试验区内的 69 口井统计，放射性异常有利带内的钻井遇油气(工业油流或油气显示)的概率比有利带外的钻井大 2.6 倍。

D. F. Saunder 等的综合研究表明，利用放射性资料预测新的找油远景区是有效的，但应优

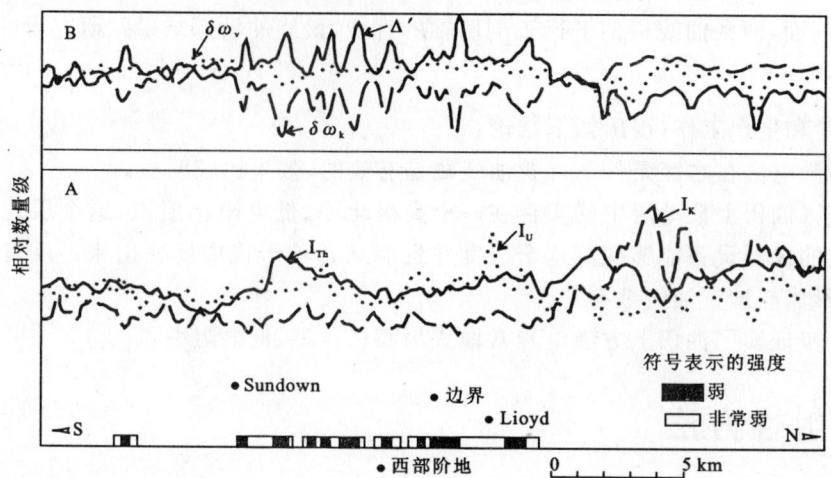

图 2-23 Canning 盆地试验区的数据剖面图
(据王平等,1997)
油田相对测线的位置示于图的底部
A—实测计数率数据;B—经处理后的数据

先考虑 $\delta\omega_k$ 和 $\delta\omega_v$ 异常吻合良好的异常。零散分布的假异常既可以单个变量出现,有时也可以两个变量同时出现,因此,对这些放射性综合异常应采用其他方法进行验证,包括地形地貌研究、微磁测量、航空碳氢化合物测量以及土壤中气碳氢化物分析等方法。对那些由几种资料所提供的可能的油田或可能的含油构造远景区应予以认真的考虑。

二、地面放射性测量应用实例

任丘油田是被断层复杂化了的多高点断鼻型古潜山油藏,位于太行山隆起和沧州隆起之间的饶阳坳陷之中。潜山之上之间被第三系覆盖,北、东、南均被寒武、奥陶系地层所包围。油藏顶部埋深约 3 200m。从图 2-24 可见,地表 ^{218}Po 测量曲线在油藏边界处有明显的高值,其幅值大约为油田中部低值和外部背景值的 5~7 倍。在油田中部任 36 井附近出现较高值,可能由浅部的断裂引起。从伽玛能谱测量结果来

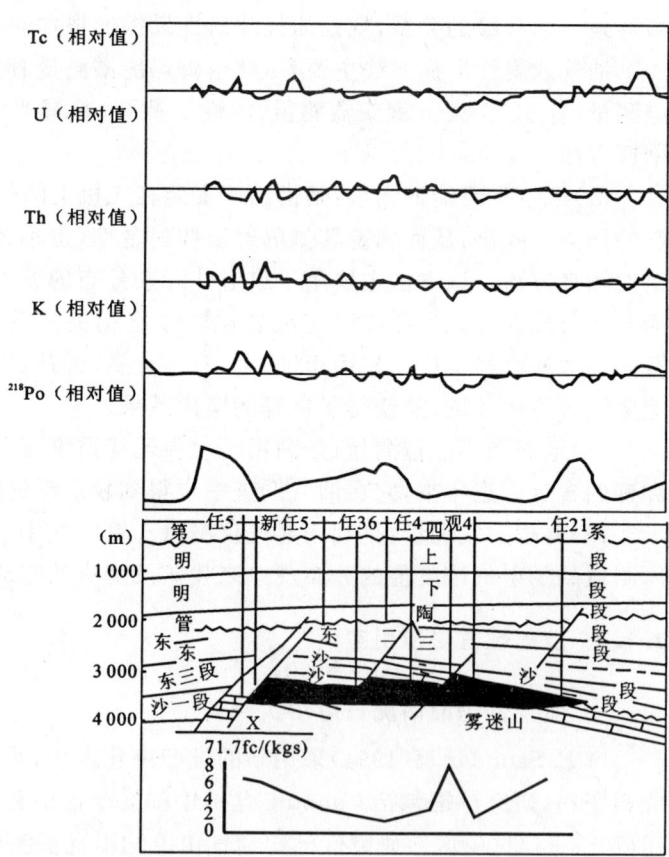

图 2-24 任丘油田综合剖面图
(据王平等,1997)

看,油藏边界处也有高值反映,但不如^{218}Po明显。从总体上看,井中异常与地表^{218}Po异常是一致的。

2.5 地震方法

2.5.1 地震勘探方法概述

在勘探油气的各种物探方法中,地震勘探方法已成为一种最有效的方法。

所谓的地震勘探,就是利用人工方法引起地壳振动,如利用炸药爆炸产生人工地震,再用精密仪器记录下爆炸后地面上各点的震动情况。利用记录下来的资料,推断地下地质构造的特点。那么人工地震为什么能查明地下地质构造呢?我们知道,当投一块石头到平静的水池里,平静的水面就会出现一圈圈的波纹,向四面八方传播,形成了"水波"。"水波"传到水池边或遇到障碍物时还会返回来,发生所谓的"波的反射"。地震勘探的原理与此十分类似,在地面上某点打井放炮后,爆炸产生的地震波向下传播。地震波遇到地层(速度与密度的乘积有差异)的分界面时,通常会发生反射;同时另一部分地震波还会继续向下传播,碰到相似的地层界面后还会产生反射和透射,即一部分地震波的能量反射回地面,另一部分继续向下传播。与此同时,地面上精密的仪器把来自各个地层分界面的反射波引起地面振动的情况记录下来,然后根据地震波从地面开始向下传播的时刻和地层分界面反射波到达地面的时刻,得出地震波从地面向下传播到达地层分界面又反射回地面的总时间,再用别的方法测定出地震波在岩层中传播的速度,最后就可得到地层分界面的埋藏深度了。

沿着地面上的一条测线,一段一段地进行观测,对观测结果进行处理后,就可得到形象地反映地下岩层分界面埋藏深度起伏变化的资料——地震剖面图。在一个可能有油气的地区(称为工区)内,布置多条测线,形成测线网,并在多条测线上进行这种观测之后,可得到地下地层起伏的完整概念,再综合其他物探方法和地质、钻井等各方面的资料,进行去伪存真,去粗取精,由此及彼,由表及里的分析、研究,就能查明可能储存油气的地质构造,最后确定钻探的井位。

概括地说,所谓的地震勘探,就是通过人工方法激发地震波,研究地震波在地层中传播情况,查明地下地质构造,为寻找油气田或其他勘探目标的一种物探方法。

上面介绍的地震勘探原理不难理解,但是真正实现起来有很大的困难。例如在沙漠或黄土覆盖的地区要用人工方法产生较强的地震波就很不容易;炸药爆炸后,地面上的仪器除了接收来自地层界面的反射波外,还会接收其他各种各样的波,如风吹草动、树木、电杆、汽车等,它们都会干扰反射波的接收,往往造成以假乱真。为此人们发展了用于指导地震勘探生产实践的理论和专门的仪器设备,以及一套生产施工的组织和方法。

地震勘探的生产工作,基本上可分为3个环节。

首先是野外工作。这个阶段的任务是地质和其他物探工作初步确定的有含油气希望的地区,布置测线,人工激发地震波,并用野外地震仪把地震波传播的情况记录下来。

其次是室内资料处理。它的任务是根据地震波的传播理论,利用计算机对野外取得的资料进行各种处理和加工,去除各种噪声,突出有效信号,得到反映地下地质构造的大概形态的地震剖面以及相关的地震波速度资料。

最后一个阶段是地震资料的解释。由于地下地质构造的复杂性,地震剖面上的许多现象,既可能反映地下的真实情况,也可能具有某些假象。地震资料的解释工作,就是要运用地震波传播理论,综合地质、钻井和其他物探资料,对地震剖面进行深入的分析研究,对各反射层相当于什么层位作出正确的判断,对地下地质构造的特点作出说明,绘制出反映主要目的层位的构造图,最后对有希望含有油气的构造,提出钻探井位。

地震勘探在多数情况下寻找构造优于其他方法。

2.5.2 地震资料解释

用地震资料来研究地质构造和勘查地下矿产,主要有两类信息:一类是反射信息,它主要用于中深层的煤田、油气田的勘探中;另一类是折射信息,它主要用于浅层的工程勘探、浅中层的煤田勘探。

在油气田的地震勘探中,地震资料解释的主要任务是利用处理后的各种反射地震剖面,结合地质、钻探、测井及其他物探资料,根据地震波的传播理论和地质规律,把地震剖面变为地质剖面,进一步研究区域的构造发展史、盆地的发育演化史、沉积史和油气运移聚集史,作出油气资源评价,在有利的构造和地层岩性圈闭上提供钻探井位。地下地质体的地震响应是地震波场,当前主要是以水平叠加时间剖面或偏移剖面的形式显示,它们是地震勘探资料解释的基础资料。在这些资料中蕴藏着丰富的可用来解释各种地质问题的信息,但归结起来主要是两类地震信息,即运动学信息和动力学信息。运动学信息主要是指地震波反射时间、同相性和速度等,利用这些信息可以把地震时间剖面变为深度剖面,绘制地质构造图,进行构造解释,搞清岩层之间的界面、断层和褶皱的位置和方向,人们称此为常规的地震资料的解释方法,它主要用于寻找构造圈闭油藏。构造油藏的基本类型如图 2-25 所示。在 20 世纪 70 年代之前利用这种方法,发现了当今世界上绝大多数较大的油田,我国的大庆、胜利等油田也属于这种情况。

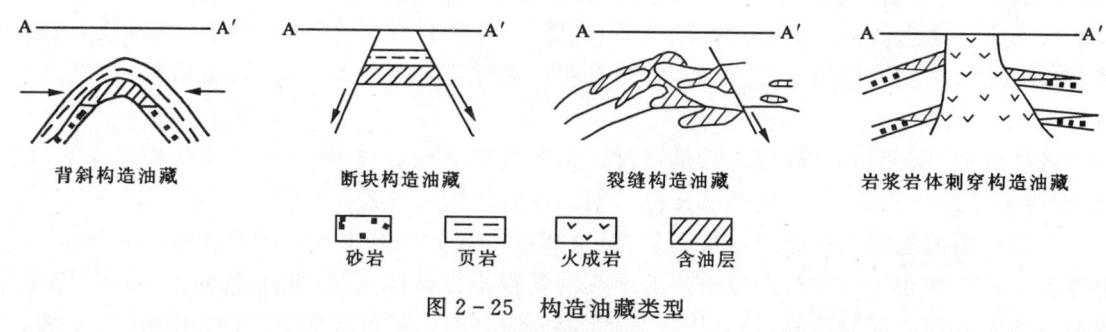

图 2-25 构造油藏类型
(据何樵登等,1991)

利用地震剖面上反射波总的特征,如同相轴的连续性、反射波的内部结构和外部几何形态等,可以提取出非常有用的地层信息,它是 20 世纪 70 年代发展起来的一种地震分析技术,称之为地震地层学,它应用先进的地震数字处理所获得的高质量地震剖面,通过对地震层序和地震相的分析,恢复盆地的古沉积环境,预测生油层和储油层的分布,寻找地层油气藏。地层油气藏基本类型如图 2-26 所示。

地震地层学又可分为区域与局部地震地层学两个分支。区域地震地层学主要利用剖面上总的地震波特征研究较大范围和较厚地震层序的特征,用于新勘探区早期油气远景评价。局

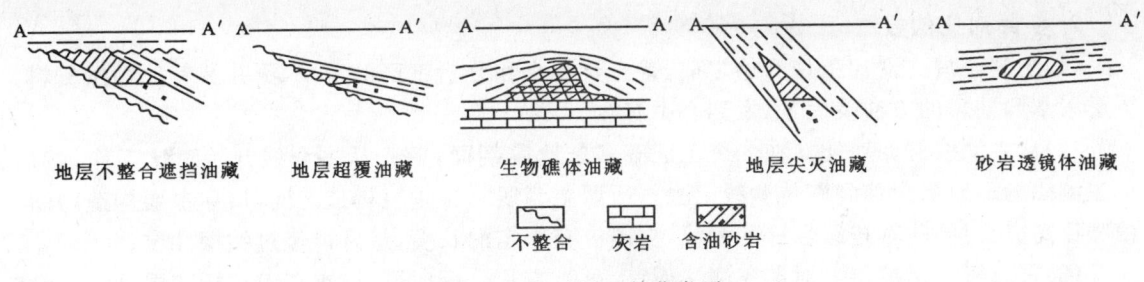

图 2-26 地层油气藏类型
(据何樵登等,1991)

部地震地层学则应用在勘探程度较高的地区,以生油岩系为主要对象进行细分层,把注意力放在单个的反射层或一个小的反射层组上。有人也称它为地震岩性学。它主要是利用地震波的振幅、频率、极性等动力学信息,并结合层速度、钻井等资料,提取岩性和储层参数,如流体成分、储层厚度、速度、密度、孔隙度等。

地震的岩性信息,除了纵波反射资料之外,还须有横波资料、横波的速度和反射系数与纵波联合应用,可得到多种岩性与烃类的信息,所以说纵横波联合勘探是岩性地震的重要手段。

一、地震反射信息的构造解释

构造解释是整个地震资料解释工作中的重点和基础,地层与岩性的解释一般都是在构造解释工作之后进行的,它是本章中的一个最主要的内容。

构造解释主要包括时间剖面的对比、波场的分析、时间剖面的地质解释、深度剖面与构造图的绘制、含油气远景评价等工作。

(一)时间剖面的对比

时间剖面对比是地震资料解释中的一项最重要的基础性工作,对比工作的正确与否将直接影响地质成果的可靠程度。

在地震时间剖面上反射层位表现为同相轴的形式。在地震记录上相同相位(主要指波峰或波谷)的连线叫做同相轴,所以在时间剖面上反射波的追踪实际上就变为对同相轴的对比,根据反射波的一些特征来识别和追踪同一反射界面反射波的工作,就叫做波的对比。

1. 反射波的识别标志

来自同一界面的反射波,直接受该界面埋藏深度、岩性、产状及覆盖层等因素的影响,如果上述这些因素在一定的范围内变化不大,具有相对的稳定性,就会使得同一反射波在相邻接收点上反映出相似的特点。属于同一界面的反射波其同相轴一般具有 3 个相似的特点,也称为反射波对比的 3 个标志。

(1)强振幅。经过反射信息采集及处理中一系列提高信噪比的措施后,地震剖面上反射波的振幅一般都大于干扰波的振幅。

(2)波形相似性。同一界面的反射波在相邻道的地震记录上波形相似(包括视周期、相位个数、各极值间的振幅比等)。

(3)同相性。由于同一界面的反射波到达相邻检波点的射线路径是相近的,因而波相同相位所记录的时间也是十分接近的,同相轴应是一条圆滑的曲(直)线,同一反射波不同相位的同相轴应彼此平行。

2. 实际对比的方法

(1)统观全局。对比工作开始之前,首先要收集和分析工区的地质、测井及其他物探资料,了解采集和处理的方法及因素,做到心中有数。

(2)从主测线开始对比。在一个工区有多条地震剖面,应先从主测线开始对比工作,然后从主测线的反射层引伸到其他测线上去。所谓主测线是指垂直构造走向,横穿主要构造,并且信噪比高、反射同相轴连续性好的测线,它还应有一定的长度,最好能经过钻探井位。

(3)重点对比标准层。对某条测线而言,可能有几个反射层,应重点对比标准层,所谓标准层是指具有较强振幅、同相轴连续性较好、可在整个工区内追踪的目的反射层。它往往是主要的地层或岩性的分界面,与生油层或储集层有一定的关系,或本身就为生、储油层。

(4)相位对比。一个反射界面在地震剖面上往往包含有几个强度不等的同相轴,选其中振幅最强、连续性最好的某个同相轴进行追踪,这就叫做强相位对比,有时反射层无明显的强相位,可对比反射波的全部或多个相位,这称为多相位对比。

(5)波组和波系对比。波组是指由三四个数目不等的同相轴组合在一起形成的,或指比较靠近的若干界面所产生的反射波组合。由两个或两个以上波组所组成的反射波系列,称为波系。利用这些组合关系进行波的对比,可以更全面考虑反射层之间的关系。因为从地质的观点来说,相邻地层界面的厚度间隔、几何形态是有一定联系的,反映在时间剖面上反射波在时间间隔、波形特征等方面也是有一定规律的。有时在剖面的某段长度内,因某种原因有的同相轴质量较差(振幅弱、连续性差),我们可以根据反射波在剖面上相互之间总的趋势,是等时间间隔的,还是逐渐减小、增大的,以好的反射波组来控制不好的反射波组,进行连续追踪。

(6)沿测线闭合圈对比(剖面的闭合)。在水平叠加时间剖面上,沿测线闭合圈追踪对比同一界面的反射波,在测线交点处回声时间应相等。当闭合圈中有断层时,应把断距考虑在内。一般闭合差不能超过半个相位,如果超过这个规定,就意味着对比追踪的不是反射波的同一相位,需要重新进行对比。剖面不闭合还可能是各测线施工时间不同、采集和处理因素不一致、测量误差等原因造成的。如遇闭合差超过允许精度时,应认真检查其原因。

(7)利用偏移剖面进行对比。当地质构造比较复杂时,在水平叠加时间剖面上同相轴形态会比较复杂,这时可利用叠加偏移剖面来帮助进行对比工作。但剖面间的闭合不能用二维偏移剖面,因为对于沿地层倾向的剖面,反射波可以归位,而对于沿地层走向的水平时间剖面,倾角为零,偏移后反射波位置没有变化,这样在测线交点处反射层就不能闭合。只有利用三维地震资料,才能使其闭合。

(8)剖面间的对比。在对时间剖面进行了初步对比后,可以把沿地层倾向或走向的各个剖面按次序排列起来,纵观各反射波的特征及其变化,借以了解地质构造、断裂在横向上、纵向上的变化,这有助于对剖面作地质解释和作构造图等工作。

(二)地震波场分析

1. 波场与波场分析的方法

地质上的背斜、向斜、断裂等特殊构造在水平叠加时间剖面上会形成特有的发散波、回转波、绕射波、断面波等(也常称为特殊波),这些特殊波在地震剖面上的空间分布,它们回声时间的大小、振幅的强弱、同相轴的连续性等构成了地震波场,可以说地震波场是地下地质体总的地震响应。

要对地震波场进行分析目前有两种方法,一种做法是解释员直接在地震剖面上识别和对比各种地震波动,提出解释方案。从20世纪70年代起,在地震资料解释中出现了另一种地震模拟的方法,它的做法是根据对地质情况的了解和已知的地震资料,假设初始的地质模型,计算理论的地震记录,与实际的地震剖面进行比较,并不断修改调整模型的有关参数,直至两者最佳拟合,这种调整后的模型也就是地震资料解释的最佳方案,这种做法称为正演模拟。

在当今的地震资料解释中,不仅仅局限于在地震剖面上分析研究其波场,还需做正演模拟工作,两者相互验证,使解释方案更为合理。

2. 单元构造波场特征分析

单元构造的波场是指在均匀介质情况下(单个反射界面),小凹子、小凸起、断层等局部构造单元在水平叠加时间剖面上的地震响应。

(1)回转波。当小凹子的曲率半径小于其埋藏深度时,在水平叠加时间剖面上亦会形成反射点位置和接收点位置相互倒置的回转波场。图2-27 A是2个小凹子的回转波场记录,图2-27B是经偏移归位后的剖面,回转波已被归位,恢复了原来2个小凹子的形态。

分析回转波场有如下特点:①回转波呈"蝴蝶结"的几何形态,它的回转范围与界面的埋深及弯曲程度有关,界面越深越弯曲、回转区越大,反之则回转区越小,当凹界面的曲率中心正好处在地面上,自激自收的射线将聚焦成一点;②凹界面如同凹面镜一样,有能量聚焦的作用,尤其在平界面反射波与回转波的切点处(也叫回转点),两波相切,振幅较强;③回转波的波场具有"背斜"形,其"背斜"的顶点应是小凹子的底点。正是由于回转波具有似"背斜"的同相轴形态,解释时容易误认为是地下背斜构造的反映,这一点应引起注意。20世纪70年代初西方某石油公司误将回转波解释为背斜构造形成打钻之误。

(2)发散波。在图2-27上有背斜型的界面,在水平时间剖面上,它的反射波向上隆起的范围和幅度都比实际的背斜增加了。图2-28是背斜的自激自收T_0时间剖面。

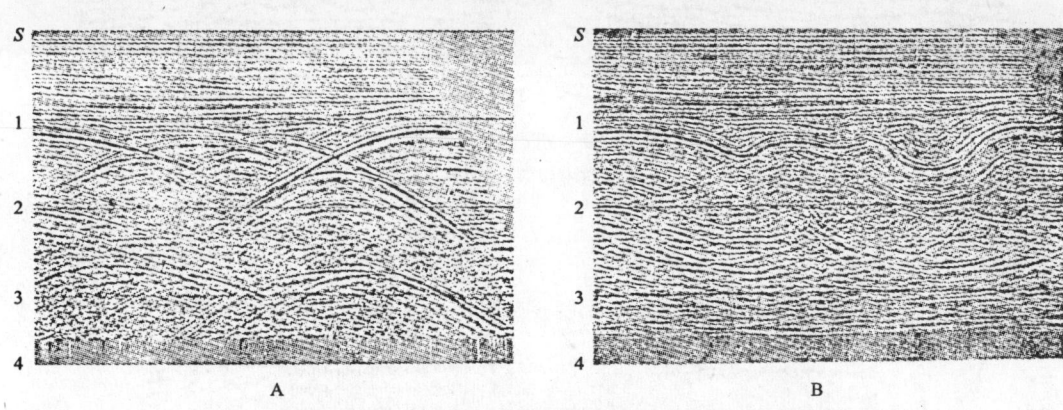

图2-27 回转波
(据何樵登等,1991)
A—水平叠加时间剖面;B—偏移剖面

背斜型的界面如同凸面镜一样,对能量有扩散的作用,故称之为发散波。

(3)绕射波。在岩性的突变点,如断点、尖灭点、侵蚀面上的棱角点都会产生绕射波。图2-29是我国松辽盆地孤店断层所产生的绕射波,该测线垂直断层走向,在剖面上可以清楚地看到向下弯曲的同相轴,它就是断点产生的绕射波。

图2-30是侵蚀面上所产生的绕射波。

绕射波有以下特点:①在均匀介质情况下绕射波在水平叠加时间剖面上的几何形态为双曲线,这在理论上可以得到证明,把绕射波形象地比喻为"似背斜","似背斜"的顶就是绕射点的位置。如果绕射波是由断点产生的,则绕射点就为断点;②绕射波在绕射点能量较强,然后向两侧变弱。振幅的强弱还决定于绕射点两侧岩性的差异,差异大振幅强,反之就弱,另外决定于接收点与绕射点的相对位置,接收点在绕射点正上方,能量强,接收点远离绕射点,能量则弱。

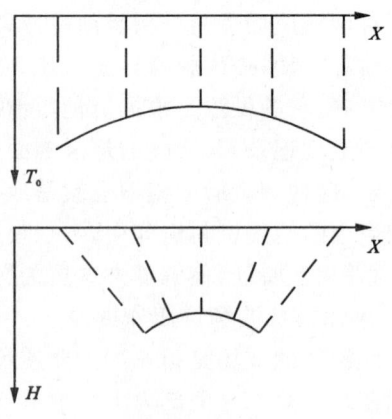

图2-28 背斜型界面的自激自收 T_0 时间剖面
(据何樵登等,1991)

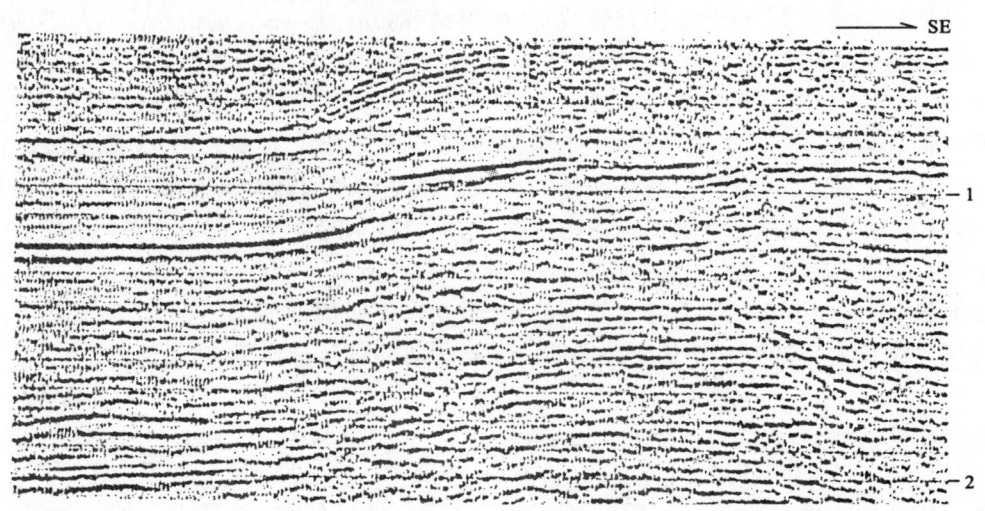

图2-29 断点的绕射波
(据何樵登等,1991)

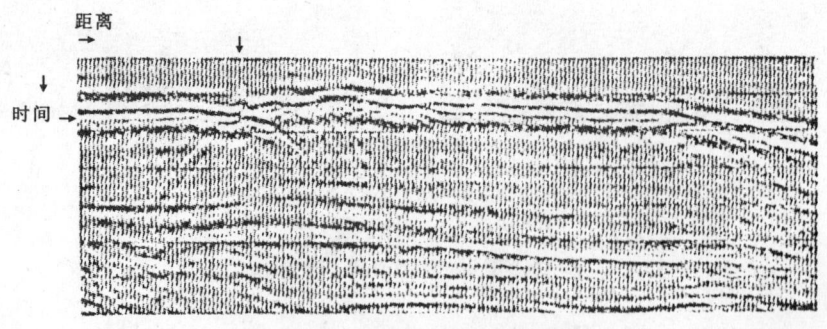

图2-30 侵蚀面上的绕射波
(据何樵登等,1991)

断点产生的绕射波与平界面的反射波在绕射点相切,从切点把绕射波分为两个半支,两半支相位相差180°,在剖面上外半支比较明显,内半支往往被强的反射所淹没,而不明显,这样在水平时间剖面上就会出现所谓"层断(有断层)波不断,反射连绕射"的现象。

(4)断面波。当断层的断距较大,断层面两侧的岩层波阻抗有着明显的差别,且断面又比较光滑时,断层面本身就是一个反射界面,在此界面上产生的波动,叫做断面波。图2-31就是水平叠加时间剖面上的断面波。

图2-31 断面反射波
(据何樵登等,1991)

图2-32是一个比较简单的正断层的自激自收T_0时间剖面。

断面波有以下特点:①断面波往往与下降盘的反射波斜交,在断棱点还有绕射波,构成了反射连绕射,绕射连断面波,断面波又连绕射的波动图象;②断面波时强时弱,时有时无,断续出现,这与断面两侧岩性变化而使反射系数时大时小有关。

除了上述4种与特殊地质构造有关的波动之外,在水平时间剖面上还常见到以下两种特殊波。

(5)多次波。在地震信息的采集和处理中,虽采用了多种办法来压制多次波,但在多次波很发育的工区,尤其在海上,虽采用了较长的排列、较高的覆盖次数,试图增加多次波的剩余时差,以利于削弱多次波,但这种努力都是有一定限度的,因为一般要求排列的长度约等于勘探目的层的深度,不可能设计得太长,覆盖次数也受到地表条件和生产效率

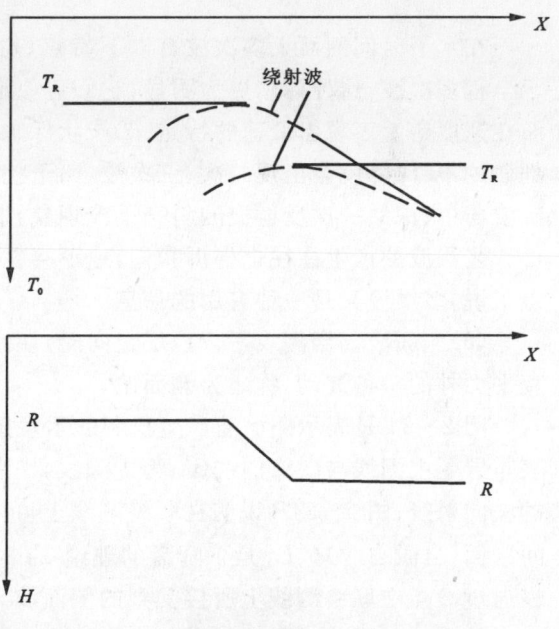

图2-32 正断层的自激自收T_0时间剖面
(据何樵登等,1991)

的制约,因此,在剖面上还或多或少有多次波残留的能量。图2-33是海上多次波的剖面。

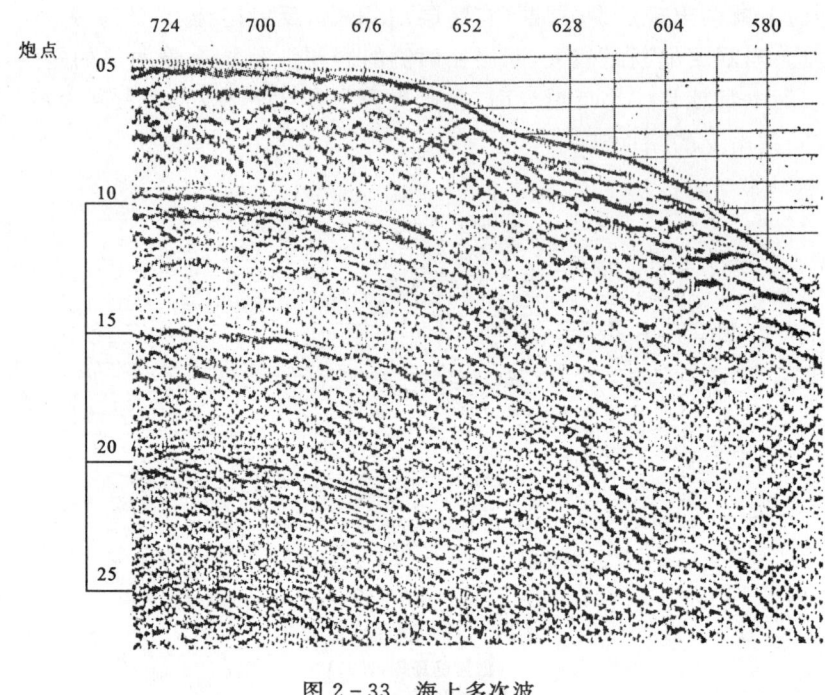

图 2-33 海上多次波
(据何樵登等,1991)

在水平时间剖面上多次波有以下特点(也可作为识别标志):①倾角和T_0时间标志。对于全程多次波,这种标志更为明显,它们近似地等于多次波次数的整数倍;②速度标志。多次波在速度谱上表现出低速的特点;③产状标志。如果在产状比较平缓的浅层产生多次波,则在剖面的中、深部就会出现二次、三次波,而干扰了真实的具有一定倾角的中、深层反射,出现多次波与中、深层一次反射波的斜交干涉现象,造成对比困难。

多次波的产生往往也告诉我们,地下存在着强波阻抗面的特殊岩性体(如火成岩),以这一点来说,多次波又是一种有用的信息。

(6)侧面波。当侧线平行地层走向时,在水平叠加时间剖面上,常会出现一种来自测线垂直平面外的一种波动,称之为侧面波。

图2-34是表示侧面波产生机制的示意图,图2-34A是一个简单的正断层的模型,其地表布置了主测线与联络测线(X为主测线,Y为联络测线),在测线交点S处可作下降盘与断层的法向射线;图2-34B说明在联络测线上可以有两个射线平面;图2-34C作出了理论T_0时间剖面(自激自收),T_{0B}是下降盘的理论T_0时间剖面,T_{0A}是断面的理论T_0时间剖面,即为地表通过S点在联络测线上所接受到的侧面波。

侧图2-35是松辽盆地孤店断层的侧反射,该图右侧为工区构造图。在1480测线的地震解释剖面上,在1s左右有一组较强较连续,且与上下反射层产状都不协调的弯曲起伏的异常反射,它来自何处?结合工区的地质构造特点并对剖面作地质解释、甚至在作出构造图之后,才对该异常波作出了合理解释。这也告诉我们,时间剖面的对比是一个反复认识、综合解释的

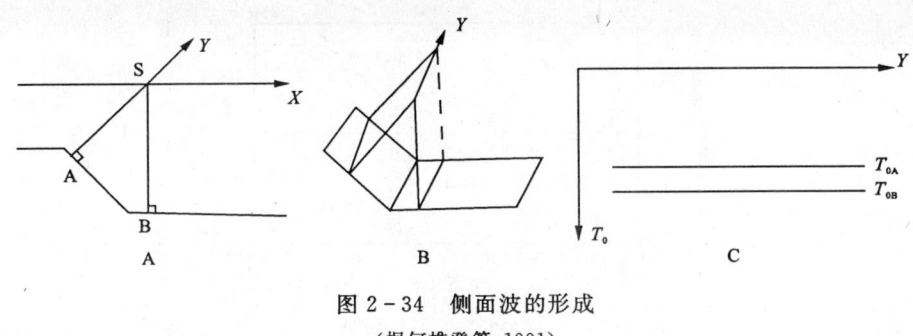

图 2-34 侧面波的形成
（据何樵登等，1991）

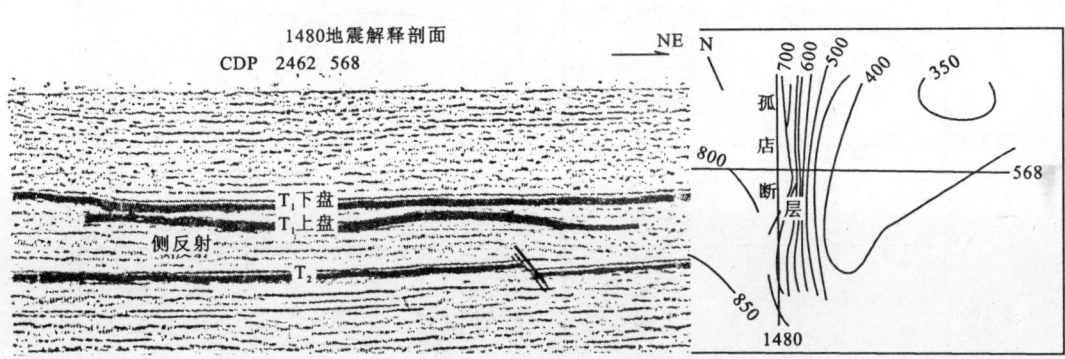

图 2-35 侧面波
（据何樵登等，1991）

过程。

3. 复杂构造地震波场特征分析

(1) 单界面复杂构造的波场。我们所研究的某个地层界面起伏很大，背斜、向斜、断裂等构造发育，这时在水平叠加时间剖面上就会出现上述各特殊波的复杂组合，它们之间的相切、斜交和干涉的现象，形成复杂的波动图象。

(2) 多层界面复杂构造的波场。地质剖面上有几个构造层，各层构造的发育可能是继承性的，或不是继承性的，据水平叠加时间剖面自激自收成象的原理，以最深反射界面沿法线射线向上传播的波，在上覆介质的所有界面上传播方向都要产生偏折，致使所成的象与真实的地质构造不一致，出现"假构造"、"假断点"。

为使讨论问题比较简单，采用了只考虑地震波运动学特点的数学模拟的方法。图 2-36 是用射线追踪正演计算所得的层状介质的理论时距曲线。层状介质的第 2 界面起伏很大，由两个小凹与小凸起所构成，该层的时距曲线如 2-36A 图，在图上反射波、绕射波、断面波、回转波、发散波之间出现相切连接、斜交干涉等现象，几何形态犹如两个相套的"蝴蝶结"。在空间分布上，似乎有 4 个向上隆起的反射同相轴，这种复杂的波场图象并不能直接反映地质构造的真实形态，故可以称为"似多层"同相轴，它往往给解释工作造成假象，甚至出现错误。

层状介质的第 3 个界面是水平的，图 2-36B 显示了其射线及相应的理论 T_0 时间剖面。

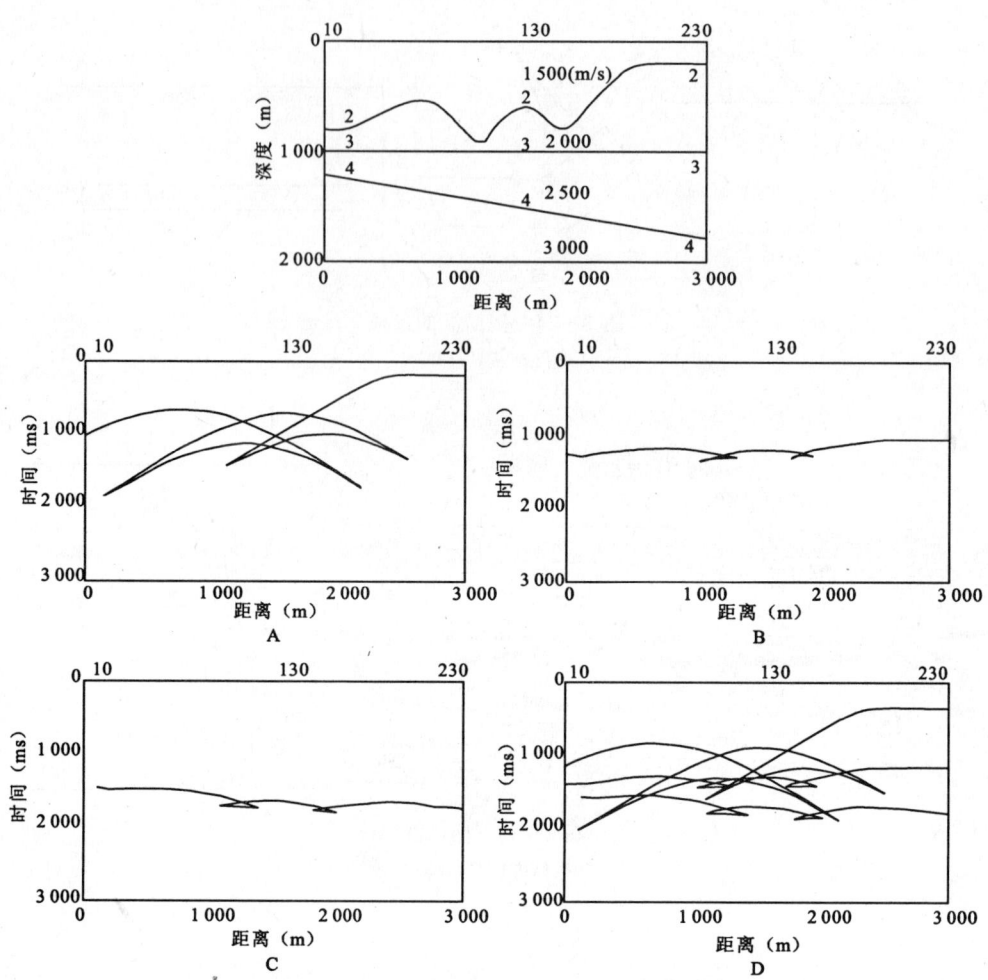

图 2-36 3 层界面射线追踪的理论 T_0 剖面

(据何樵登等,1991)

A—第二界面的;B—第三水平界面的;C—第四斜界面的;D—3 层界面总的理论 T_0 剖面

由于从该界面沿法线向上传播的波,经第 1 个界面的凹界面处射线向中心"聚焦",在凸界面处射线向两侧"发散",致使该水平界面的理论 T_0 时间剖面发生与上覆界面的同步起伏。这种上覆复杂构造对下伏简单构造波场的影响,在常规的地震资料解释中叫做速度陷井,因为速度横向不均匀,致使波传播的射线发生偏折,结果也使 T_0 时间大小不等,出现所谓的假构造。速度横向变化越大(上下界面波速差异大),这种影响也越厉害。

同理可分析 2-36C 图的波场。2-36D 图是 3 层界面总的波场特征。

图 2-37 是我国南海大陆坡实际的水平时间剖面,从图可看出海底地形起伏很大,有海底沟槽,有平缓的台地,有狭窄陡峭的海底山。由于地形变化剧烈而形成的速度陷井,使水平叠加时间剖面上海底以下各反射层的起伏与地形起伏几乎完全一致(同步起伏),时间剖面上表现的"背斜"和"向斜"是海水低速层的"浅"和"深"所引起的反射时间上拉或下拉而造成的假象,并不是构造的真实形态,对这种剖面进行解释时,应特别注意海底地形的影响。

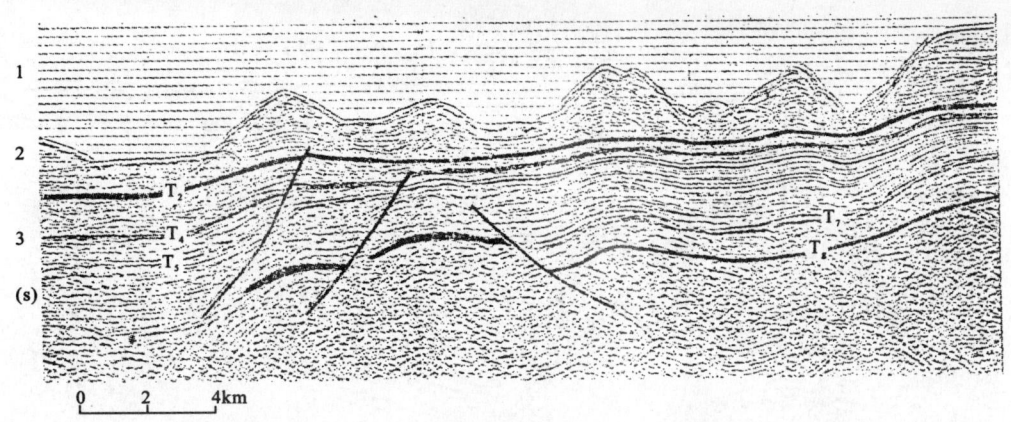

图 2-37 南海大陆坡海底地形的地震剖面
(据何樵登等,1991)

T_2—上第三系粤海组底界反射;T_4—上第三系韩江组底界反射;T_5—上第三珠江组内部反射;
T_7—下第三系珠海组底界反射;T_g—新生界底的反射

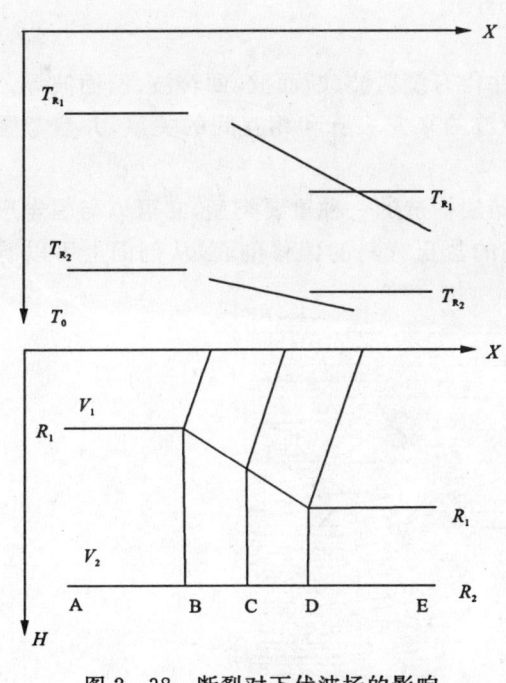

图 2-38 断裂对下伏波场的影响
(据何樵登等,1991)

上述我们分析了上覆凹隆式构造对下伏简单构造波场的影响,在实际中还存在上覆断裂构造对下伏波场的影响,图 2-38 是一个上覆为正断层、下伏为水平界面的模型,假设 $V_2 > V_1$,正断层的波场如同图 2-32 一样(这里不考虑绕射波),下伏水平界面的波场成了互相错断的三节时距曲线,出现了假断点。

从以上对波场的分析,可知水平叠加时间剖面不是地质剖面简单的映象,两者有内在联系(相似),又有区别(不相同)。一般来说,当构造较简单时,反射同相轴可以比较直观地反映构造的几何形态,当构造复杂时,水平叠加时间剖面上常会出现 3 种假象,一种是由于水平叠加时间剖面自激自收成象所出现的偏移效应;第二种是与速度有关的假象,或叫上覆凹隆式、断裂等复杂构造对下伏地震波场的影响;第三种假象是地震剖面上的侧面波,一个反射界面在地震剖面上却有两个反射波,为克服之,应作三维地震工作。

4. 古潜山、底辟构造、礁等特殊地质体在时间剖面上的波场特征

(1)古潜山的波场特征。古潜山是指不整合面以下的古地形高,它往往是由碳酸盐地层组成的,在一定条件下也能形成圈闭,如我国的华北油田就是以古潜山为主体的油气藏。

图 2-39 是古潜山的地震剖面,它的波场比较复杂,潜山顶面是不整合面,具有不整合面

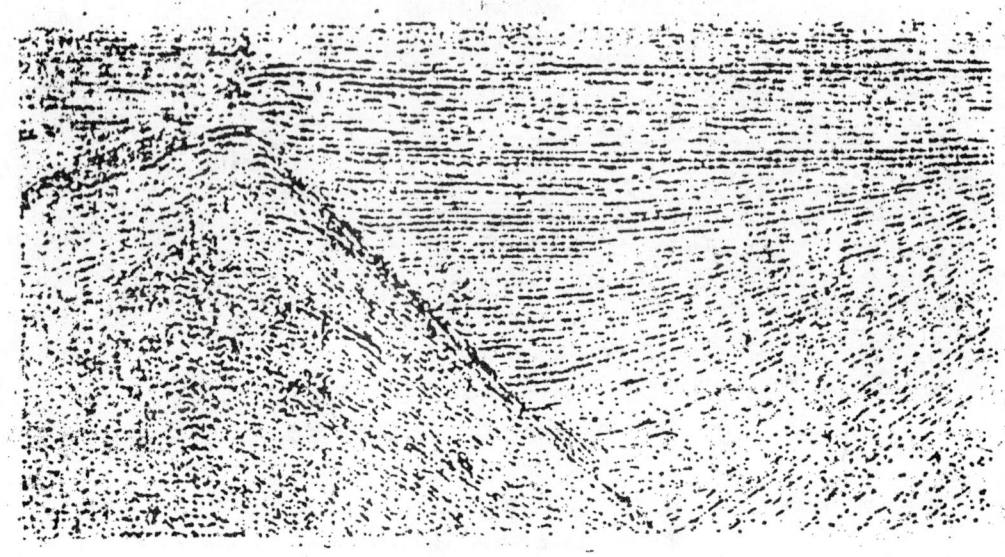

图 2-39 古潜山的水平时间剖面
(据何樵登等,1991)

反射波的特点,表现为低频强相位、多相位的波形,并伴有绕射波、断面波、回转波、侧面波等。

对比这种地震剖面时,应特别仔细,要弄清各种波的来龙去脉和相互间的关系,并参考叠加偏移剖面来帮助进行解释。

(2)底辟构造的波场特征。盐丘或泥丘底辟是储油构造的一种重要类型,它可以与围岩形成地层圈闭油气藏。图 2-40 是我国湖北潜江凹陷的盐丘背斜的偏移剖面,从剖面上可以看

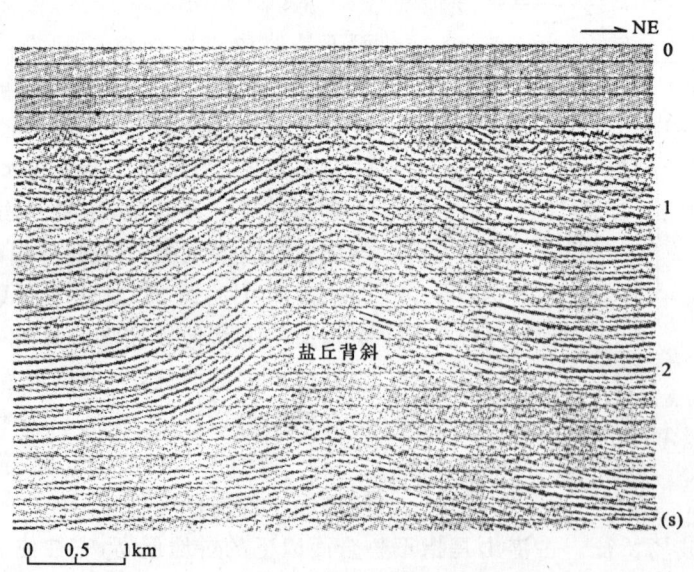

图 2-40 盐丘背斜的偏移剖面
(据何樵登等,1991)

出,盐源层顶面与底板的反射波产状不协调,呈现出盐源层顶厚翼薄、底板微弱上凸的特征。盐丘本身因没有很好的成层结构,只有零星的反射同相轴。

(3)礁的波场特征。海相碳酸岩中的礁是找油的一种重要对象,可形成礁块油田。图2-41是我国珠江口盆地边缘礁的地震剖面,礁在剖面上表现出礁顶强反射、礁内无反射、两侧有上超、礁下有弯曲、侧底有绕射、速度有异常、反射呈丘状等的特征(剖面上各反射层地质年代如同图2-37)。

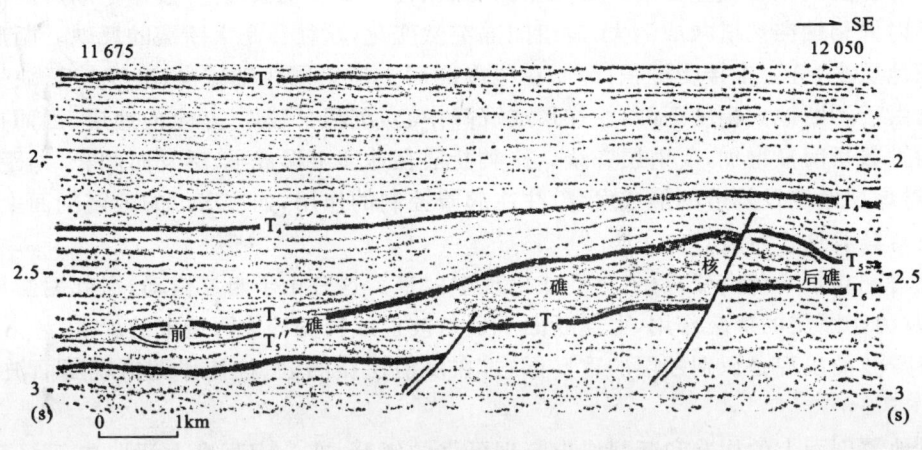

图 2-41 台地边缘礁的地震剖面
(据何樵登等,1991)

(三)时间剖面的地质解释

在对地震剖面进行对比及波场分析之后,接着就要对时间剖面作出地质解释。时间剖面地质解释的任务是:①划分构造层;②确定反射层的地质属性,了解地层厚度的变化及接触关系;③对断层等地质构造作出解释。

1. 构造层的划分

地震资料解释的合理性,在很大程度上决定于对区域构造概况的了解。区域构造的发展演化及其格局,决定了地震剖面上波场的特征,而构造的发育总是一幕一幕的,在地层沉积过程中,受构造运动的影响,往往出现不同时期构造变动在地层中的不同反映,如某时期构造运动强烈,地层就会发生褶皱与断裂,反之在构造运动较平静的阶段,沉积岩往往表现出产状较小变化的连续沉积。不同时期构造变动之间出现地层的不整合接触,这些不整合面是划分不同构造层的标志,在地震剖面上根据纵向出现的不整合,往往可以划分出几个构造层,具体划分见下一节地震地层解释。

2. 反射层地质层位的确定

要把地震剖面变为地质剖面,其中很重要的一项工作,就是要对反射层进行地质层位的标定,标定工作要借助于已知的钻探、测井、垂直地震剖面等资料。

在常规的地震资料解释中,是用井的资料来标定过井地震剖面上的反射层位的。随着地震资料处理技术的发展,现在可以根据声速测井的资料,制作过井的合成地震记录,把它置于过井的地震剖面上来标定地震层位,第三种方法就是用垂直地震剖面的资料进行解释,由于垂

3. 断层的解释

要对断层作出地质解释，首先要在地震剖面上把它识别出来。

(1) 断层在水平时间剖面上识别的标志。

① 反射波同相轴错断。由于断层大小不同，可表现为反射波的波组与波系的错断，但在断层两侧波组关系相对是稳定的，特征是清楚的，这一般是中、小型断层的反映。

② 标准反射同相轴发生分叉、合并、扭曲、强相位转换等现象，这一般是小断层的反映。

③ 反射同相轴突然增减或消失，波组间隔突然变化，这往往是大断裂的反映。断层上升盘由于沉积地层少，甚至未接受沉积，因而在地震剖面上反射同相轴减少、变浅甚至缺失。相反在下降盘由于不断地大幅度下降，往往形成沉降中心，沉积了较厚、较全的地层，因而在剖面上反射同相轴数目明显增加，反射层齐全。这类断层在地质上形成早，活动时间长，断距大，破碎带宽，它对地层厚度及构造的形成发育，往往起着控制的作用，如古潜山的地震剖面上，断裂两侧的反射就具有这个特点。

④ 反射同相轴产状突变，反射零乱或出现空白带。这是由于断层错动，引起两侧地层产状突变，以及由于断层的屏蔽作用，引起断面下反射波射线畸变等原因造成的。

⑤ 特殊波的出现是识别断层的重要标志，在反射层错断处，往往伴随出现断面波、绕射波等。

要对地震剖面上的构造和断裂作出合理可靠的解释，在一定程度上还取决于解释人员对工作地区有关褶皱、断裂等构造模式的掌握程度，图 2-42 是我国东部渤海湾盆地第三系拉张式构造模式示意图，由于受拉张应力，断裂都为正断层，有时在地震剖面上，单凭断层识别的标志，可以解释为正断层，也可以为逆断层，这时必须分析断裂形成的机制，才能作出合乎地质规律的解释。

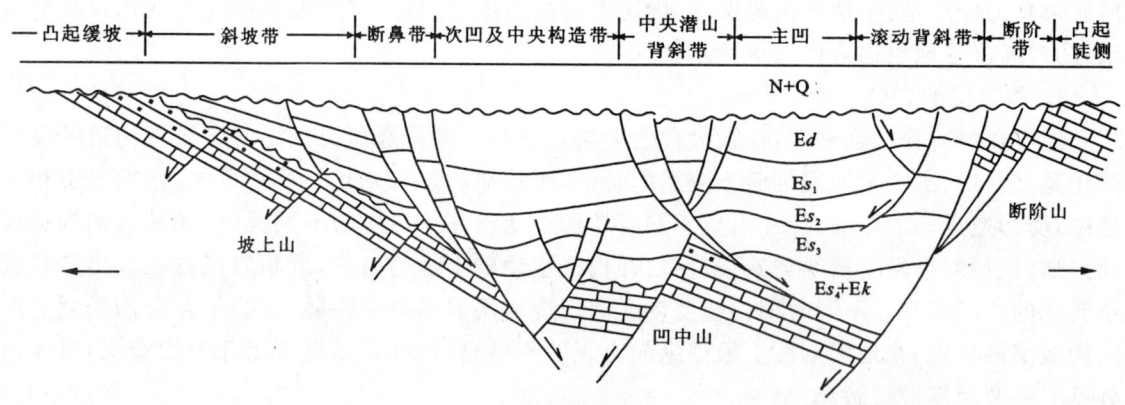

图 2-42 中国东部渤海湾盆地第三系拉张式构造模式示意图
(据何樵登等，1991)

在断裂的地质解释中，还必须结合其他物探资料，如基底断裂在重力异常图上，及在电法的等 S 值图上都为等值线的密集带，在磁力异常等值线上也反映为密集带或珠状磁力正异常。

(2) 断层要素的确定。

①断层面的确定。一个断层面的合理确定,最理想的情况是浅、中、深层都有断点控制,这些点的连线就是断面。

有时可利用特殊波来确定断面,当浅、中、深层都有绕射波出现时,那么各层绕射波极小点的连线就是断面。如果有断面波出现,在偏移剖面上它能正确归位,而反映出断面的位置。

②断层升降盘及落差的确定。根据反射层位在断层两盘的升降点来确定升降盘,两盘的垂直深度差就是断层的落差。

③断面倾角的确定。当测线与断层走向垂直时,地震剖面上断层的倾角为真倾角,当测线与断层面斜交时,可得断层面的视倾角。

时间剖面的地质解释一般是在水平叠加时间剖面或偏移剖面上进行的。在剖面上把对比的反射层代号(层位代号通常表示为"T_i"的形式,"T"代表反射层,下标"i"代表具体层位编号,它一般又用1,2,3……来表示),标注上地质年代,剖面上如果有断层,要作出断层线。通常把在地震剖面上所作的解释方案,叫做地震解释剖面,把它变成深度剖面,并作出相应的地质解释,即得到地震地质解释剖面。图2-43是我国冀中坳陷大王庄碳酸盐岩地区的偏移剖面与地震地质解释剖面。

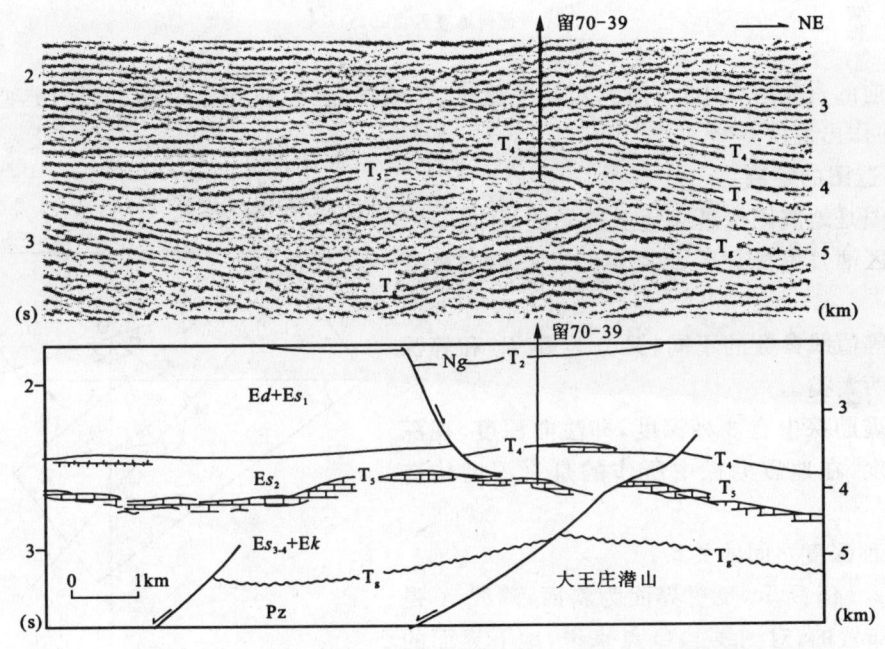

图2-43 LL-906测线的偏移剖面与地震地质解释剖面
(据何樵登等,1991)

(四)深度剖面、构造图、等厚图的绘制

反射信息成图是一项实践性很强的工作,这里只简要讲述与作图有关的一些基本原理。

1. 深度剖面的绘制

绘制深度剖面是把在时间域中显示的地质构造变成空间域中的几何形态,进行时深转换。在连续介质的情况下,绘制深度剖面采用曲射线 T_0 法。假设在水平时间剖面上有一个反射同相轴,如图2-44A所示,在测线上 G_1 点同相轴的回声时间为 T_{01},将它代入等时线方程,可求出相应的 Z_{01}、R_{01},然后在深度剖面上过测线上 S_1 点作一条垂直线,使其长度等于 Z_{01},以垂线的下端点为圆心,以 R_{01} 为半径作圆弧,对 S_2、S_3 点作同样处理,它们的包络线就是反射界面段,如图 2-44B 所示。图 2-43 上的深度剖面就是用这种方法作出的。

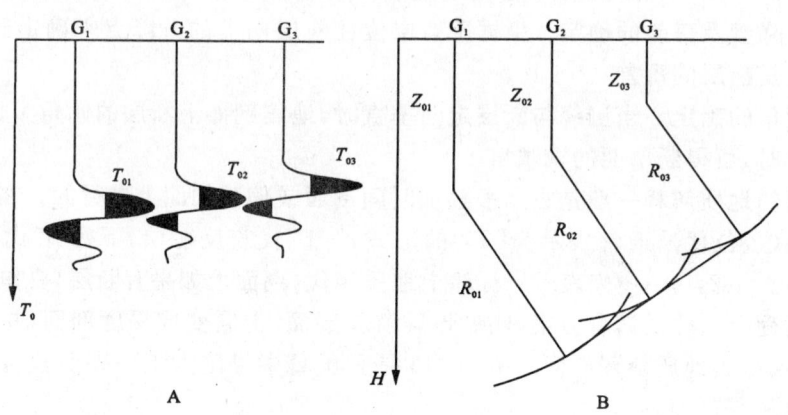

图 2-44　连续介质中绘制深度剖面
(据何樵登等,1991)

在当前的资料解释中,一般只对联井测线、区域剖面、有油气显示或出油的典型剖面作深度剖面,并作出地质解释。

2. 构造图的绘制

构造图是地震勘探最终地质成果的基本图件,是进行工区油气资源评价及提供钻探井位的重要依据。

根据等值线参数的不同,又分为等 T_0 和等深度构造图两大类。

在地震勘探中有 3 种深度,即法向深度、视深度和真深度,在地震勘探中所作的是真深度构造图。

(1) 3 种深度之间的关系。

如图 2-45 所示,反射界面为斜面,测线 X 是任意方向布置的,对测线上 O 点来说,地下界面的空间位置,可以用 3 种不同的深度进行定位,第一种是真深度 h_z(铅垂深度),它是垂直地面由震源 O 点至界面上 P 点的铅直距离,它有时也称为钻井深度;第二种是视深度 h^*(视垂直深度),它是射

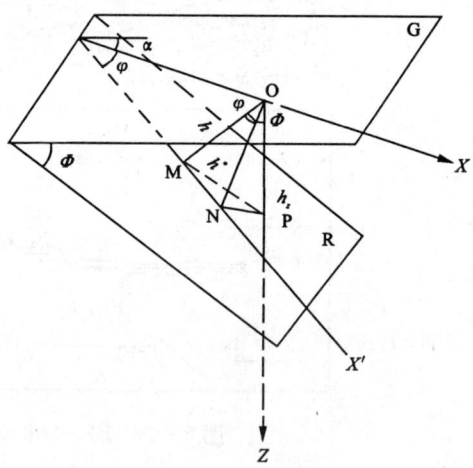

图 2-45　3 种深度之间的关系
(据何樵登等,1991)

线平面内垂直测线从 O 点至界面上 N 点的垂直距离;第三种是法向深度 h,它是射线平面内从 O 点至界面 M 点的法线距离。

从图 2-45 可知,

$$h^* = \frac{h}{\cos\Phi}$$

$$h_2 = \frac{h}{\cos\varphi} = \frac{h^* \cos\varphi}{\left[1 - \frac{\sin^2\varphi}{\cos^2\alpha}\right]^{\frac{1}{2}}}$$

式中:φ 为视倾角;Φ 为真倾角;α 是测线与界面倾向之间的夹角。

从公式可知,当界面水平时,射线平面是铅直的,3个深度相等;当测线沿地层倾向时,$\alpha = 0°$,$\varphi = \Phi$,$h^* = h_z$;当测线平行地层走向时,$\alpha = 90°$,$\varphi = 0°$,$h = h^*$。

(2)构造图绘制的步骤和方法。

不论是深度构造图,还是等 T_0 构造图,绘制的步骤是相同的,它包括绘制测线平面图、作图层位和比例尺的选取、取数据、断裂系统平面组合、勾绘等值线等。在一个工区作多少层构造图,一般依据构造分层来定,每一层构造图反映了不同地质时期地层面的构造形态。通常在角度不整合面上、下应各选一个层位,分别成图。绘制构造图中最重要的工作是断裂系统的平面组合,即把属于同一断层的断点在平面上组合起来,它是构造图的骨架,是作构造图的关键,也就是说在勾绘构造图等值线之前,应先在底图上绘出断裂系统图。作图原则如下:

①应用 T_0 构造图的底图,进行断点组合,把同一层位的所有断点的 T_0 时间投到测线上相应的位置。

②同一断层,在互相平行的测线上性质要相同,产状应相似,断开的层位要基本一致,断距也应相近,或沿走向呈规律性变化。

③区域性大断裂一般平行区域构造走向,断层两侧的波组应有明显的差异。

④经断点组合后,剩下的孤立断点,应是断距小、延伸较短的小断层。

⑤一些断点很清晰的断层,在平面连接时不能穿过无断点显示的剖面。

⑥在断点组合时,应结合时间剖面之间的对比,使剖面对比与断点组合相一致。

在断点平面组合之后,可勾绘等值线,在勾绘中一般从易到难,先勾出大致的轮廓,然后再逐步完善。勾绘时可以将相同的高点或低点联接起来,组成背斜或向斜的轴线,利用轴线位置来勾绘等值线,不但简便,而且勾绘出的图更为合理。在复杂的断块区,应分断块勾绘。在等值线勾绘中,既要从所取的数据出发,又不应受个别数据的约束,重要的是所勾绘的构造图是否符合地质规律。

在当前的地震资料构造解释中,一般的做法是先作出 T_0 构造图,但因为它是以水平叠加时间剖面为基础的,地质构造的空间位置存在着偏移,需对它作空间校正,才可得到真深度构造图。

3. 等厚图的绘制

表示两个地震层位之间的沉积厚度图,称为等厚图。

在作等厚图时,要把画在透明纸上的两个层位的真深度构造图叠合在一起,在一系列等值线交点上计算它们的深度差值,然后把差值写在另一张平面图的相应位置上,再对它们绘等值线,结果就是等厚图。

在等厚图上,如果发现在某个方向表现有厚度明显增大的趋势,则可推断在沉积期间,这个地区是向该方向倾斜的,或者说这个方向是沉积物来源的方向;如果发生褶曲的地层厚度一致,则说明褶曲发生于沉积之后;如果随着离开背斜顶部地层厚度增大,则沉积可能是与构造发育同时发生的，在沉积期间同时有构造活动，一般对石油聚集更为有利。如上所述，等厚图是根据不同地质时期地层沉积的厚度变化来研究工区构造发育演化史的一种重要资料。

二、地震反射信息的地震地层解释

地震地层学目前已成为地震资料解释中的一个重要内容。它是用地层学等观点从地震剖面中提取有关沉积相、岩性岩相等重要的地质信息，比较充分地利用了地震资料中蕴藏着的地质、烃类显示、储层特征等信息。这一方法改变了地震解释人员单一利用运动学信息进行构造解释的做法，也使地质人员能从地震资料中获得广大覆盖地区宝贵的地质资料，因此，地震地层学一出现就受到了物探与地质人员的共同欢迎，此后工作的实践，也说明了它在油气田勘探方面收到了明显的地质效果与经济效益。

用地震地层学的解释方法，在搞清地层的超覆线、岩性尖灭线、地层不整合面、储集岩体的顶底面和断层面等地层之间的接触关系方面，有它独到的作用，从而可以寻找地层岩性圈闭。

对反射信息进行地层解释，其物理基础是地震剖面上的连续反射大都是沿着地层的层面或不整合面而形成的。图2-46A是同一地层内岩性横向有变化的模型，AB线是地层分界面，CD线是岩性分界面，图2-46B中EF是一个不整合面。由于地层之间时代不同和沉积条件的差异，往往可以形成波阻抗界面，产生较强的反射，不整合面是时代地层的界面，又是岩性界面，可形成连续的反射，但因其分别接触不同的岩性，所以对应的反射尽管连续，但波形不稳定，振幅变化较大，甚至出现极性反转的现象。

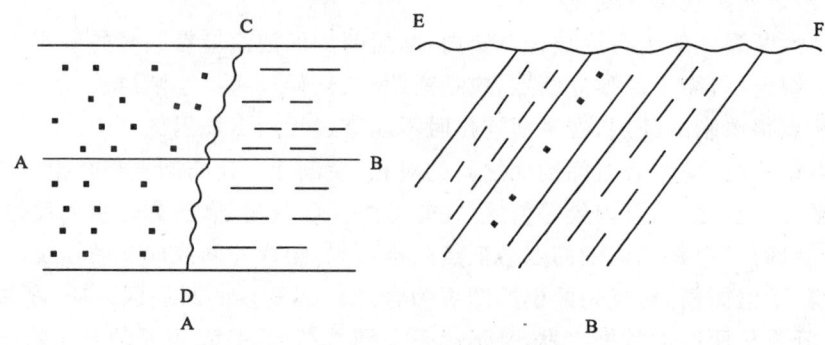

图2-46 地质层面与岩性界面
（据何樵登等，1991）

总之，连续反射来自层面或不整合面的这个事实，使地震反射具有了地层学的含义，这就是反射信息用于地层解释的地质基础。

地震地层解释工作，主要包括划分地震层序，进行地震相的分析和解释等工作。

（一）地震层序划分

在一个沉积盆地中有几千米至上万米的沉积地层，要进行地震地层解释，首先要进行地震层序分析，划分成若干个时间地层单位，分别进行研究。

地震层序是指上下整一、相互连续、成因上有联系的一套地层，其顶底界面为不整合面，或者与之相当的整合面，它是沉积层序在地震剖面上的反映。利用地震剖面来划分层序时，可以找出剖面中两个相邻的不整合面，分别追索到整合处，则在两个不整合面之间的地层就是一个完整的沉积层序。从某种意义上说，沉积层序和地震资料常规解释中所说的构造层是相类似的,只是级次上可以更大一些。

在地震地层学中,把不整合分为削蚀(侵蚀削截)、顶超、上超和下超4种,如图2-47所示。在沉积层序上部不整合面边界上,会发生削蚀和顶超。削蚀是沉积岩层被侵蚀的现象,是侵蚀型沉积间断的标志。顶超是由于地层对于上覆界面无沉积作用并略有侵蚀而致的反射波终止现象。

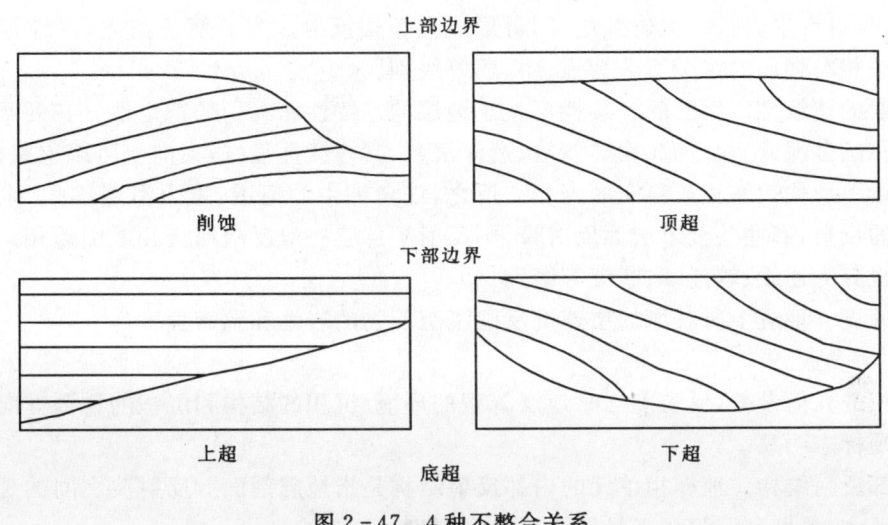

图2-47 4种不整合关系
(据何樵登等,1991)

在底部不整合边界上,会出现上超和下超现象。上超是指水平或倾角较小的地层超覆在倾角较大的地层之上,它代表水域不断扩大,逐步超覆的沉积现象。下超是指倾斜地层超覆在水平或倾角较小的地层之上,它代表一股携带沉积物的水流在一定方向上的前积作用。上超和下超有时也统称为底超。

要划分地震层序,关键在于取得高质量的并横穿整个沉积盆地的区域性地震剖面,然后从盆地边缘识别不整合现象,再向盆地中央追踪,因为一般在盆地中央很少见到不整合,难以划分合适的时间地层单元。

(二)地震相分析

利用地震剖面进行沉积环境分析和沉积相的解释叫地震相分析。

因为不同的沉积环境可形成不同的沉积岩系,而不同的沉积岩体因岩性和物性的差异,又会产生与之相应的地震响应,导致反射波特征,如振幅、频率、连续性、几何形态等有不同特点。这样就有可能利用地震剖面上反射波的特征来反演沉积环境,所以也可以说地震相分析实际上就是研究反射波的各种特征和沉积相之间的关系。

地震相分析是对地震剖面上的每个层序分别进行的,对单个层序来说,普遍采用地震相对比的方法,在横向上分析剖面上的反射特征,划分出若干个地震相单元。划分地震相的主要依据是地震地层参数。

1. 地震地层参数

在地震地层学中所指的反射特征包括反射波的振幅、连续性、层速度、内部反射结构、地震相单元外部形态等,一般又把前3个参数叫做地震相的物理参数,而把后两个参数叫做地震相几何参数,总称为地震地层参数。

(1)物理参数。

地震相的物理参数,反映沉积的具体特点。

①反射振幅。反射波振幅反映层间波阻抗的差异性,如果地层的波阻抗相近,则不会产生明显的反射,如厚的泥岩、块状砂岩、厚的均化的重力滑塌堆积,以及内部结构杂乱无章的礁块,都可能没有反射,而砂、泥岩互层,则可形成强振幅反射。为了便于描述,可根据工区地震剖面上振幅相对强弱的情况而分为强、中、弱等级别。

②反射的连续性。反射的连续性反映了地层的连续性和沉积的稳定性。在开阔水域稳定条件下沉积的砂泥岩,如浅海、大陆斜坡、远洋沉积,其连续性很好,横向上可以追踪很长距离,所以高连续一般代表海相或稳定的湖相。反之,三角洲中的河道、重力滑塌堆积、生物礁都不会有连续的反射,有些甚至形成无反射带,则反射不连续一般反映河流相或山麓相。一般将反射连续性也分为连续、较连续、断续等级别。

③层速度。地震上所获取的层速度反映了沉积物的岩性和致密程度。

(2)几何参数。

地震相的几何参数,反映了当时地层沉积的环境、沉积的结构和沉积的物源方向。这类参数的特点是标志明显。

①内部反射结构。地震相单元的内部反射结构是指地震剖面上反射波之间的延伸情况和其相互关系,它是鉴别沉积环境最重要的地震因素。

内部反射结构的几何形态可以划分为平行与亚平行、发散与收敛、前积、杂乱和无反射等,如图2-48所示。

平行与亚平行反射结构反映了均匀沉降的陆棚和盆地平原上的匀速沉积,它的反射层呈水平延伸或略微的倾斜。

发散结构说明了沉积速度沿一个方向均匀变化,反映了地层横向加厚和盆地的不均衡沉降。发散和收敛指的是同一种现象,不过前者强调向下倾方向增厚发散,后者强调向上倾方向收敛变薄。前积结构是一种向深水方向扩展的反射结构,即在水流向深水推进时,由斜坡地形的前积作用造成的,从地震反射同相轴的形态可分为S型、斜交型、S-斜交复合型、叠瓦状及乱岗状前积反射结构。它们反映了沉积时水流强度的差异。一般说来,斜交型结构反映水流最强,S型次之,乱岗型最弱,它们是以河流为主的三角洲沉积特征,而叠瓦状结构则是以波浪为主的三角洲沉积物的特征。

S型反射结构是由一系列重叠的S形反射同相轴形成的前积反射结构组成的。它分为3段:上段(顶积层)的同相轴振幅较强,它的每个反射同相轴都随着振幅的改变延伸到中间部分(前积层);在前积层反射倾角较大;下段(底积层)反射波振幅也较强,并呈水平状态或微微下倾,它与下部边界呈下超接触关系。这3个部分的沉积能量与岩性也不一样,顶积层为浅水浪蚀地形带沉积,以粗粒碎屑岩为主,沉积能量较高。前积层代表斜坡地形的沉积,以砂岩为主。底积层代表洋底地形沉积,岩性以海相页岩为主,沉积能量较低。

斜交反射结构比S型前积结构的倾角要大,上部边界为平坦的顶超,底部边界为下超。较新地层按沉积先后顺序重叠排列,向下倾方向可以逐渐过渡到较深的前积段,也可以突然终止。斜交前积结构的形成条件是:陆源碎屑供应充足,盆地下降缓慢,海平面相对静止,顶积层

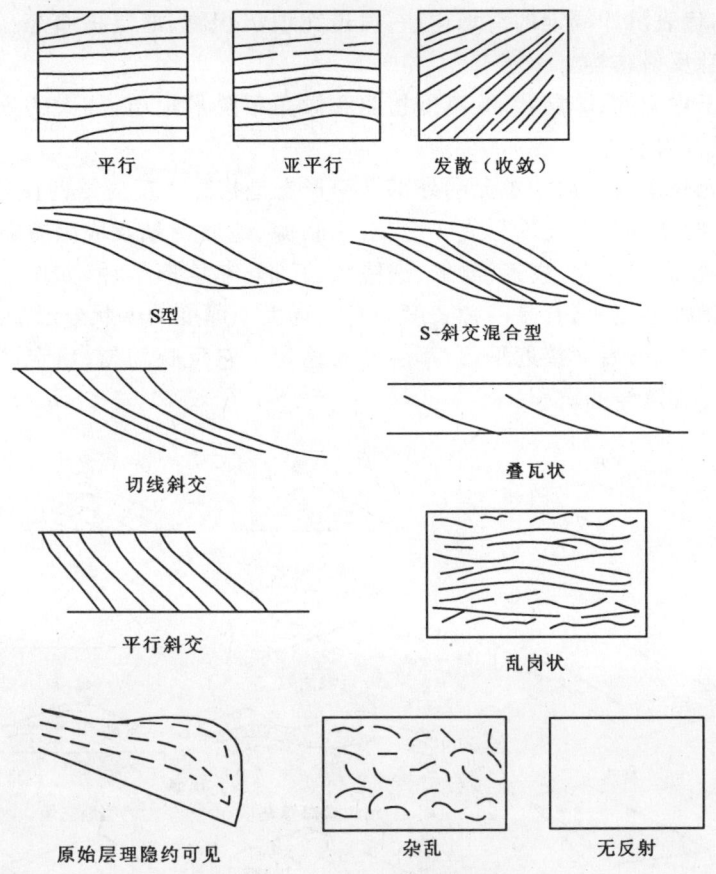

图 2-48 内部反射结构的类型
（据何樵登等,1991）

的缺失表示了沉积的冲刷作用。这种结构反映一种高能量的沉积环境和偏砂相的沉积物,是良好的储油场所。斜交前积结构,又可分为切线斜交和平行斜交两种。切线斜交前积结构下部倾角逐渐变小,与下伏地震相单元形成切线,并过渡为底积层,最后消失。平行斜交前积反射结构,其底部边界则表现为高角度的下超接触关系。S-斜交复合型前积结构,它是上面两种结构的组合。它的上部是水平的 S 型顶积层反射,和顶超的斜交结构形成复杂的交替关系。它的沉积条件既有顶部加积作用,又有沉积过程的冲刷作用,也属于一种高能沉积环境。

叠瓦状前积反射结构多出现在浅水沉积中,相单元厚度很小,它的顶底界面都是平的,内部反射倾斜平缓,互相平行,呈叠瓦状排列。与顶界面以顶超方式终止,与底界面以下超方式终止。

乱岗状反射结构由无规律、不连续、亚平行的反射同相轴构成。反射模式呈杂乱的岗丘状,反射的终止无系统,岗丘的起伏较小,在横向上常常递变为较大的,更加明显的斜坡结构,并且向上渐变为平行反射。这种反射结构多出现在前三角洲或指状交互层中,一般为低能沉积环境的特征。

杂乱反射结构是一种杂乱无章、不连续的地震反射结构,代表一种变化不定、能量较高条件下的沉积。有的反射层面原来是连续的,后来层面遭到破坏,有的反射原始层面特征勉强可以辨认出来,有的代表沉积同期的滑塌构造、河道充填沉积物、地层扭曲等。剧烈的断裂与褶皱也可以形成杂乱反射结构。

无反射产生于均匀的、非层状的、高度扭曲和倾角很陡的地层,如大的火成岩体、盐岩、礁体、巨厚的砂岩或页岩层等。

②地震相单元外形。地震相单元的外部几何形态是指同一反射结构在空间及剖面上的分布状况,它对于了解地震相单元的形成环境、沉积物源、地质背景及成因有着重要的意义。外部形态可分为席状、席状披盖、楔形、滩形、透镜状、丘形、充填形7种,如图2-49所示。席状是最常见的地震相外形之一,它是一种长度和宽度远大于厚度的席状外形的地震相单元,其分布范围较大。它的上、下界面接近平行,厚度相对稳定。它反映均匀、稳定、广泛的前三角洲、浅海、陆坡、半远洋和远洋的沉积。

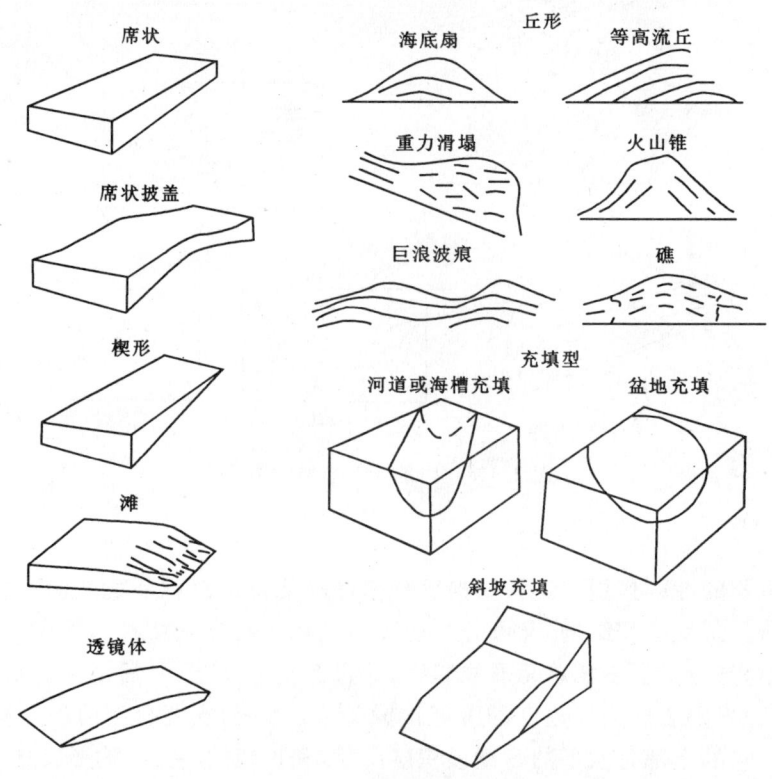

图 2-49 地震相单元外形
(据何樵登等,1991)

席状披覆地震相单元是当席状地震相单元平滑地披盖在礁、盐丘、泥岩刺穿、生长断块或其他古地貌(不管它是否平整)的单元之上时,构成席状披覆地震相单元。它是由均一的、低能量的、与水底起伏无关的深海沉积作用造成的。

楔形地震相是一种横向上变薄,呈楔状尖灭的地震相单元。超覆在海岸、海底峡谷侧壁、大陆斜坡侧壁的三角洲、浊积层、海底扇上的沉积,均表现为楔形。

滩形地震相是楔形的变种,滩形沉积一般出现在陆棚边角或台地的边缘。

透镜状地震相的主要特点是中部最厚,向两侧尖灭,外形呈透镜体,它多为古河床、沿岸砂体的沉积。

丘形是一种凸起或层状地层上隆,高出于周围地层的地震相外形。绝大多数的丘形,不是在碎屑或火山沉积过程中形成就是在有机物生长过程中形成的,并在其沉积表面上形成凸起的外形。丘形包括礁、海底扇、重力滑塌、火山锥等高流丘以及巨浪波痕等形成的沉积体。

充填型地震相单元是在古地形洼地上形成的沉积体,它包括河道或海槽充填、盆地充填、斜坡前缘充填等。

因为地震相外形和它的内部结构是互相关连的,可以联合起来一起使用,如席状外形平行结构的地震相,反映在大陆架、三角洲平原等稳定环境下的沉积。

又如楔形发散结构图 2-50 是地震剖面上几种典型的地震相单元。

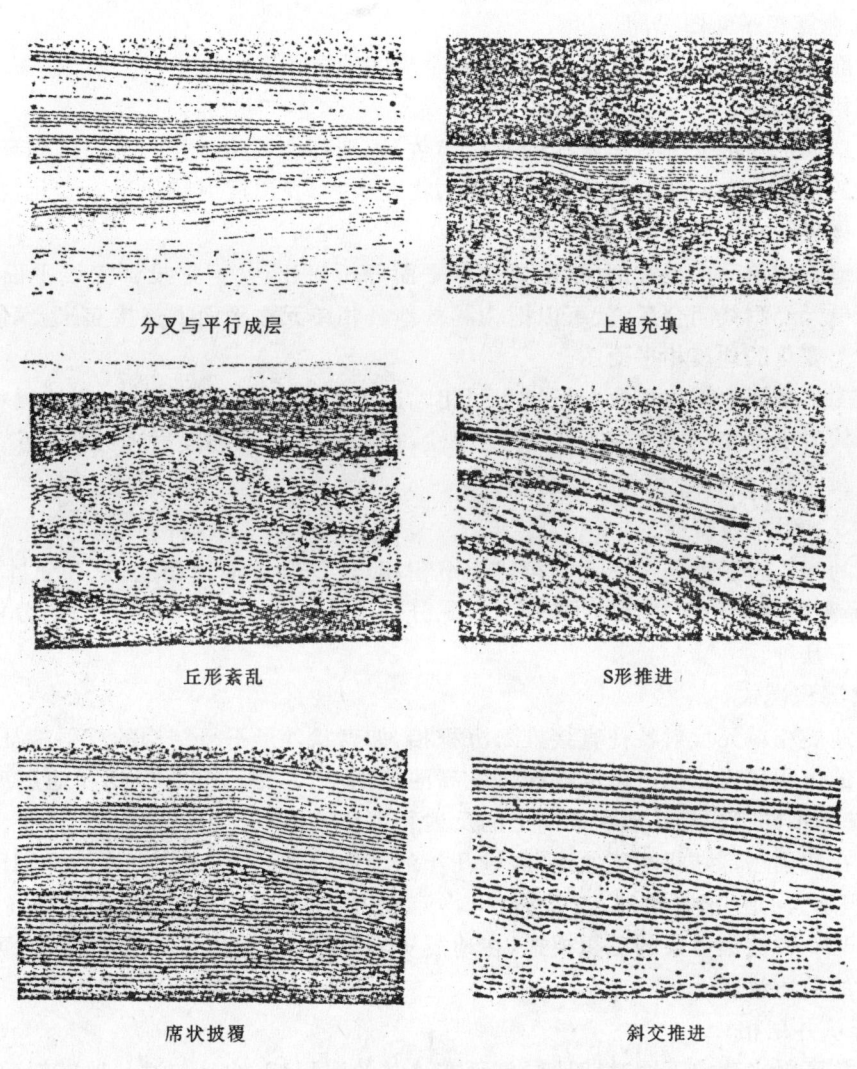

图 2-50 几种地震相

(据何樵登等,1991)

2. 地震相命名

根据以上几个主要标志,对所研究的地震相单元给予命名,命名要求反映该地震相参数的特点,一般采用突出主要特征的复合命名法。

若主要以几何参数确定的地震相,可以按外形加结构来命名。若主要以物理参数确定的地震相,可以按振幅加连续性来命名,如强振幅连续反射相。

有时也可以按形态加结构加物理参数来综合命名。采用何种命名的办法,可根据探区地震资料的具体情况来定,一般在斜坡和大陆架边缘地区,几何参数在地震相的划分中起主要作用,因为在这类地区,地震相几何参数的标志明显,地震相的命名可采用上述的第一种方法;在平坦地区,反映地层沉积特点的地震相物理参数比较明显,物理参数在相的划分中起主要作用,相命名就采用上述第二种方法。

3. 编制地震相平面图

地震剖面经划分地震层序之后,要对每一个时间地层单元进行相的分析,在横向上划分出若干个地震相单元。

在地震剖面上一般先分析地震相的几何参数,识别各地震相所处的不同沉积环境,弄清各时期沉积物的来源方向。然后再分析地震相的物理参数,找出反射特征横向变化规律,把各种地震相的具体界线在地震剖面上划出来。

划分出地震相单元的地震剖面,还要进行平面分析对比,并把它投到测线平面图上,相邻测线地震相单元经测线闭合后,就可以把相同的地震相单元在平面上连接起来,编制出一张地震相在平面上变化的地震相平面图。

图 2-51 是根据地震相参数中振幅和同相轴连续性的差别而编制的一张地震相图。从图中可以看出,4个地震相带分布有一定的规律性,在凹陷中部为强反射连续相,而靠近隆起一侧为强反射断续相、无反射和杂乱反射相。

(三) 地震相的地质解释

地震相的地质解释就是要把地震相转为沉积相,恢复其古地理面貌,这项工作简称为"转相"。为了提高地震相地质解释的准确性,应充分利用钻井和地质资料进行综合分析。解释方法一般有以下几种。

1. 建立沉积模式

可以用地震相单元反射特征直接推断沉积相,如席状外形平行结构的反射特征,就反映了三角洲平原的沉积环境。也可以从勘探程度高的盆地中,总结已知沉积相和地震反射特征之间的关系,选出不同沉积相在地震剖面上的反射特征作为模式,再用这种模式来推断反射特征的沉积相。在我国东部陆相断陷盆地,经过几年的工作,已经总结出从湖岸到深湖区可以识别洪积锥、冲积扇、河道、扇三角洲、三角洲、生物滩灰岩、浅湖水进砂岩体、水下堤岛沉积、浊积扇、盐膏沉积10种储集体系的沉积模式,在地震资料解释中,应用这些沉积模式,可以对地震相作出较好的地质解释。

2. 进行单井划相

利用钻井资料来确定不同时期地层单元在该井的沉积相,然后与过井地震剖面对比,来标定地震剖面上的沉积相。

3. 利用层速度进行岩性岩相解释

根据工区钻井、测井资料取得该井层速度与岩性岩相的对应关系,然后用过井地震剖面上

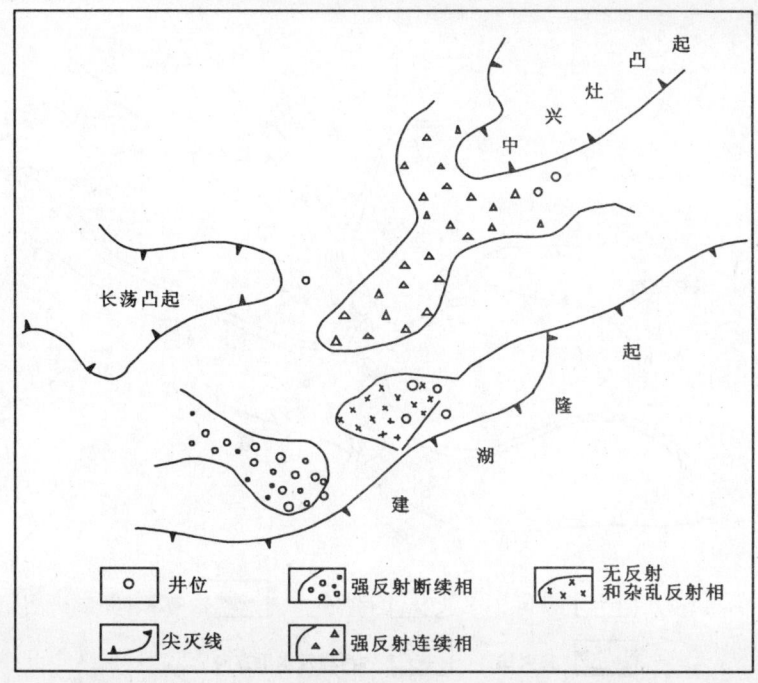

图 2-51 苏北盐城凹陷新生界 B6 亚层序地震相平面图
(据何樵登等,1991)

的层速度与井剖面的层速度类比,从而推断地震资料上反射层位的岩相。

4. 作合成记录

制作理论合成记录,寻找钻井地质剖面和反射特征之间的关系,以确定每个时期地层单元的地质时代及不同反射特征所反映的岩性。

通过以上几种方法,相互借鉴,取长补短,综合分析,可以将地震相平面图转换为沉积相平面图。

图 2-52 就是图 2-51 的沉积环境图。从图可知,本区是一个多物源以河流为主的三角洲泛滥平原沉积环境,来自北、东北和西 3 个方面的水流在凹陷中部汇合后,沿盐城大断裂的前缘向东流,在大断层下降盘陡崖一侧的杂乱反射相的特征表明,沉积物在加积过程中,砂砾相逐渐变为砂泥相,并连续或断续消失在泥岩之中,这是水下冲积扇的特有形态和性质,由于重力滑塌作用,下降盘接受由隆起搬运而来的沉积物,所以此处也是物源方向。

(四)用地震地层解释方法寻找非构造圈闭

与构造圈闭相比,非构造圈闭的勘探难度大、需时长、投资多而经济效益较低。但从实际情况来看,构造圈闭油气藏的勘探程度相对较高,勘探非构造圈闭就显得越来越重要。要使寻找这类圈闭达到理想的经济效益,必须在勘探方法上不断改进、完善、创新,这是摆在油气工作者和物探人员面前的一个重要任务,目前勘探这类圈闭主要有地质钻井法、物探法、化探法等。

在油气田的勘探中一般的作法是先找构造圈闭,后找非构造圈闭。当主要的构造圈闭被钻探之后,剩余的未被发现的油气资源多储集在难以寻找的非构造圈闭中。在用地质法来寻找这类圈闭时,除了确定勘探重点地区,进行构造圈闭与非构造圈闭的关系研究之外,很主要

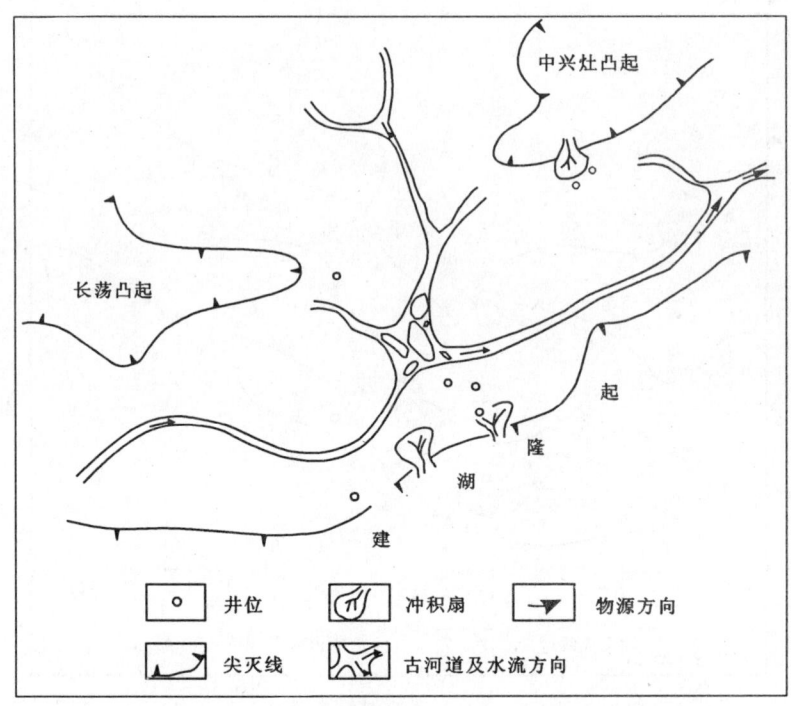

图 2-52 苏北盐城凹陷新生界 B6 亚层序沉积环境图
(据何樵登等,1991)

的一种方法是进行岩相古地理、古地貌、古构造和地质情况的综合分析,确定非构造圈闭的位置。具体的做法以小层为对象,分别作砂岩层数图、砂岩厚度图和砂岩含量图。将这些图与构造图、古构造图、古地貌图、古地质图重叠在一起进行研究,就会发现不少的地层、岩性圈闭。

用物探法(主要是地震方法)来寻找非构造圈闭现在显得越来越重要。特别是随着地震勘探分辨率的提高及资料处理技术的发展,使其与其他方法相比具有投资少、收效快的特点。在地震偏移剖面上出现的各种地震反射异常体,绝大部分是由沉积现象引起的,是储集体(如冲积扇、三角洲、浊积扇等)的反映。它出现在盆地的特定位置上,代表一定的沉积环境。这些地震反射异常体具有自身的地震反射外形、内部结构、地震信息的物理参数特征。识别圈定这些地震反射异常体,用探井资料和地震信息标定其地质含义是地震地层学研究的主要内容,是在复式油气区寻找地层岩性圈闭的主要手段。

近年来,在我国各沉积盆地中,应用地震方法寻找非构造圈闭已积累了一些经验,总结了寻找与水下冲积扇、浊流沉积体、河流沉积、不整合面等有关的非构造圈闭的勘探方法,揭示了地层沉积相与地震反射特征的内在联系,从而找到了许多地层岩性圈闭油气藏。图 2-53 是我国济阳坳陷义东地区冲积扇体的偏移时间剖面,在 160.2 测线的偏移解释剖面上,可以看出大断层下降盘下第三系沙河街组地层中以冲积扇砂体作储集层的复合油气藏类型,冲积扇表现为无反射或杂乱反射的特征。

图 2-54 是济阳坳陷东营三角洲 98.3 测线的地震解释剖面。剖面上三角洲前积反射结构清楚。这种三角洲的沉积可分为 3 部分,前积层下方下超点以下为底积层,它具有连续性好

的强反射特征;斜交反射本身代表前积层段,斜交的前积层上方;顶超点以上的顶积层具有平行弱反射的特征。

(五)用地震地层解释方法评价生、储、盖条件

从地震相解释出来的沉积相是评价生、储、盖条件的一项重要资料。由现代沉积和古代沉积的研究可知,储集层是在一定的沉积环境中形成的。河道、三角洲、深水沟等都是产生砂岩储集层的环境。沉积环境不但控制储集层的走向和形态,而且还控制储集层的质量。

生油条件包括有机质的丰度、有机质的类型和成熟度3个因素,这3个因素都可以用地震资料来预测。因为通过对大量盆地各种沉积相的地球化学研究,已经总结出沉积相和生油层质量的一般关系。例如,山麓相和河流相的沉积,有机质含量低且都为腐殖型;三角洲沉积的水下部分具有较高的有机质含量和腐泥型或混合型的有机质。湖泊,

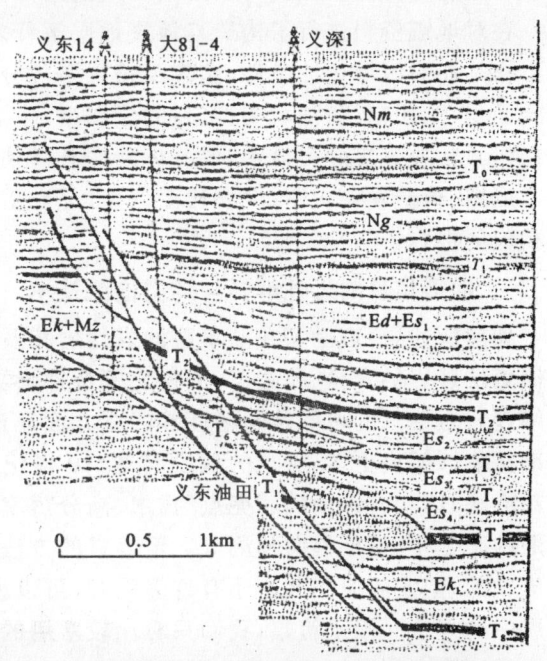

图 2-53 济阳坳陷义东地区冲积扇体
(据何樵登等,1991)

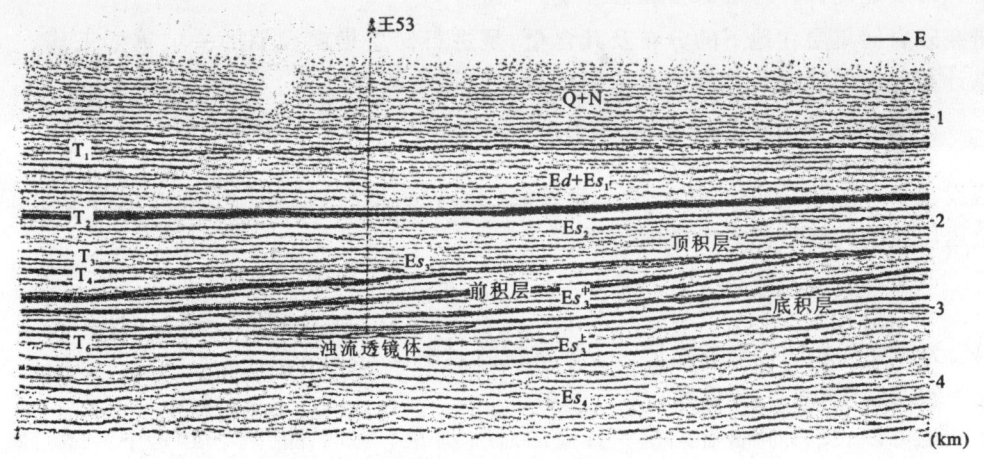

图 2-54 济阳坳陷东营三角洲解释剖面
(据何樵登等,1991)

特别是大面积的深水湖是良好的生油环境。封闭的浅海相例如海湾沉积,由于生物丰富和保存条件良好,是最有利的生油环境,而开阔的海相,则因受到氧化作用,保存条件不好,因而不利于生油等。

有了沉积相和生、储、盖条件对比关系后,再根据本区地震相和沉积相的特点,并结合井下

资料和速度-岩性资料,就可预测生、储、盖条件。

在对地震资料进行了构造与地震地层解释之后,就可以对工区的油气远景作出评价。评价工作是在对区域生油条件、储集及盖层条件分析的基础上,对局部构造进行综合评价,分析圈闭面积、圈闭幅度、油藏类型、目的层深度、生油条件、储油条件、盖层条件。要分析是否有明显振幅异常或直接烃类显示,要分析断层破坏情况、火山岩活动等情况。绘制相应的构造图、等厚度图、构造发育史图、沉积相图、(生)储和盖层条件评价图、生油成熟度等级图等,并编写出相应的报告。

三、地震信息的岩性解释与烃类检测技术

如前所述,地震勘探在储集层的岩性岩相及沉积环境的研究方面已取得了很大进展。但在储集层砂岩的含量、孔隙度、泊松比等特性参数的测定以及储集层的大小(横向的宽度、纵向的厚度)、含油气的可能性与浓度等问题方面还没有完全解决。随着科学技术的发展,为使地震勘探能够解决更多、更难的地质问题,20世纪70年代地震勘探出现了许多新理论、新技术和新方法,诸如三维地震、"亮点"技术、高分辨率地震勘探、垂直地震剖面技术、横波勘探、振幅随炮检距变化、储层横向预测等。至今有的方法已比较成熟,有的仍处在研究中,有的理论上是成立的,但实际应用起来还有许多困难,可以说岩性解释与烃类检测技术是一种新的正处在发展中的方法。限于篇幅,我们只对比较常用的方法作简要的介绍。

从地震资料中提取岩性与烃类信息,主要是利用速度资料和振幅、频率等动力学信息。用速度信息可估算砂岩含量,求取泊松比等岩石弹性参数,并预测地层的含油气浓度等。

利用振幅信息等,可以预测油气,这方面的工作始于20世纪70年代早期,被称为"亮点"技术。振幅分析技术还用来确定储集层的厚度、预测岩性体等。

(一)用层速度计算地层的砂泥岩含量

研究砂岩储集层在地下的分布及其含量,是进行储层横向预测的一项重要工作。用层速度信息计算地层的砂泥岩含量的理论公式是时间平均方程:

$$\frac{1}{V} = \frac{(1-\varphi)}{V_m} + \frac{\varphi}{V_1}$$

假设在某一地震层序中,沉积了一套砂泥(页)岩的地层,依时间平均方程的思想,可以导出一个由层速度计算砂泥岩含量的公式:

$$\frac{1}{V} = \frac{P_{sh}}{V_{sh}} + \frac{P_{sd}}{V_{sd}}$$

式中:V_{sh}为波在泥岩中传播的速度;V_{sd}为波在砂岩中传播的速度;P_{sh}为砂泥岩中泥的百分含量;P_{sd}为砂泥岩中砂的百分含量。

上式也可以表示为声波在岩层中传播的总时差等于它们在泥岩和砂岩中传播时间之和,即为:

$$\Delta t = (\Delta t_{sh} * P_{sh}) + (\Delta t_{sd} * P_{sd})$$

式中:Δt_{sh}表示声波在泥岩中传播的时差;Δt_{sd}表示声波在砂岩中传播的时差;Δt表示声波在砂泥岩中传播的总时差。

上式也可写为:

$$\Delta t = [\Delta t_{sh} * (1 - P_{sh})] + (\Delta t_{sd} * P_{sd})$$

从而可得:

$$P_{sd} = \frac{\Delta t - \Delta t_{sh}}{\Delta t_{sd} - \Delta t_{sh}}$$

用速度和时差的关系,即 $\Delta t = 1/V$,把上式写为:

$$P_{sd} = \frac{V_{sd}(V_i - V_{sh})}{V_i(V_{sd} - V_{sh})}$$

式中:V_i 表示所解释的某地震层序的层平均速度值。

上式就是计算砂泥岩百分含量的理论公式。在具体计算时分为两步。第一步是要作出层速度-岩性量板(也叫压实曲线)。在陆相碎屑岩沉积的盆地中,一般认为主要是砂泥岩互层的沉积,由速度资料分析可知,砂岩中地震波的传播速度大于波在泥岩中传播的速度。综合某地震层序内的地震测井、速度谱等资料,可作出层速度随 T_0 变化的散点图,散点图的高值包络线,就是砂岩的速度曲线(V_{sd} 曲线),即为含砂量100%的砂岩速度曲线,而 V_{sh} 就是纯泥岩(含砂量为零)的速度曲线,这是计算砂岩含量的基础性图件,也称为层速度-岩性量板,如图2-55所示。第二步工作是根据对地震剖面所划分的层序,取该层序内某个接收点顶底反射同相轴的 T_0 时间平均值 T_{0i},再由波阻抗剖面上所提供的瞬时速度资料,取其相应时间内速度采样的累计平均值 V_i,然后把 t_{0i}、V_i 投入量板,可得与 T_{0i} 值对应的 $V_{sh,i}$、$V_{sd,i}$ 值,如图2-55所示,此时可得计算公式中的各个参数,就可求取 P_{sd}。对其他各接收点作同样处理,就可知道某一层序内砂岩含量的横向变化。对不同层序重复以上工作,可得同一条测线不同层序内砂岩含量的变化,综合各测线的资料,可以作出砂岩含量平面图,进而作岩性岩相解释,图2-56是我国珠江口盆地地震 T_2—T_4 层的层速度平面图和砂岩百分含量-岩相分布图。在层速度图上,中央部位有一个高速带,向南、向北层

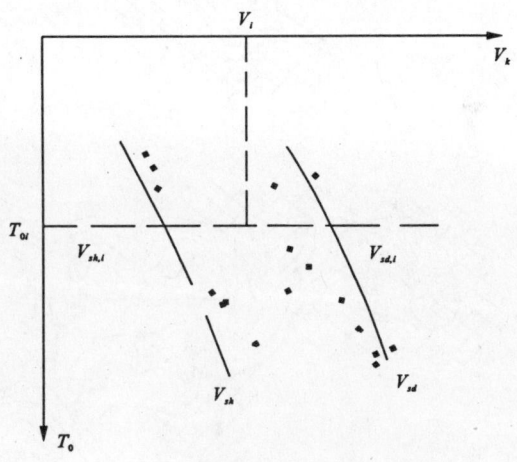

图2-55 层速度-岩性量板示意图
(据何樵登等,1991)

速度都减小。向北层速度变小,并不说明北部岩性变细,而是因为北部是一个隆起带,埋藏深度变浅,故层速度变小,实际上北部是一个粗相带,砂岩含量为70%(图中写为70,省略了百分号),中部砂岩含量为50%,其间夹有砂岩含量为70%的小块地区,它与火山岩喷发区相吻合。由于上、中新统地层内存在有大片火成岩,造成中部岩石中含砂量偏高,向南砂岩含量降低为3%和0,这显然是偏泥相的岩性分布区。

(二)用振幅信息预测岩性体

我们知道影响地震波振幅强弱的因素主要有3类。第一类是激发和接收条件的影响,一般认为这种影响对某一道地震记录来说是不变的,完全一样的。第二类是波在地层中传播时影响振幅的因素,主要包括波前扩散、介质的吸收、透射损失、反射系数大小等,其中前3个因素称为非地质因素,即它们纯属波传播机制对振幅的影响,第4个因素则为地质因素引起的。如果对反射波振幅经过非地质因素衰减补偿,而得到只与界面反射系数有关的振幅信息,这种做法称为相对振幅处理,所得的振幅叫做相对振幅。因为相对振幅只与反射系数有关,而反射

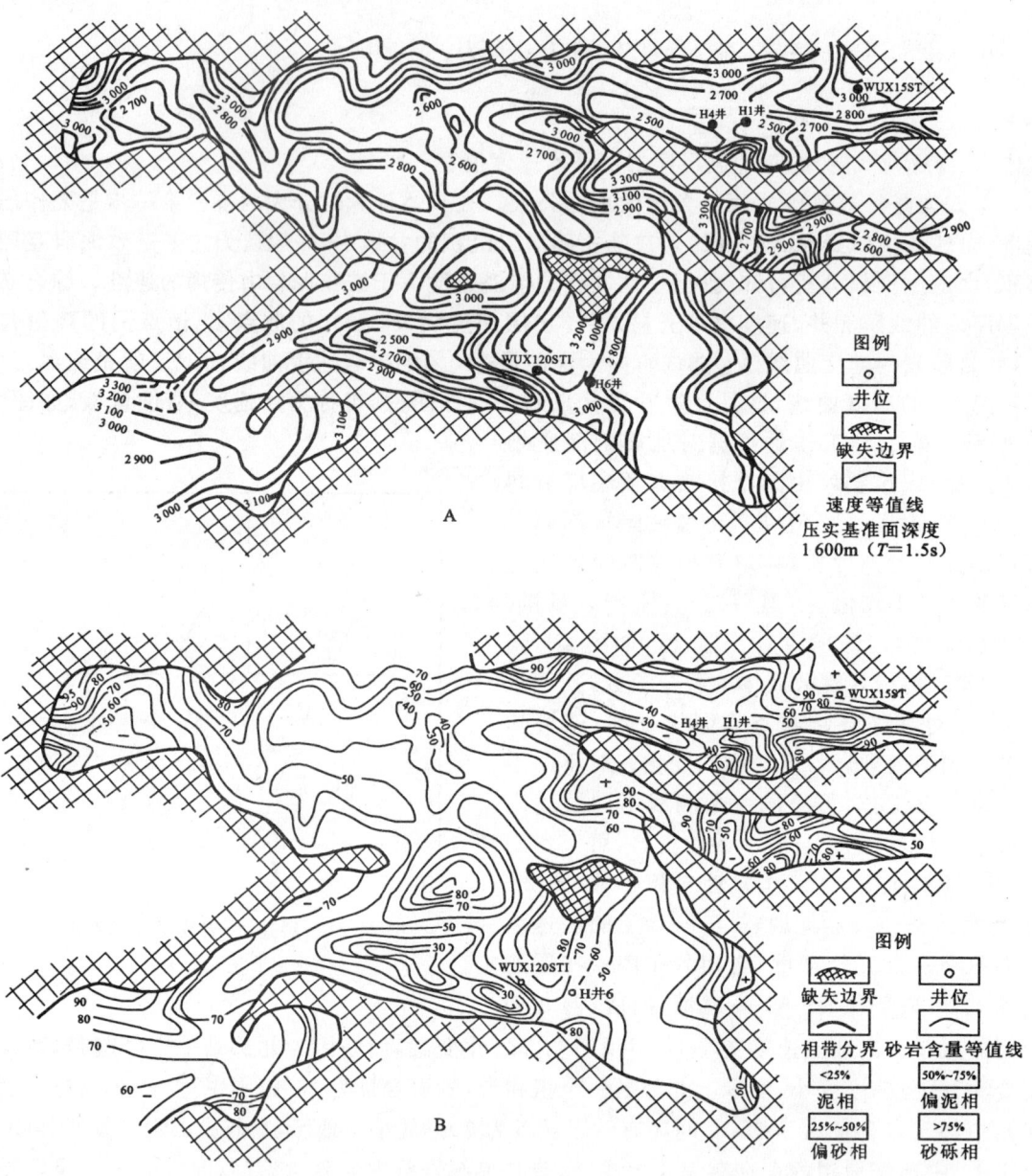

图 2-56 珠江口盆地地震 T_2—T_4 层的层速度平面图(A)和砂岩百分含量-岩相分布图(B)

(据何樵登等，1991)

系数又主要与岩性、孔隙中的流体成分有关，相对振幅中所包含的地质因素，是我们利用振幅信息进行岩性解释与烃类检测的物理基础。第三类因素是薄层的振幅效应和反射系数(振幅)随反射波入射角(或叫炮检距)的变化。

利用振幅信息来预测岩性，是在平面图上作某些层位的振幅统计图，根据它们的分布规律，结合沉积模式的概念来判断岩性。对于高勘探程度的地区，在测线上各点根据相对振幅的大小，分成若干个强度等级，用不同的符号或颜色显示出来。从统计的观点来说，振幅在平面上的变化会反映岩性的变化规律。根据振幅变化,结合沉积模式可以判断诸如河道、透镜体、三角洲沉积等岩性、地层圈闭。图 2-57 是判断一条古河道的实例,河道内部是强振幅,外部是弱振幅,边界上振幅变化比较清楚。从平面上看,振幅异常呈弯曲回转带状分布,很像一条河道,由于古河道充填的是砂体,因此,很容易根据振幅变化作出岩性的解释。

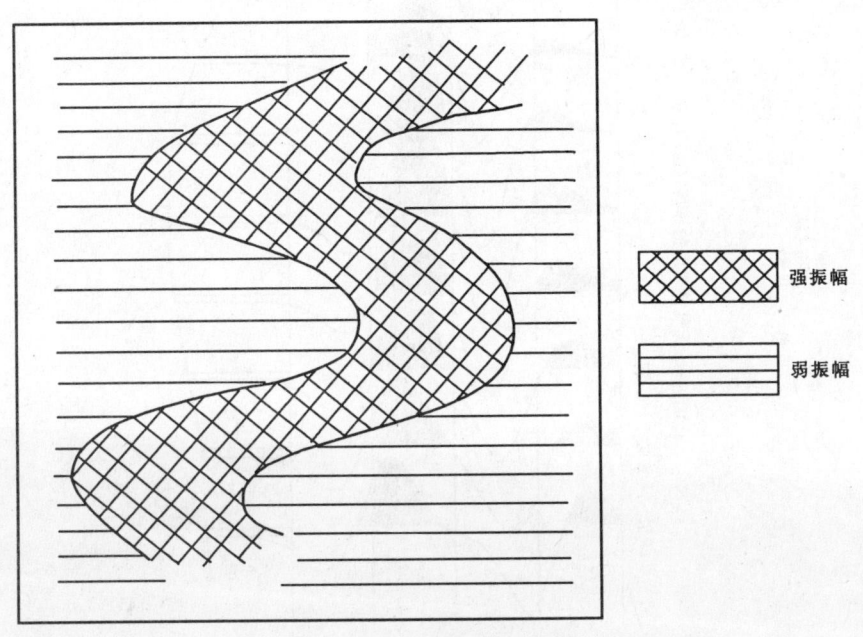

图 2-57 用振幅判断河道

(据何樵登等,1991)

（三）利用薄层的振幅效应确定储集层的厚度

对某个薄反射层,可以根据振幅的调谐效应来确定储集层的厚度。

在讨论中,假设地震子波的频率成分不变,而研究薄层厚度变化时,上下界面合成波形的振幅变化。图 2-58 是主频为 25Hz 的对称雷克子波在薄层上下界面反射后的合成波形,由图可以看出,当薄层厚度由 24.4m 逐渐减小时,先是波形及振幅同时变化,当厚度减小到 12.2m 以后再继续减小时,波形不再变化,而振幅仍在变化,从该图右边的曲线可以看出,最大振幅出现在薄层厚度为 12.2m 处。由此可见,当薄油气层在横向上有厚度变化时,则厚度变化不是包含在波形变化之中,而是包含在振幅变化之中。

图中薄层的层速度为 1 220m/s,雷克子波的主频为 25Hz,因此,主波长为 48.8sm,此时的最大振幅亦称调谐振幅,它所对应的薄层调谐厚度相当于 1/4 波长(12.2m)。确定储集层厚度,是油气田开发中的一项重要工作,要做好这一工作,地震资料本身必须是高质量的,应具有较高的信噪比与分辨率。另外,还必须结合探井、测井等资料,尤其要根据工区地层的沉积模式来进行判断解释。

（四）利用振幅信息检测油气——"亮点"技术

地震波在岩层中传播,遇到含油气层时,会出现强振幅,称此强振幅为"亮点"。也就是说地震剖面上出现"亮点"可能与地层含油气有关,"亮点"成为一种检测油气的手段被人们利用。

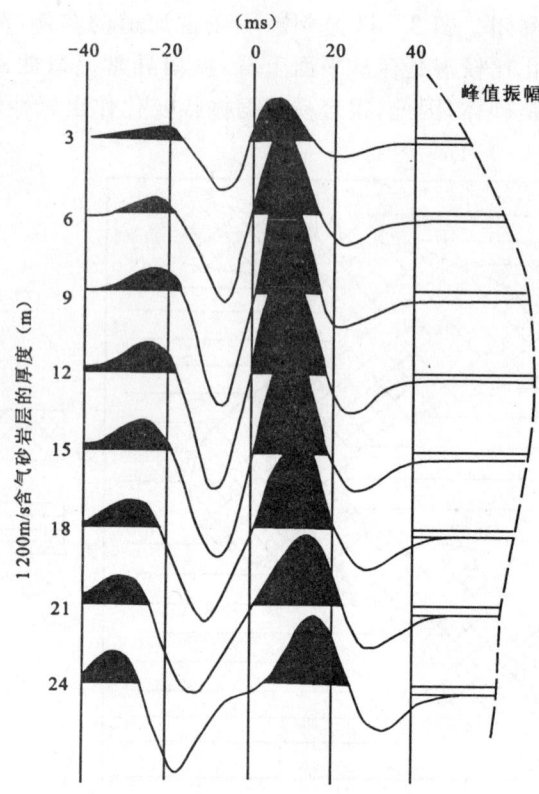

图 2-58 薄层造成的振幅调谐
(据何樵登等,1991)

这种技术是以地震波振幅随地层含油气而变化为物理基础的。

1. 含油气地层的地震波动力学特征

当岩层含有油气时,它的速度、密度等物性都会发生变化,致使地震波的振幅、频率、反射极性等动力学特征也随之变化。

(1)异常强的反射振幅。

在"亮点"技术中,所利用的是相对振幅,可以认为振幅的强弱主要与反射系数有关。假设储集层为砂岩,盖层为页岩,当砂岩含有油气时,它的密度和速度一般比水和盖层小得多,而形成强波阻抗界面,反射系数可高达 0.2~0.3,产生强振幅的反射。而一般沉积岩地层,反射系数是很小的,多数在±0.1 以下,甚至更小一些。

(2)反射波极性反转。

计算含油气砂岩与盖层页岩的反射系数时,出现负值。

(3)出现水平的强振幅反射段。

砂岩储集层中的油气水在重力作用下,使含气砂岩与下面的含油砂岩或含水砂岩之间的流体接触面近于水平,而且一般含气砂岩与含油砂岩或含水砂岩的界面反射系数都比较大,因而,当含气砂岩厚度较大时,在含气砂岩的底面上将产生较强的水平反射,称它为"平点"。它的特征反映了圈闭中油气聚集的位置,在剖面上如果在亮点之下出现平点,将大大提高解释的可信度。

(4)反射波频率下降。

地震波穿过含油气砂岩时,其频率要显著降低,并且入射波的频率越高,这种现象越明显。因此,当反射波的频率在横向上显著降低时,可能就是油气存在的标志。

2."亮点"记录的特征

图2-59是一张典型的合成"亮点"记录,该图左边是记录所对应的油气层剖面。其记录有以下特征:①记录的外形像一只"眼睛"或像一个"透镜体";②突出的强振幅;③偶极相位特征,因为含气砂岩顶、底面反射系数分别为负值及正值,与它对应的反射波极性一正一负,相位相差180°,构成偶极相位的特征;④水平反射下弯(速度所引起的陷井);⑤油水界面的反射微弱(俗称暗点)。

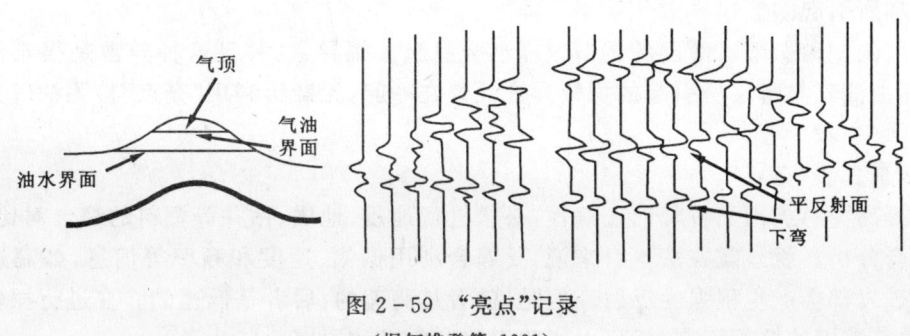

图2-59 "亮点"记录
(据何樵登等,1991)

图2-60是某油气区一条12次覆盖的地震剖面,该剖面已经进行了相对振幅处理,在剖面上1.3s处,可看到明显的强振幅。

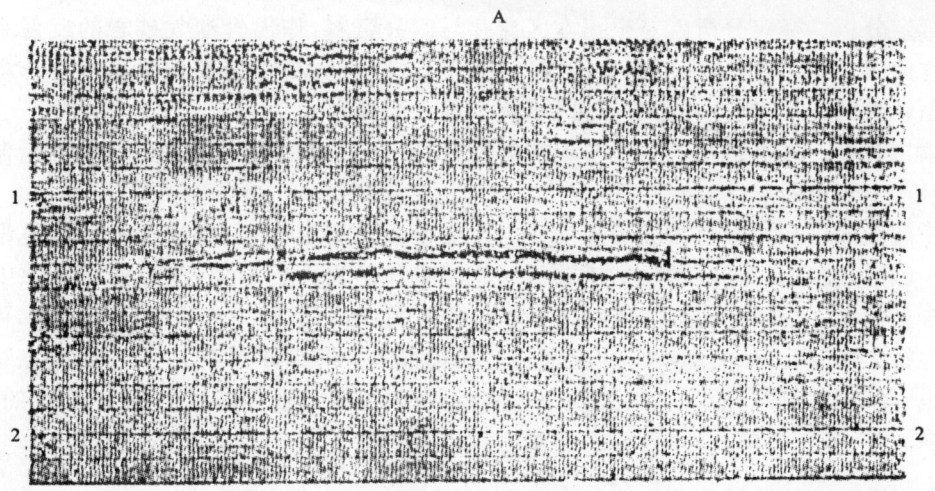

图2-60 "亮点"剖面
(据何樵登等,1991)

3. "亮点"剖面的解释

"亮点"技术主要用于找气,特别是海上找气,效果较好。但它也有局限性,因为它较多的依靠了波的振幅信息,而没有利用其他的许多有用信息,没有与地层参数研究相结合,成功率较低,也就是说有的"亮点"不是地层含油气的真正反映,而是假的称为假"亮点"。

(1) 产生假"亮点"的因素并非所有的"亮点"都与有工业价值的油气层有关,在剖面上出现假"亮点"的因素主要有3个。

① 反射系数大的硬地层。反射系数特别大的硬地层,如火成岩、砾岩层、坚硬的粉砂岩、石灰岩及褐煤层等也会形成假"亮点"。这是由于它们与上下地层之间有较大的密度和速度差异,其反射系数可达0.2以上,将出现强反射振幅,产生假"亮点"。

② 低含气饱和度的砂岩。砂岩只要含气,其速度显著降低,使上下界面都成为良好的反射界面,出现振幅异常。根据实际的资料及理论的研究表明,砂岩只要有5%的含气量,就与完全被气饱和所引起的振幅异常几乎是一样的。

③ 薄层的调谐振幅。薄层的调谐效应也会引起振幅异常,并且这种异常是很难作什么校正的,这样由油气与薄层所引起的振幅异常混杂在一起,无疑给利用"亮点"检测油气造成很大困难。

(2) 识别真假"亮点"。

为了提高"亮点"剖面解释的正确性,必须进行地震、地质、钻井等资料的综合对比解释。

① 综合分析。就地震方法本身来说,要综合利用振幅、速度和频率等信息,如高速岩脉和低速含气砂岩都会产生很强的反射。但是,前者是高速的,后者是低速的。在进行振幅分析的同时,也进行速度的分析研究,就可以指明引起"亮点"的原因。

"亮点"剖面的解释还必须结合钻井等地质资料,钻井和地质资料可以指明,具有"亮点"异常的砂层是低含气砂层,还是主要储气层,前者是假"亮点",后者为真异常。

当钻井资料已经证实剖面某段存在褐煤层或火成岩时,我们就不会把剖面上这一段出现的"亮点"解释为气田。

② 标定分析。标定分析就是根据本区探井与测井资料,作出含油气砂岩的反射系数随深度的变化曲线,然后分析地震剖面上的"亮点",平点、暗点和极性转换现象是否符合本区含油气层反射系数的特征,符合者为真异常,不符合则为假异常。

③ 模拟解释。根据已知的地质与地震等资料,假设初始的含油气岩性模型,然后制作理论合成记录与实际剖面对比。

④ 横波勘探。我们知道横波的速度只与切变模量及密度有关,而液体和气体是没有切变模量的。因此,在有孔隙的砂岩中,横波传播速度只与砂岩中的骨架有关,而与孔隙中流体的性质及含量无关。纵波的速度主要与体积模量等有关,岩石孔隙中充填气体和液体,可使体积模量发生很大的变化,致使纵波的速度也随之变化很大。若纵波剖面上出现的"亮点",在横波剖面上也"亮",则为假"亮点",如反射系数大的石灰岩等硬地层会同时产生纵、横波的"亮点"。

若纵波是"亮点",横波不"亮",则是真"亮点"。

$$r^2 = \frac{V_s^2}{V_p^2} = \frac{1-2\sigma}{2(1-\sigma)}$$

从上式可得:

$$\sigma = \frac{1-2r^2}{2(1-r^2)}$$

一般来说,硬介质的泊松比的值较低,软介质的泊松比的值较高。液体介质的泊松比一般为 0.5,这是理论的上限值,通常液体饱和的沉积岩,泊松比的值较大,而孔隙砂岩常出现泊松比低于 0.25 的异常情况。当砂岩含油气时,泊松比会明显变小,所以可以用泊松比的变化来研究岩性和预测油气藏的存在。

(五)岩石孔隙度、密度的测定

用地震方法来测定岩层的孔隙度、密度时,要密切结合测井资料。

1. 孔隙度的测定

根据声速测井的资料,可以求出岩石的孔隙度。已知时间平均方程可写出下式:

$$\varphi = \frac{\Delta t - \Delta t_m}{\Delta t_1 - \Delta t_m}$$

式中:$\Delta t = l/V$;$\Delta t_1 = l/V_1$;$\Delta t_m = l/V_m$。

当岩石骨架成分和孔隙中的性质已知时,Δt_m 和 Δt_1 为常量,则孔隙度就可求出。也可以用标定分析的方法,即在有井控制的情况下,利用已知井孔隙度的资料,对层速度进行标定,便可依据层速度与孔隙度的关系曲线来预测井附近的地震资料上的孔隙度。

2. 密度的测定

密度可以通过密度测井来求取。

有人在不考虑孔隙充填物影响的情况下,统计了大多数岩石的速度与密度的关系,结果发现两者有相似的关系,因而得出了密度与纵波速度的经验公式:

$$\rho = 0.31 V_p^{0.25}$$

其中密度单位为 g/cm^3,纵波速度单位为 m/s。

进行岩性解释和烃类检测,其实质就是要确定与岩性有关的一些参数,如速度、密度、孔隙度、渗透率等物性参数,如体积模量、切变模量、泊松比等弹性常数,如吸收衰减系数、品质系数、粘滞系数等声学参数。为了确定它们,必须开展纵横波联合勘探,必须综合利用振幅、频率、极性及速度等信息,并紧密结合测井、钻探等其他资料。

四、地震折射信息的解释

折射波法目前主要用于工程勘探中,以确定大坝、高层建筑、大型机场、高速公路、港口等工程建设中的基岩埋深及起伏、覆盖层的厚度以及基岩的岩性变化等,它也用于考古工作、开展文物的发掘及保护工作。

折射波法能从折射信息中提取下伏界面的界面速度,这是折射波法优于反射波法的一大特点。因此,折射波法可同岩性直接联系起来,利用这个特点.折射波法可以用于寻找覆盖层下不同岩性的垂直分界面。

折射资料的解释工作主要包括折射波的识别与对比、折射界面的绘制等工作。

(一)折射波的识别与对比

1. 折射波的识别

折射波可以是初至波,也可以是续至波。一个折射界面的折射波一般都有相应的初至区,在初至区内观测折射波,没有其他波的干扰,易于进行波的对比追踪。因此,在野外施工时,总是力求选择最合理的观测系统,在初至区内追踪折射波。当折射界面埋藏较深时,要在初至区追踪折射波,较长炮点和接收点的距离势必较长,致使采集工作变得非常困难。在这种情况下,选择合适的观测系统,也可以在续至区追踪折射波。

2. 折射波的对比

反射波的对比工作一般是在时间剖面上进行的,而当前我国折射波的对比工作是在波形记录上进行的,折射波的对比也有 3 个标志。

(1)强度标志。

折射波在记录上较强,它的振幅随炮检距的增大而有规律地衰减。

(2)波形标志。

在相邻接收道上,折射波的波形相似。

(3)相位标志。

折射波的同相轴是平滑的直线段和曲线段(折射界面为曲面或界面速度有变化时)。要沿测线连续追踪同一界面的折射波,各张记录之间的对比,要遵循连接互换和追逐时距、曲线平行性的原则。

2.6 地球物理测井方法

2.6.1 地球物理测井方法概述

测井是一门交叉型学科,它是将电磁学、声学、核物理学、热学、光学、力学等学科的基本原理和测量方法用于油气井中,使用测量电、声、热、放射性等物理性质的仪器,以辨别地下岩石和流体性质的方法,是勘探和开发油气田的重要手段。不同的测井方法其原理也不尽相同。

放射性测井就是在井孔中测量放射性的方法,一般有两大类:中子测井与自然伽玛测井。中子测井是用中子源向地层中发射连续的快中子流,这些中子与地层中的原子核碰撞而损失一部分能量,用探测器(计数器)测定这些能量用以计算地层的孔隙度并辨别其中流体性质。自然伽玛测井是测量地层和流体中不稳定元素的自然放射性发出的伽玛射线,用以判断岩石性质,特别是泥质和粘土岩。

声波测井利用声波在钻井中传播的各种规律来研究钻井剖面。由于声波测井仪发射的声波频率一般都大于音频,故又称超声波测井。声波测井方法很多,在油气勘探中多用声波时差测井。测量原理为:发射的声脉冲经泥浆传至井壁,声波在泥浆速度 $V_{泥}$ 小于井壁岩层中速度 $V_{岩}$,当声波以临界角方向射至井壁时,即沿井壁滑行且产生透过泥浆传至接收器的折射波(只要声波发射器与接收器之间的距离超过折射波的盲区),由记录装置将初至折射波旅行时间记录下来。

密度测井是根据伽玛射线与地层的康普顿效应测定地层密度的,其原理为:将地层密度测井仪的放射源和探测器装在压向井壁的滑板上,测井时伽玛源向地层发射伽玛光子,经地层散射吸收后,有部分经过散射的光子由离源不同距离的两个伽玛射线探测器所接收。源和探测器之间由屏蔽隔开,使源发射的伽玛光子不能直接射到探测器。仪器背向地层的一方也屏蔽起来,以减小井的影响。离源近的探测器叫短源距探测器,离源远的另一个叫长源距探测器。地层的密度不同,对伽玛光子的散射和吸收能力不同,探测器记录到的读数也不同。

地层微电阻率扫描成像测井是一种重要的井壁成像方法,它利用多极板上的多排纽扣状的小电极向井壁地层发射电流,由于电极接触的岩石成分、结构及所含流体的不同,由此引起电流的变化,电流的变化反映井壁各处的岩石电阻率的变化,据此可显示电阻率的井壁成像。我们知道,微电阻率测井贴井壁测量,探测深度浅而垂向分辨率高,因而对井壁附近地层的电性不均匀极为敏感。因此,人们利用微侧向测井研究冲洗带和裂缝,利用4条微电导率测井曲线确定地层倾角,识别裂缝,研究沉积相等。但是,这些微电阻率测井无法确定裂缝的产状,无法区分裂缝、小溶洞和溶孔,这些问题都可由微电阻率扫描测井解决。

核磁共振测井是一种适用于裸眼井的测井新技术,是目前唯一可以直接测量任意岩性储集层自由流体(油、气、水)渗流体积特性的测井方法,比其他方法有明显的优越性。基本原理为:核磁共振技术利用了原子核的顺磁性以及与它们相互作用的外加磁场。实际测井时,以地磁场当成静磁场,通过下井仪首先把一个很强的极化磁场加到地层中,等氢核完全极化后,再撤去极化场,则氢核磁化矢量便绕地磁场自由进动,在接收线圈中就可测到一个感应电动势。由于束缚水和可动流体的弛豫时间不同,所以束缚水、可动流体在接收线圈中产生的感应电动势的强弱和持续时间也不一样。测井前事先刻度出束缚水和可动流体的弛豫时间,这样束缚水、可动流体的信息就可直接在测井曲线上反映出来,即可直接计算出自由水、束缚水饱和度。核磁共振测井的用途有以下几个方面:①划分储集层;②确定储层的有效孔隙度;③确定渗透率、颗粒大小;④确定残余油饱和度;⑤在沥青化的储集层中划分含可动油的夹层;⑥估计含油地层的自由水含量,确定储集层的产能;⑦评价低电阻率油层。

普通电阻率测井是地球物理测井中最基本最常用的测井方法,它根据岩石导电性的差别,测量地层的电阻率,在井内研究钻井地质剖面。在实际测井中,把一个普通的电极系(由3个电极组成)放入井内,测量井内岩石电阻率变化的曲线。岩石电阻率与岩性、储油物性和含油性有着密切的关系。普通电阻率测井主要任务是根据测量的岩层电阻率来判断岩性,划分油气水层,研究储集层的含油性、渗透性和孔隙度。

微电极测井是在普通电阻率测井的基础上发展起来的一种测井方法,它采用特制的微电极测量井壁附近地层的电阻率。普通电阻率测井能从剖面上划分出高阻层,但它不能区分这个高阻层是致密层还是渗透层,另外,含油气地层经常会遇到砂泥岩薄的交互层,由于普通电极系的电极距较长,尽管能增加探测深度,但难以划分薄层(这是一对矛盾)。因此,为解决上述实际问题,在普通电极系的基础上,采用了电极距比普通电极系的电极距小得多的微电极测井。为了减小井的影响,电极系采用的特殊的结构,测井时使电极紧贴在井壁上,这就大大减小了泥浆对结果的影响。

井温测井又称热测井,它可以进行地温梯度的测量;可以在产液井中寻找产液的井段,在注入井中寻找注入的井段;对热力采油井,可以通过邻井的井温测量检查注蒸汽的效果;可以评价压裂酸化施工的效果等。

井径测井是用井径测井仪来测量钻孔直径的。在未下套管的井中可以测量井径不规则程度,提供下套管固井施工所需要的水泥用量参数;还可根据钻孔的不规则形态,分析判断地下岩层裂缝的发育程度和裂缝的方向。在套管受损坏的井中,可以测量套管损坏的位置和变形情况。

介电常数测井也称电磁波测井,主要用来测量井下地层的介电常数。由于地层水、原油、天然气的介电常数相差较大,因此当储集层的孔隙度达到一定数值后,含油、气层的介电常数与水层的介电常数有明显差别,据此可较准确地划分油、气、水层。

地层倾角测井是在钻孔中测量地层倾斜方向和倾斜角度的方法。地层倾角测井资料解释在地质构造、沉积相、裂缝识别、地应力方向判断等许多领域有很好的应用,具体包括:①利用地层倾角测井资料,可以很准确判断岩层产状、预测构造高部位,落实区块构造提供依据;②利用地层倾角测井资料对区块构造进行重新分析;③由于不整合面等构造在地层倾角测井矢量图中都有很好的反映。因此利用地层倾角和倾向的变化可以很好地划分层位;④通过对地层倾角沉积成果图的分析处理,结合地质等资料,可以很好地判别沉积环境、进行砂体加厚方向判断以及古水流方向识别等;⑤利用地层倾角测井资料可以确定地层最大主应力方向,这对于低渗油藏的压裂改造、注水井的分布具有重要的指导意义。

自然电位测井。在早期的电阻率测井中发现:在供电电极不供电时,测量电极 M 在井内移动,仍可在井内测量到有关电位的变化。这个电位是自然产生的,故称为自然电位。其实,在井钻穿地层的过程中,地层与泥浆相接触,产生了扩散吸附作用,在泥浆与地层接触面上产生了这种自然电位。沿井提升 M 电极,同时地面仪器即可测出一条自然电位变化曲线。自然电位曲线变化与岩性有密切关系,能以明显的异常显示出渗透性地层,这对于确定砂岩储集层具有重要意义。自然电位测井方法简单,实用价值高,自然电位测井曲线的主要作用有:①划分渗透性岩层;②估计泥质含量;③确定地层水电阻率 R_w;④判断水淹层。

2.6.2 利用单井倾斜测井资料研究地下构造和褶曲要素

为了有效地勘探和开发油气田,正确认识油气田地下构造十分重要。研究地下构造的成果,是勘探部署、储量计算、开发设计、动态分析等工作的重要依据。由于地震、钻井、测井、动态分析等研究地下构造方面的资料各有其特点,必须结合各地区地质情况,加以综合,灵活运用。

在油气田的勘探工作中,特别是在一个新区钻探井时,往往由于地下构造复杂,地震工作一时搞不清地下的确切情况,或者由于任务紧迫,来不及作详细的地震勘探,就开始了预探井的钻进。如果第一口井获得了好结果,如何从该井获得更多地下构造资料,指导下一批井的部署? 假设第一口井的钻探结果不理想,又怎样判断是由于上下构造不符、未钻于高点,还是因断裂影响,没有钻达预期的部位? 这些问题,在过去仅仅根据一口井的资料是很难作出回答的。因而给勘探工作带来了很大困难,浪费了不少投资和人力,甚至还大大延误了发现油气田的时间。

对于上述问题,国外利用一口井的地层倾斜测井资料,判断地下构造类型、分析有无断层、确定断层性质和断面要素等方面,已有一定效果。其主要方法是:首先根据可能存在的构造类型,研究地层倾斜资料在各种构造中应该有什么样的特征,然后以此为依据,反过来推断地下构造情况。根据他们的经验,作倾角与倾斜方位之间的关系等 5 种图件,就可以大体认识该井所钻过的地下构造情况。

一、确定井孔剖面的地层产状

利用倾斜测井,可以确定沿井身剖面的地层产状,提供反映地下构造形态的基础资料。测井记录包括了各种因素的影响,通过计算机处理所得到的地层产状数据表和成果图——倾斜矢量图,它既包括了不同岩层的构造产状,也包括了各种沉积层理和裂隙的产状,还包括了岩层内部的构造(如结核、燧石条带等)以及仪器极板与井壁接触不良等引起的一些错误信息。

根据倾斜矢量成果图来确定地层产状,实质上就是寻找倾斜方位和倾斜角度的趋势。为此在一般情况下,常采用大窗长(3~8m)和相应的探索长度(即对比曲线上下移动的距离),在电子计算机上处理长井段的倾斜测井资料,以得到比较清晰的地层产状矢量图象(图2-61)和相应的产状数据表。以它们作为依据,就可以分析地层产状和该井所钻过的构造部位,判断井孔剖面中断层和不整合的具体位置。值得指出的是,从图2-61中可明显看出,短相关长度比长相关长度算出来的地层产状要分散得多。原因是前者受沉积构造和井壁不平整的影响较大。所以在研究构造和断裂情况时,采用长相关对比为好。

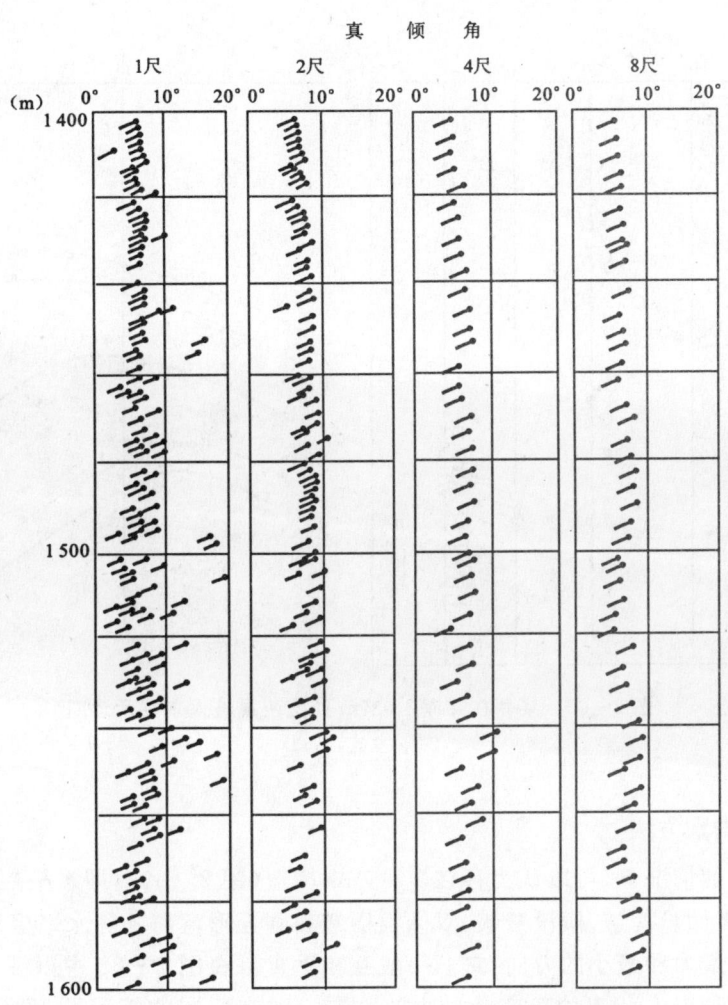

图 2-61　用不同相关长度处理一泥岩段所得到的倾角矢量图

(据陈立官,1983)

矢量点的位置代表该深度的倾角大小,方向代表倾斜方位

二、判断地下构造的偏移方向

在地下为倒转或不对称背斜(或向斜)地区,构造高点常随深度而发生偏移,深浅部位的构造形态往往相差较大,在地面或浅层为一向斜的地方,到了深部可能变为一背斜即所谓的反扣构造。有时这类构造在地震资料上反映并不明显,而利用地层倾斜测井资料却能比较直观地

确定地下构造的符合程度和偏移方向。例如川东地区的某井,位于某构造北段Ⅰ号逆断层附近,地面井位处于构造西北翼,在阳新统底地震反射构造图上,该井应钻入构造东南翼。从测得的地层倾斜矢量图上可清楚看出,在井深 4 032m 以上的地层均为西倾,到 4 032m 以下地层突然转向东倾(图 2-62),说明该井已由西翼钻入东翼,深部构造高点已向西偏移。其他地质资料都证实了这个结论。

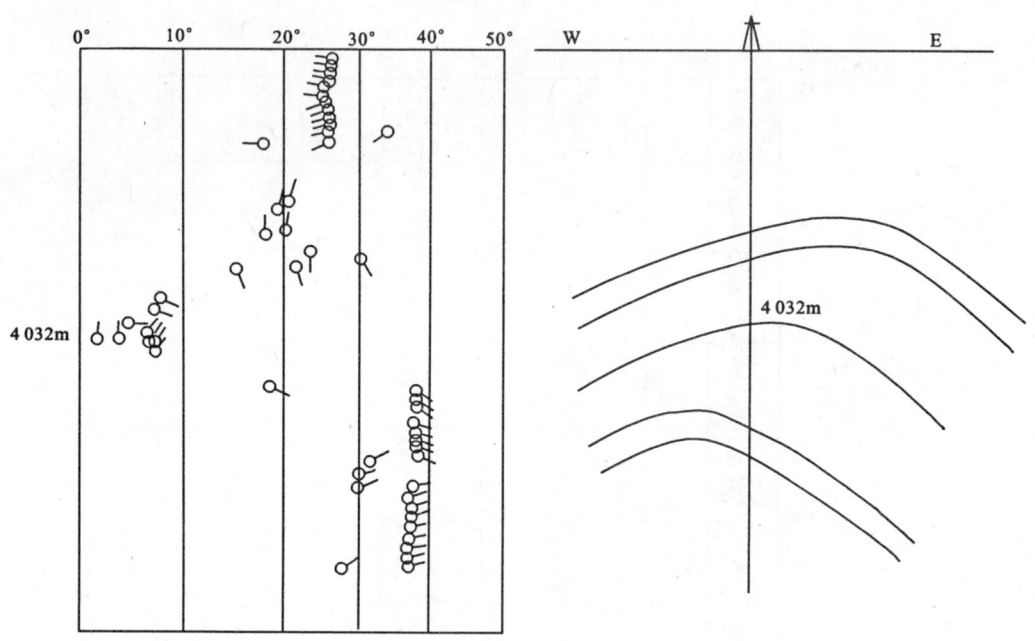

图 2-62　某井在井深 4 032m 处由西翼进入东翼示意图
(据陈立官,1983)

三、构造的识别方法

在没有断层的情况下,可以认为存在 7 种基本构造(图 2-63),即水平层、低倾角单斜层、高倾角单斜层、无倾没褶皱、倾没褶皱、双倾没褶皱和圆丘形弯窿。除水平层外,对每种构造都可找出构造变化最大和最小的方向,它们一般互相垂直。在图 2-63 中以 T 代表构造变动最大的方向,即横向;以 L 代表构造变动最小的方向。在有断层的情况下,可认为在断面上、下分别存在不同或相同的构造,而在断层面附近的则属于局部变形。

为了判断构造类型,可用倾斜测井资料作 5 种图件,即倾角与倾斜方位角关系图、倾斜方位角与深度关系图、倾角与深度关系图、东西向视倾角与深度关系图、南北向视倾角与深度关系图。其中最基本的是倾角和方位角的关系图。不同构造在上述图件中各有其相应的特征。

(一) 水平层

水平层在各种关系图上的反映如图 2-64 所示。

在倾角与方位角的关系图中,由于倾角为 0°,无方位角,故点子分散在倾角 0°线附近,方位角直方图基本上是均匀分布的;因为地层是水平的,所以分不出"T"和"L"方向;由于沉积倾

2. 地球物理方法

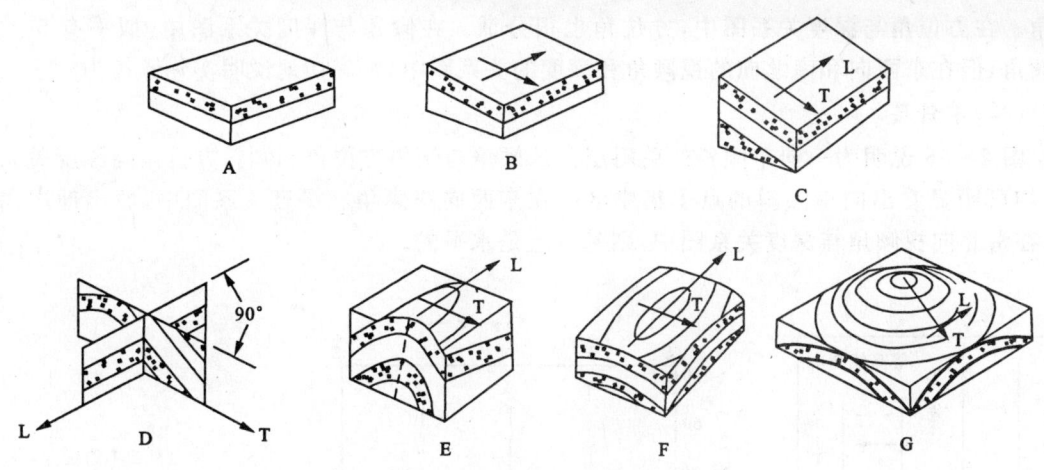

图 2-63　7 种基本的构造类型
（据陈立官，1983）

A—水平层；B—低倾角单斜层；C—倾角较大单斜层；D—无倾没褶皱；E—倾没褶皱；F—双倾没褶皱；G—圆形穹隆

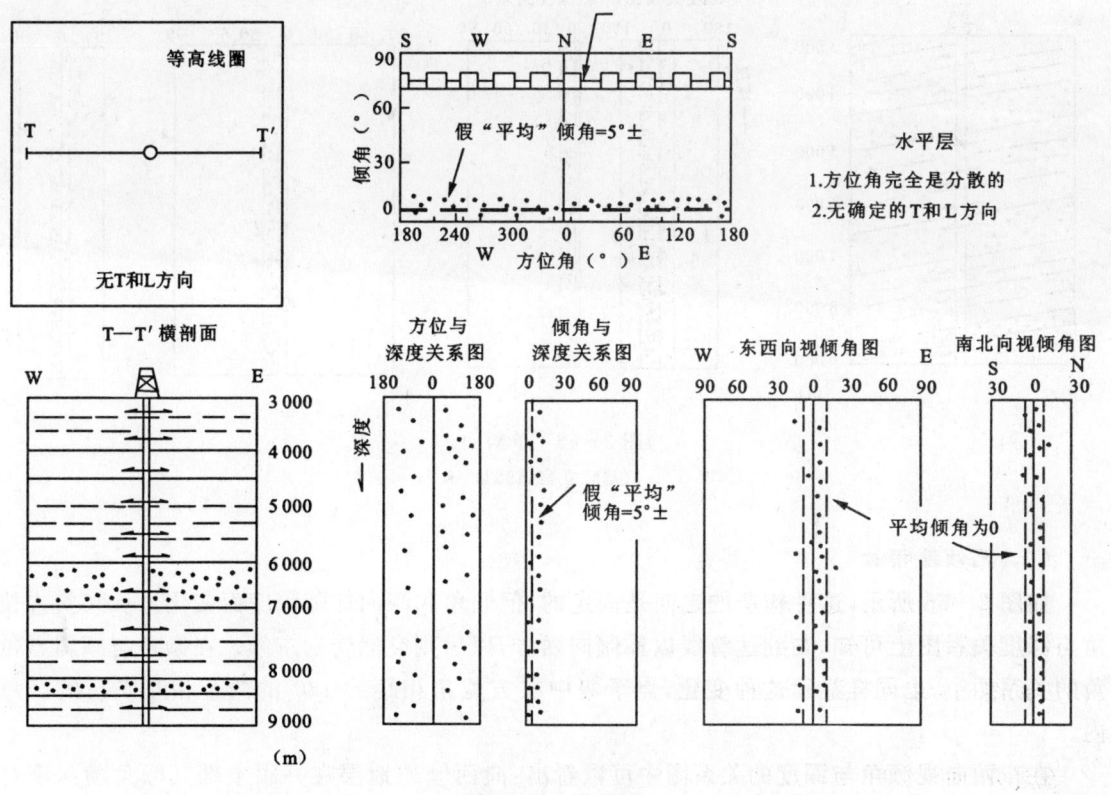

图 2-64　水平层
（据陈立官，1983）

角变化的影响,在底部似乎存在有一倾角为5°的集中线,但方位角极其分散,故不能代表地层倾角。在方位角与深度关系图中,方位角也很分散。在倾角与深度关系图中,似乎有5°左右的倾角,但在东西向和南北向的视倾角和深度的关系图中,则确切地说明实际倾角为0°。

(二)单斜层

图2-65说明为一向东倾斜的单斜层。从倾角与倾斜方位角和倾斜方位角与深度关系图上,均可明显看出向东倾斜的点子集中区。在东西向视倾角和深度关系图中,看出地层向东倾,在南北向视倾角与深度关系图中,则基本上是水平的。

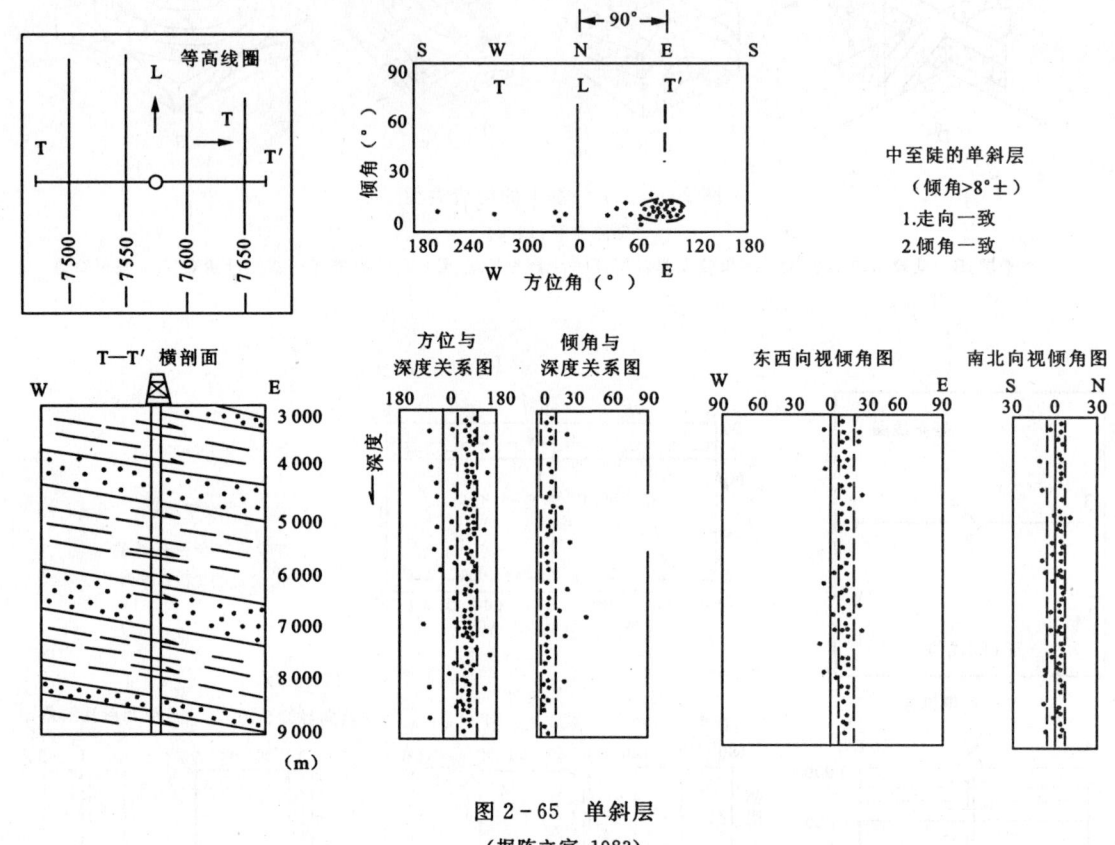

图2-65 单斜层
(据陈立官,1983)

(三)无倾没褶皱

如图2-66所示,这种构造的走向是固定的,但倾角和倾向却随深度而变化。从倾斜方位角与深度关系图上可知,在到达脊线以前倾向西方,以后则突然转向东倾。在倾角与倾斜方位角的关系图中,也同样显示这种变化,点子集中在方位角相距约180°的两个相互平行的区域内。

在东西向视倾角与深度的关系图中可以看出:向西倾的地层在井眼上部其倾角随深度加大而逐渐减小,通过脊面以后变为东倾。往下,向东倾的倾角逐渐增大,至轴面处倾角增大率为最大。轴面以下,倾角仍继续增大,但增大率逐渐减小。到扭曲面以后,向东倾的倾角随深度增加而逐渐减小。

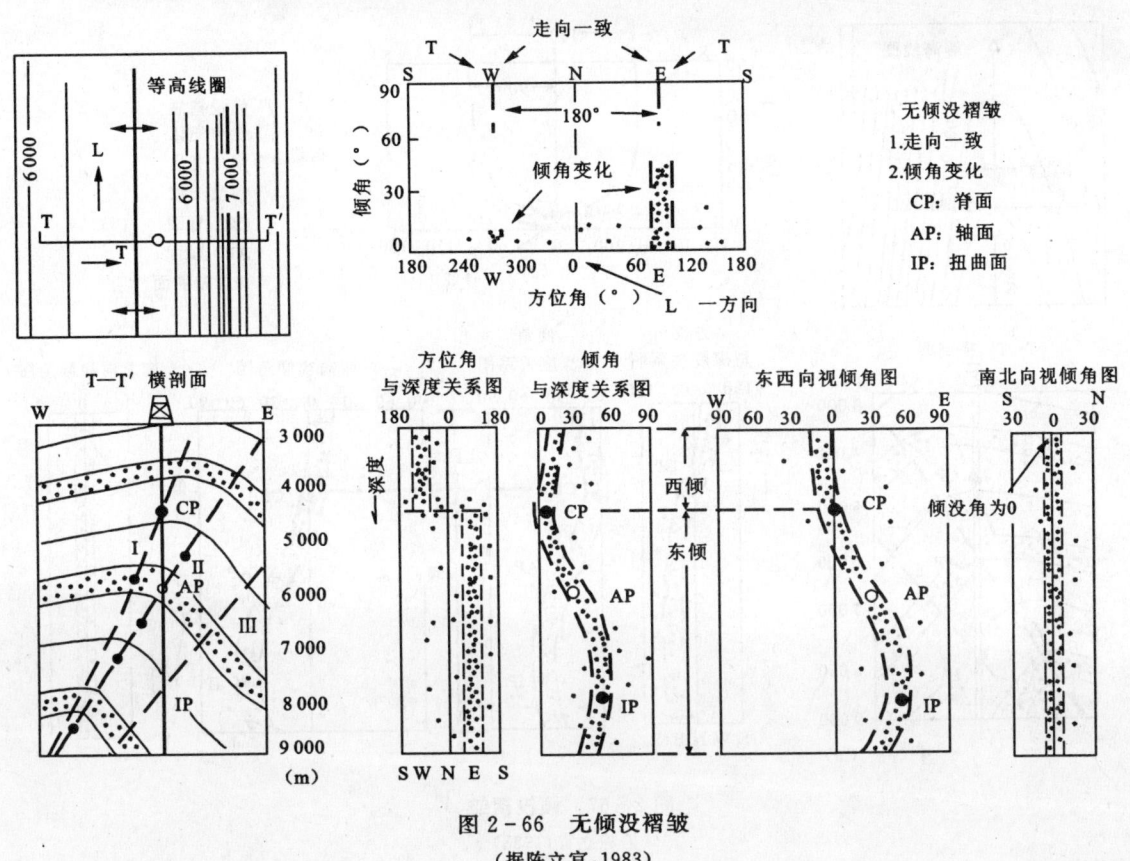

图 2-66 无倾没褶皱
（据陈立官，1983）

确定了脊面、轴面和扭曲面以后，在横剖面图上可以外推作图。

（四）倾没褶皱

从图 2-67 可知，如果井钻在向北倾没的褶皱上，则倾角和走向都是随深度而变化的，仅南北向视倾角不变。倾斜方位角与深度的关系图中，不像图 2-66 中那样，从西倾在脊面处突然变为东倾，而是慢慢地由北西倾变为北东倾。由于方位角只有在倾角很小时才有最大的变化，本图中脊面处的倾角均较其他地方为小，因而方位角的变化最大。倾角与倾斜方位角的关系图变成了马蹄形，其中心线约相当于构造脊线；倾角最小处指明了"L"方向，也是倾没褶皱脊线的倾没方向。

为了确定褶皱方向和倾没角的大小，还编制了诺模图（图 2-68）。当倾角与方位角的关系图上仅能看到马蹄形的一部分时，仍能进行判断，并且可以确定褶皱倾没角的大小和方向。下面分析地层倾角、倾向和褶皱倾没角 3 者之间的关系，以及诺模图的制作方法。图 2-68 左边的图是一个倾没褶皱的模型。假定褶皱向正北倾没，脊线水平投影的方位为正北，以 P 表示倾没角，θ 表示地层的真倾角，A 表示地层的倾斜方位，为了便于观察 P、θ、A 之间的关系，把它们放大画在图 2-69 上。O、a、b 为同一层面上的 3 个点，其中 O 为记录点，∠Oa′b′ 为水平面上的直角，∠aOa′ 为真倾角即 θ，∠bOb′ 是 L 方向的倾角，也就是褶皱的倾没角 P，而平面 Oaa′ 与平面 Obb′ 之间的夹角就是记录点处倾向的方位角。过 a 点作垂直于水平面 Oa′b′ 的平

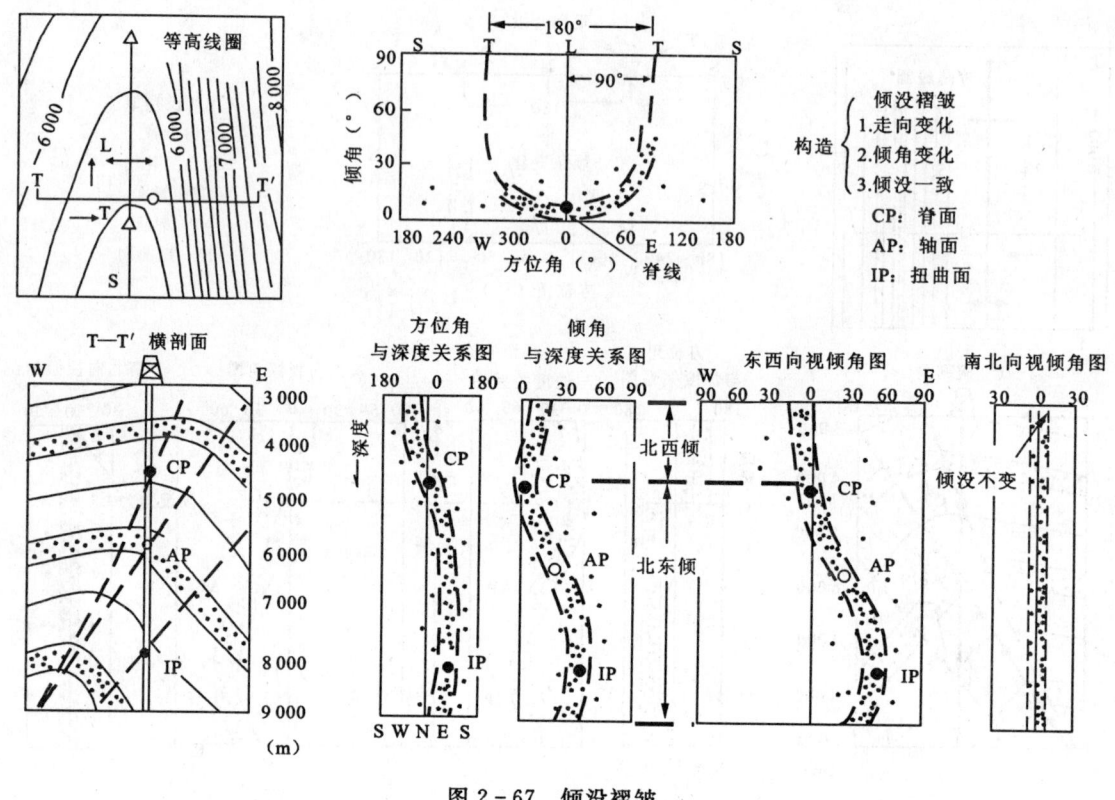

图 2-67 倾没褶皱
（据陈立官，1983）

面 aa'bb'，显然：

$$aa' = bb'$$

$$\frac{aa'}{Oa'} = \mathrm{tg}\theta$$

$$\frac{bb'}{Ob'} = \mathrm{tg}P$$

$$\frac{Oa'}{Ob'} = \cos A$$

因此，

$$\mathrm{tg}P = \frac{\frac{bb'}{Oa'}}{\cos A} = \frac{bb'}{Oa'}$$

$$\cos A = \frac{aa'}{Oa} \cos A = \mathrm{tg}\theta \cos A$$

所以，

$$\mathrm{tg}\theta = \frac{\mathrm{tg}P}{\cos A}$$

给 P、A 一些特定的角度，根据以上公式就能画出如图 2-68 所示的一张诺模图。使用时要注意到公式的推导是假定褶曲是往正北方向倾没的，即倾没角的方位为零度。如果不为零，则整个图在横坐标轴上作相应的平移就可以求得倾没方位角了。将诺模图以相应比例尺画在透明塑料板上，使用时，把诺模图与实测倾角—方位角关系图重合，找出实测点子分布趋势重合的曲线，便可以确定出褶皱方向和倾没角的大小。

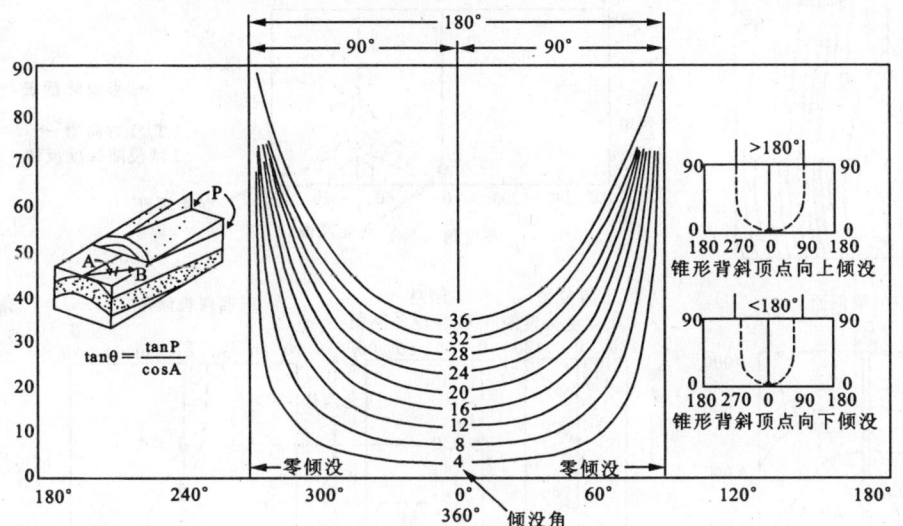

图 2-68　确定褶皱方向和倾没角的诺模图
（据陈立官，1983）

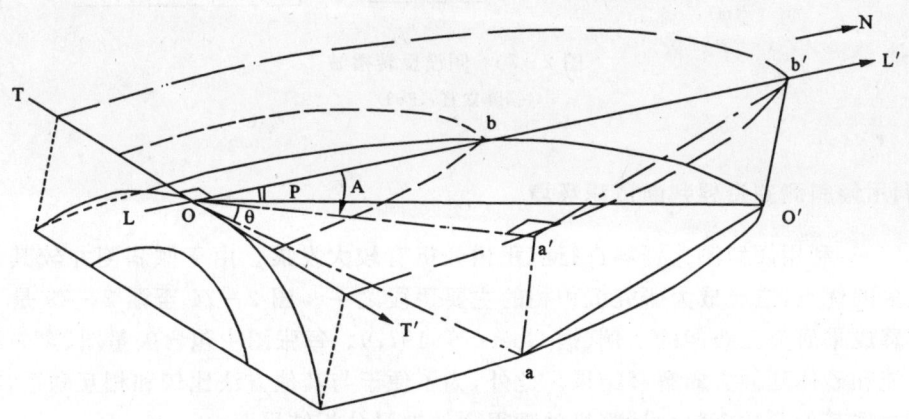

图 2-69　倾没褶曲倾没方位、倾没角与地层倾角关系图
（据陈立官，1983）

（五）倾没反转褶皱

当井钻在向两端倾没的构造高点或向两端跷起的鞍部时，均可出现倾没反转。图 2-70 表示井钻在构造高点的实测结果。在倾角与方位角的关系图上，表现为北西倾没的半个马蹄形和向北东倾没的另外半个马蹄形。在两个马蹄形的交会处形成一垂直区域，系倾没角为 0° 的过渡区。在南北向视倾角与深度关系图上可看出，向北倾没的地层约在 5 500 尺处变为向南倾没。在方位角与深度的关系图上，亦可看出倾没方向的反转。在倾角和东西向视倾角与深度的关系图上，则和单方向倾没的图 2-67 一样。

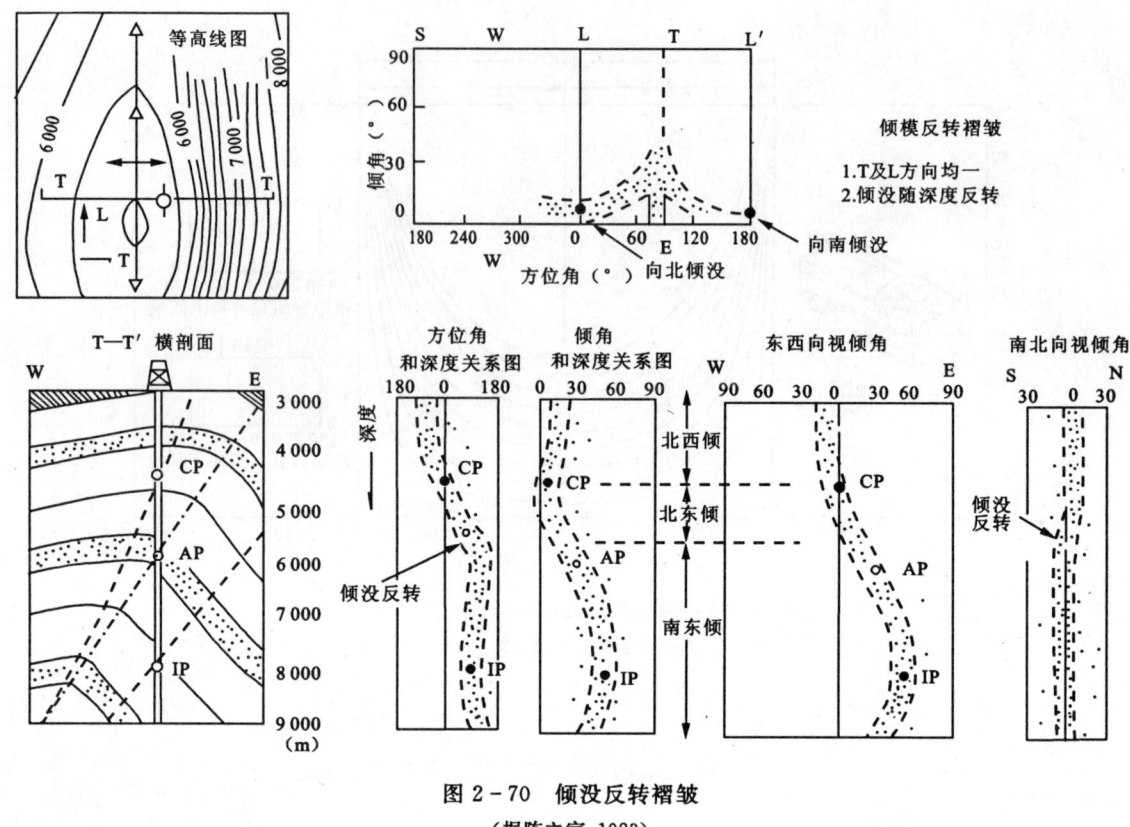

图 2-70 倾没反转褶皱
（据陈立官，1983）

2.6.3 利用倾斜测井资料判断沉积环境

近几年来，利用倾斜测井资料进行沉积相分析有较大发展。由于倾斜测井较其他测井方法具有更多的优点，它已成为研究沉积相的主要手段之一。图 2-71 至图 2-79 是 9 种用倾斜测井解释成果研究三级相的实例（据 Goetz 等，1977）。每张图中包含矢量图、全矢量方位频率图及水流和砂体延伸方向解释结果。此外，为了便于与其他方法比较和相互联系，在每张图中还附有根据其他测井资料由计算机处理得到的地层分析结果图。

图 2-71，辫状河河道砂坝：在矢量图上倾角由下而上减小（35°到 0），反映槽状交错层理的规模向上变小。由全矢量方位频率图上可以看出，大部分层理面的倾向近于北西方向，因而西北方向可以定为水流方向，河道砂坝延伸方向与水流方向一致。

图 2-72，点砂坝：矢量图上从下向上倾角变小，下部倾向较分散，倾角变化大，为槽状交错层理反映。据全方位频率图，主要水流方向指向西方，也即砂体延伸方向。

图 2-73，风成砂丘：其特点是均质、孔隙度高、粘土含量少，交错层理呈薄板状，各组砂丘的倾向与倾角可有不同，但每组内部的倾向、倾角基本保持恒定（对一口井而言），交错层理的方向大体和砂丘的延伸方向垂直。图中可以看到几组砂丘，其倾向、倾角彼此无关，主要取决于沉积时的风向。

图 2-74，三角洲分支河道：矢量图上显示底部倾角大，倾向分散，向上倾向趋于一致，倾

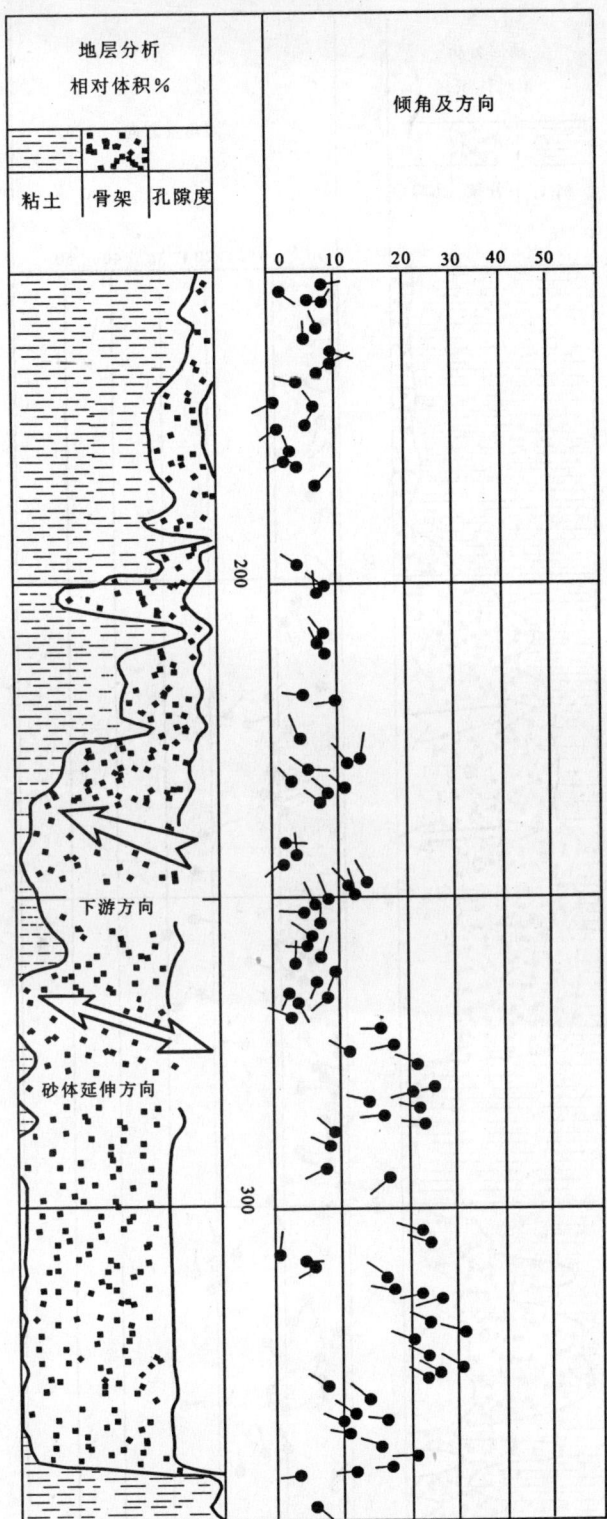

图 2-71 辫状河河道砂坝倾斜测井成果图

(据陈立官,1983)

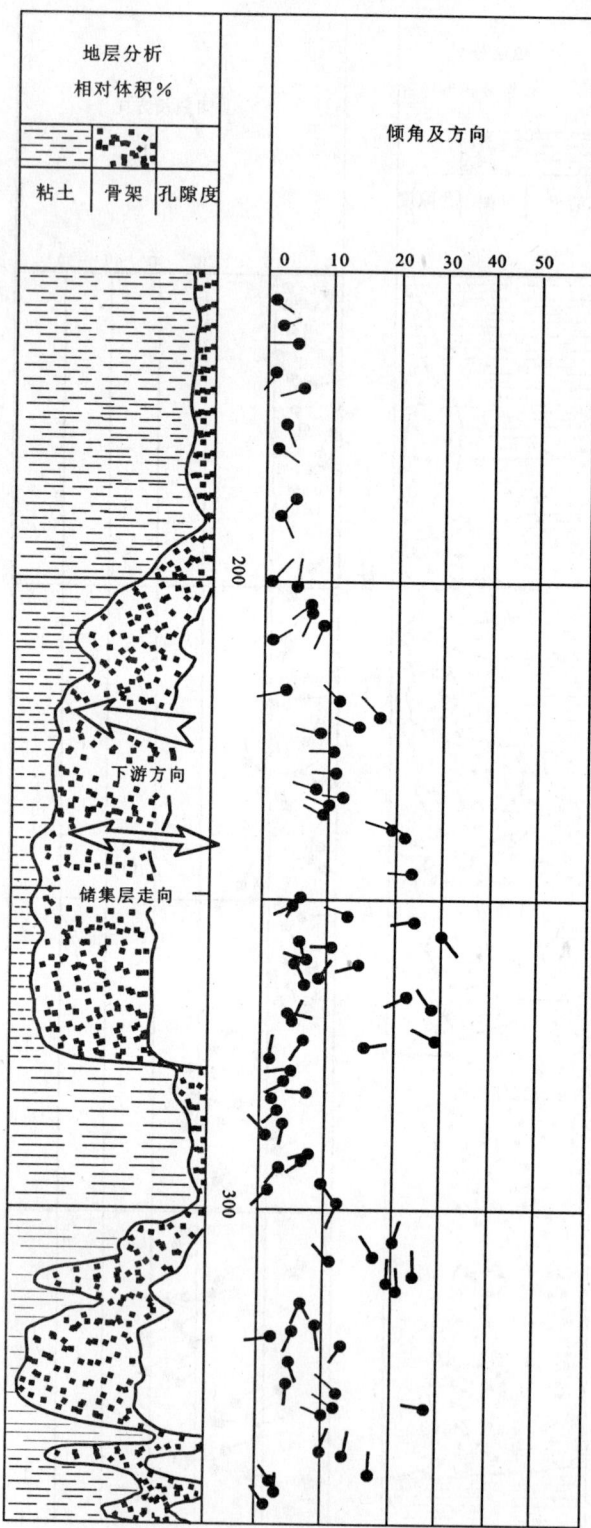

图 2-72 蛇曲河点砂坝倾斜测井成果图
(据陈立官,1983)

2. 地球物理方法

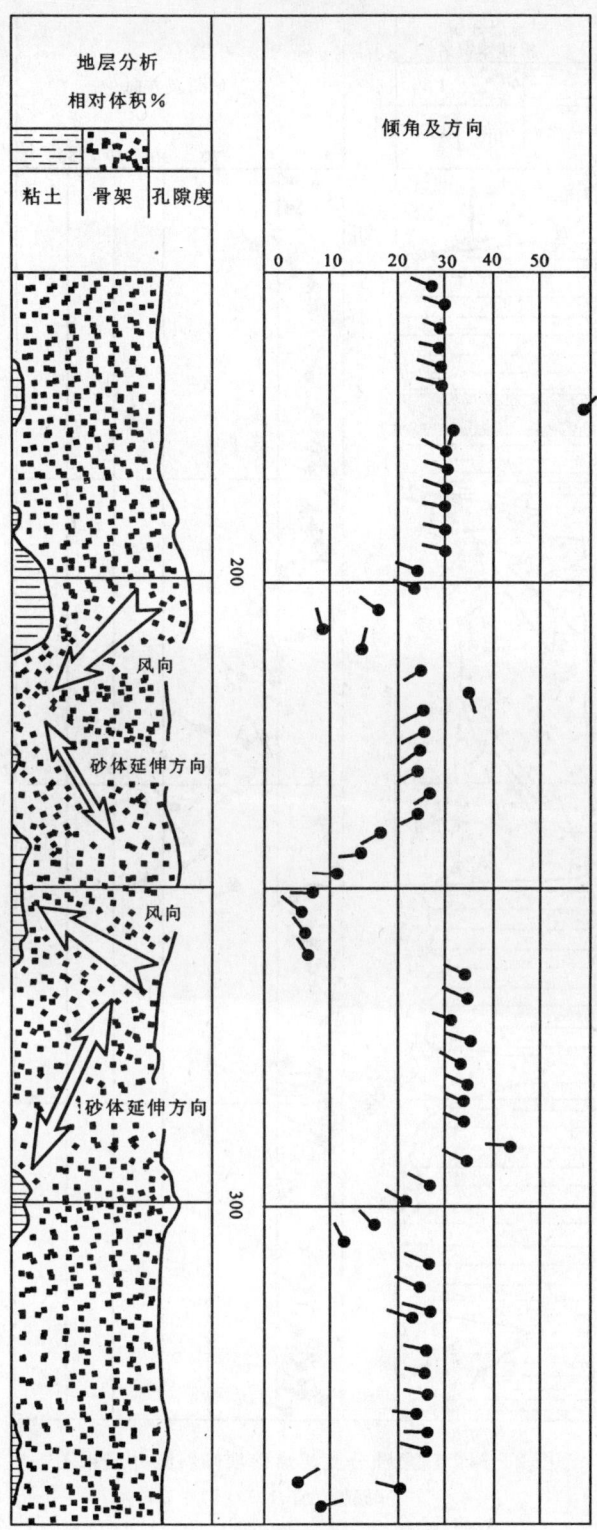

图 2-73 风成砂丘相倾斜测井成果图
(据陈立官，1983)

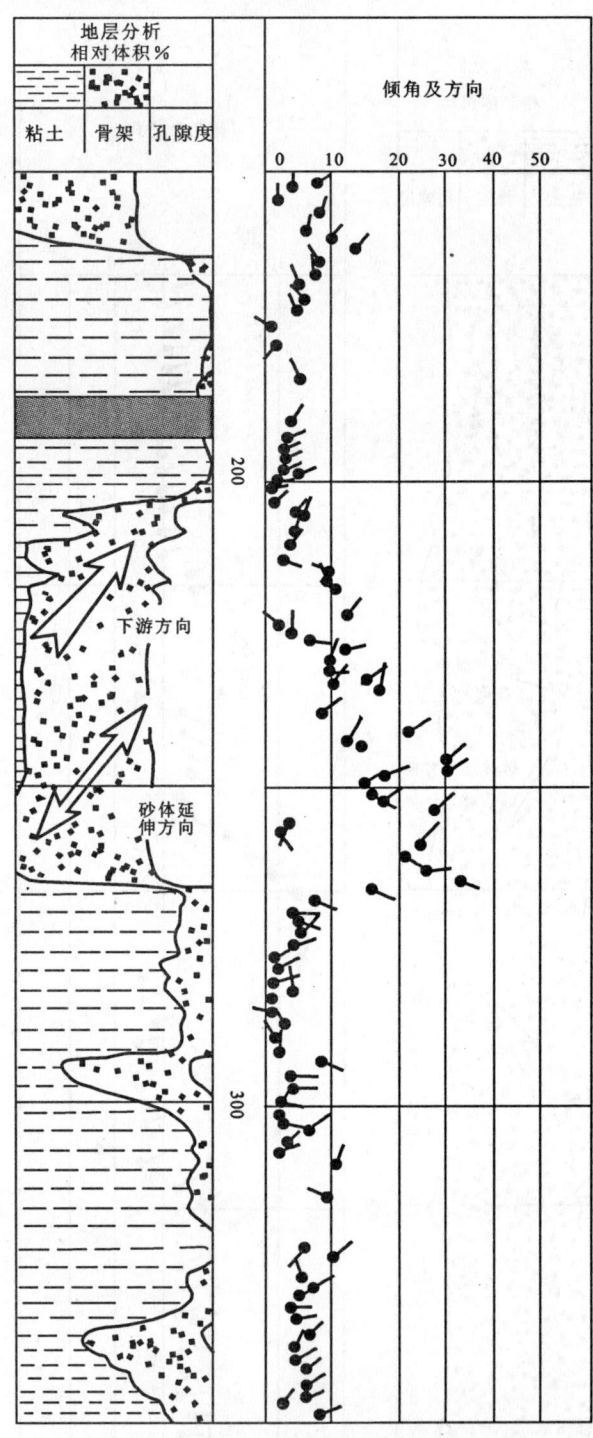

图 2-74 三角洲分支河道砂坝倾斜测井成果图
(据陈立官,1983)

角变小。说明下部槽状层理发育,层面倾角较大。从方位频率图上可以看出,主要水流方向为北东方向,也是砂体延伸方向。

图2-75，分支河口砂坝：由下向上颗粒变粗，交错层理发育，因而倾角向上增大，但倾向一致。倾向指向水流方向，也是指向海的方向，砂体延伸方向与其一致。

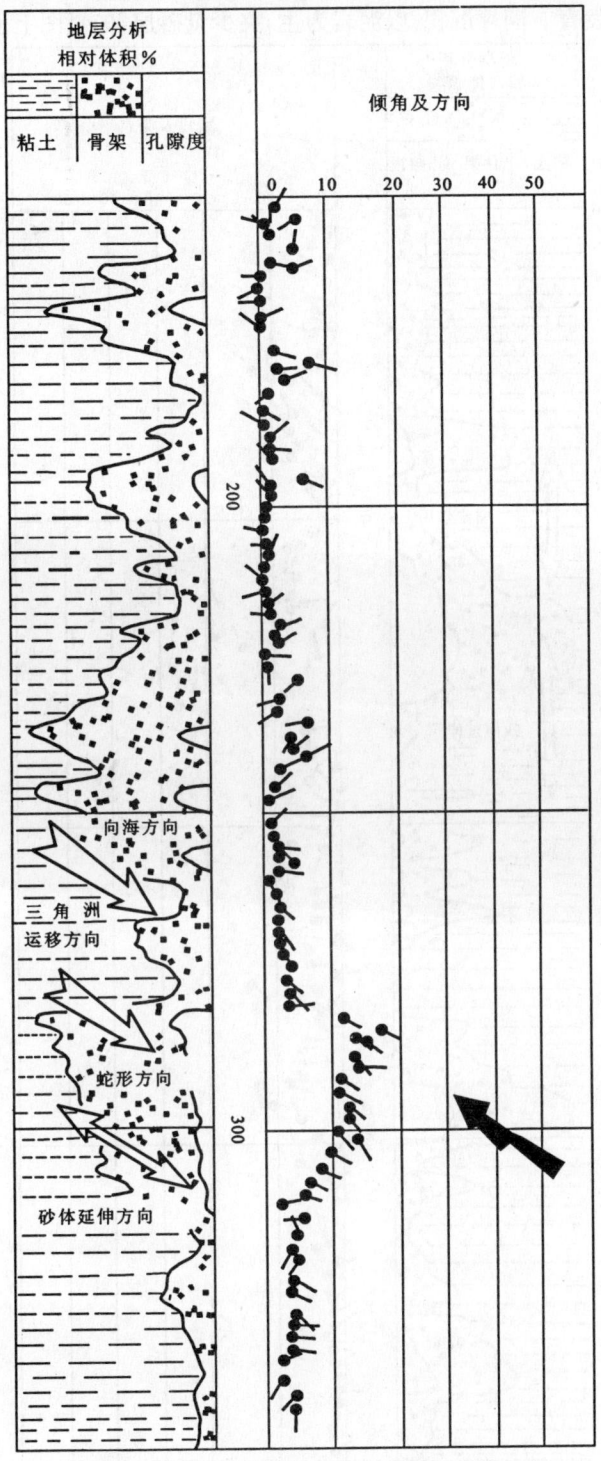

图2-75　分支河口砂坝倾斜测井成果图

(据陈立官,1983)

图2-76,河口湾与潮汐河道砂体:潮汐河道具有正粒序及双向水流层理,自然电位曲线形状与分支河道相似,为钟形。矢量图及频率图上均显示出双向水流方向,砂体延伸方向与水流方向一致。在潮汐河道上方,发育有潮坪沉积,以泥岩为主,夹少量砂层,矢量图上也显示双向水流特征。

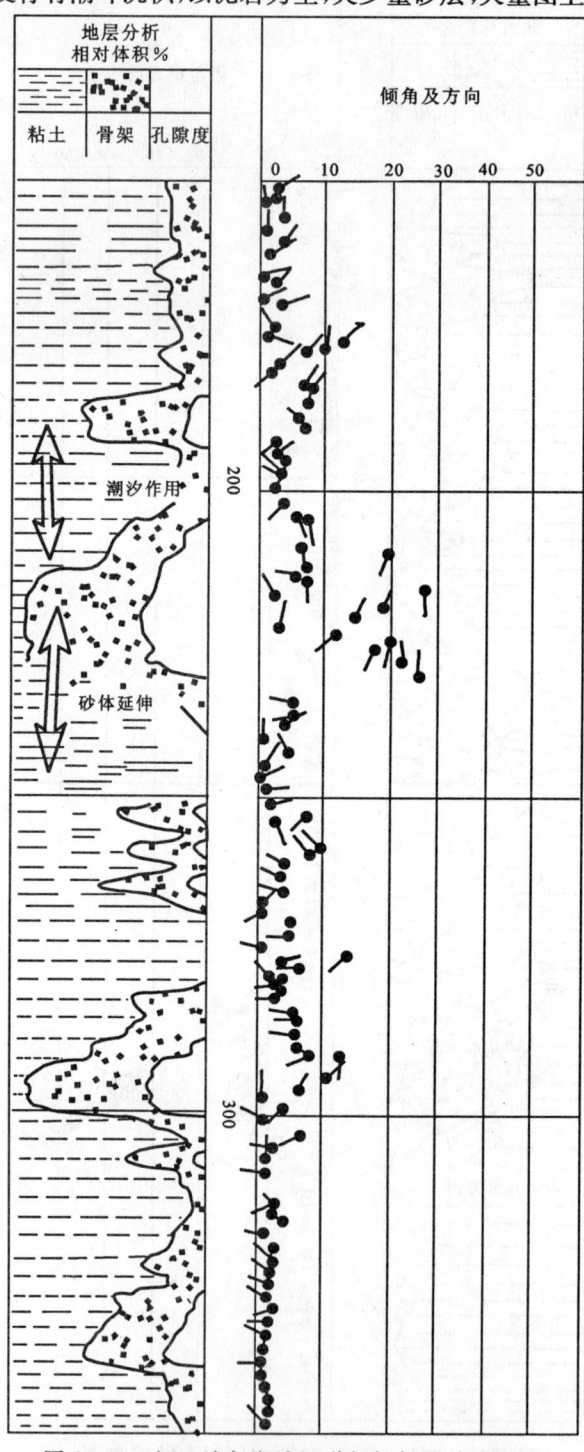

图2-76 河口湾与潮汐河道相倾斜测井成果图
(据陈立官,1983)

图 2-77，滩、坝沉积：海退型砂滩或砂坝均易保存，为漏斗形自然电位曲线。在该相带中，发育有板状或楔状交错层理，交错层理方向指向海的方向，与砂体延伸方向垂直。矢量图表明，倾角向

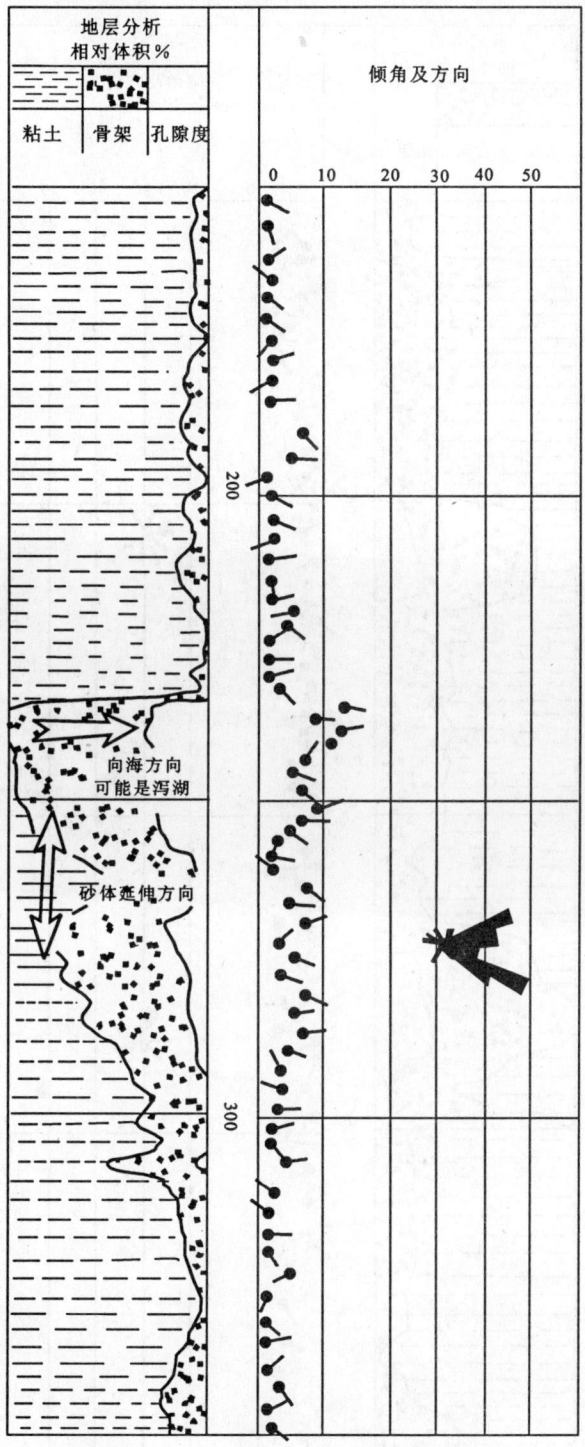

图 2-77 滩、坝沉积相倾斜测井成果图

（据陈立官，1983）

上增大,倾向变化范围在 90°以内,总的指向正东,砂体延伸方向与之垂直,为南北方向。

图 2-78,浅海陆棚砂相:多数是海退层序的叠加,顶部发育砂坝,水流层理是低角度的,

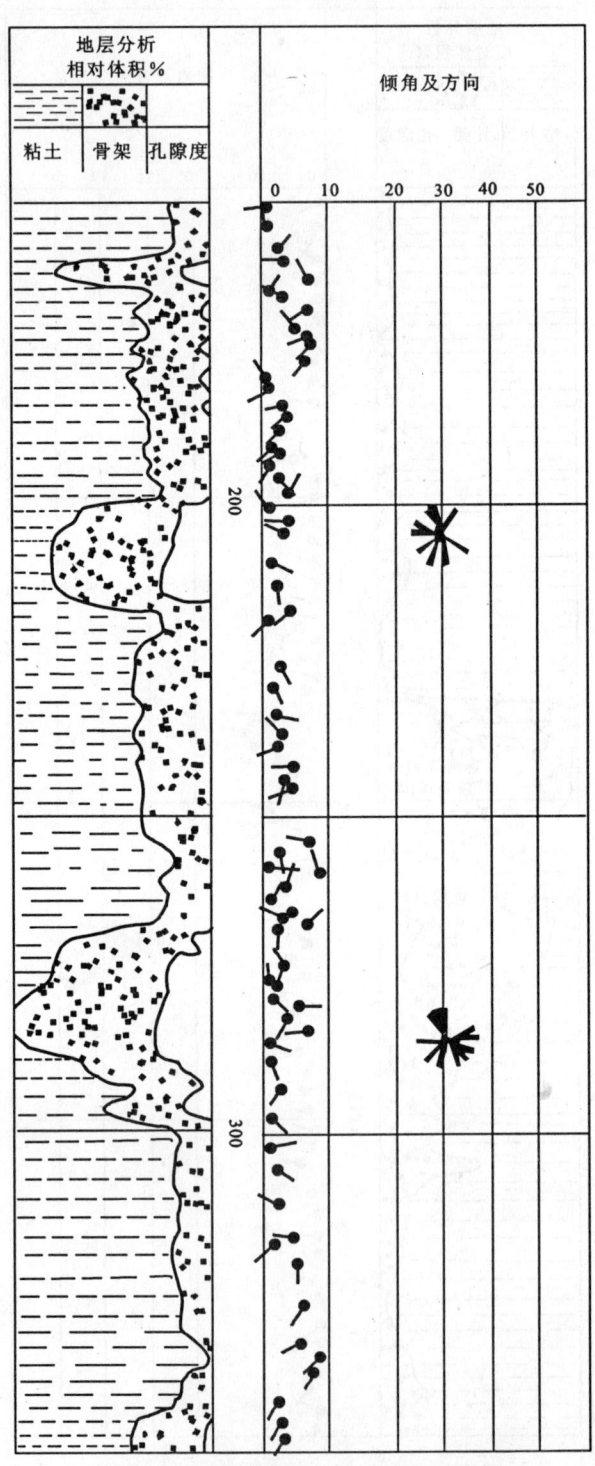

图 2-78 浅海陆棚砂体倾斜测井成果图
(据陈立官,1983)

交错层理方向无规律。

图 2-79,前礁相(包括礁的上部):多为泥质岩层覆盖。由于差异压实作用造成倾角向下逐渐加大,在矢量图上有明显反映。倾斜方向指向深海,在礁体内部则无明显层面。

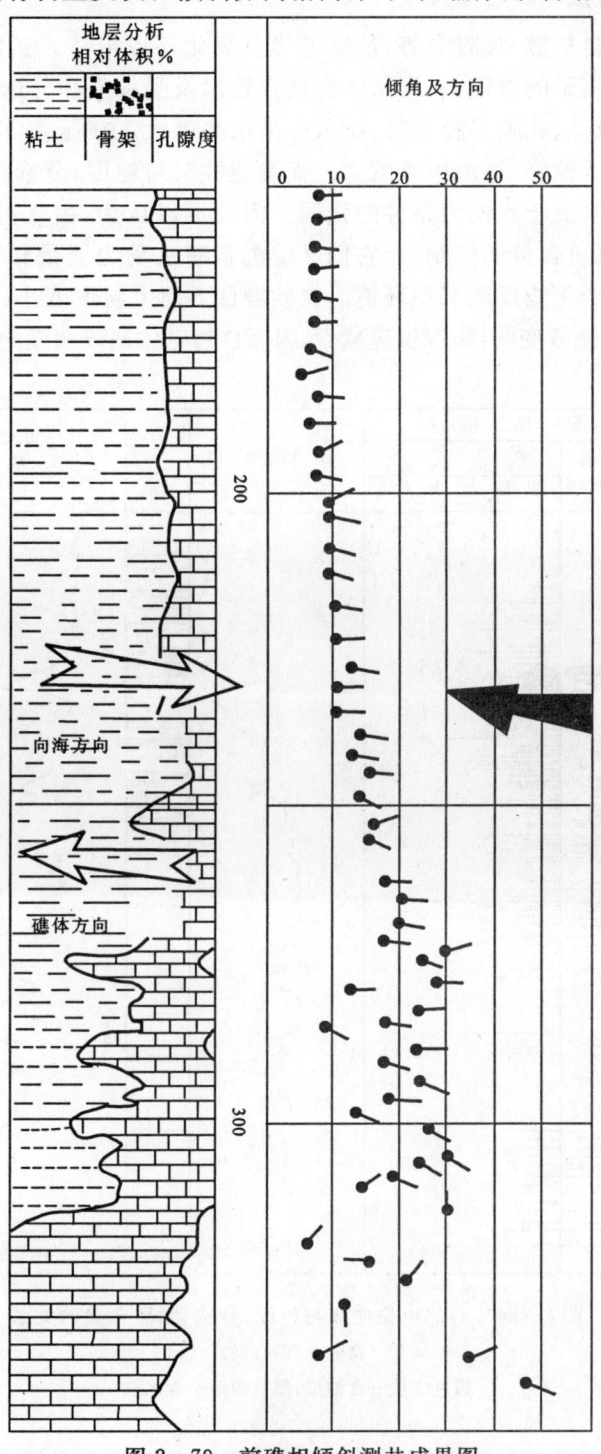

图 2-79 前礁相倾斜测井成果图
(据陈立官,1983)

2.6.4 利用自然电位曲线解释沉积环境

一、基本原理和方法

地下自然电位来自扩散-吸附电势、过滤电势及氧化还原电势。扩散-吸附电势取决于地层水和泥浆滤液之间离子的浓度差、岩层中泥质含量以及受粒度和分选控制的孔喉半径大小。在浓度差大、泥质含量少、孔喉半径大时,扩散吸附电势就大。在压差(泥浆柱压力与地层压力之差)一定时,地层渗透性好,过滤电势就大。而渗透性又与粒度、分选和泥质含量有关。砂泥岩层的氧化还原电势取决于水动力条件的强弱。因此可以认为,由3种电势构成的自然电位主要受粒度、分选和泥质含量的控制,而它们又受沉积时水动力能量和物源供应条件的制约,所以自然电位曲线的变化能反映沉积环境。当砂岩自下而上粒度变小、分选变差、泥质含量增多时,则意味着水动力能量变弱,物源供应减少,因而自然电位曲线幅度向上变小(图2-80)。

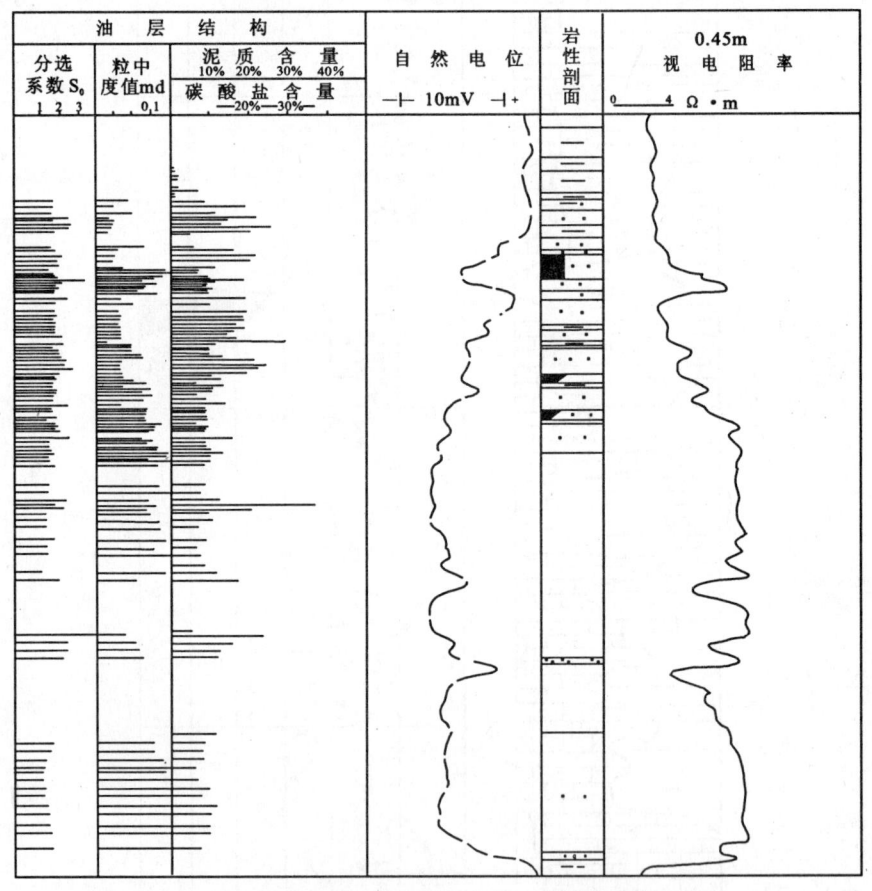

图2-80 自然电位曲线与粒度、分选、泥质含量的关系
(据陈立官,1983)
黑色方块—含油层;黑色楔形—含水层

在分析曲线形态所反映的沉积特点时,可从以下将介绍的几种要素着手(图2-81)。这些要素有的代表单层的形态,有的则反映多层的形态组合。单层的往往反映了3类相的相序

特征,多层的则反映了形成于某种沉积环境中岩层层序的组合特点。前者是识别环境的重要线索,而后者是进行岩相对比的主要依据,两者相辅相成。

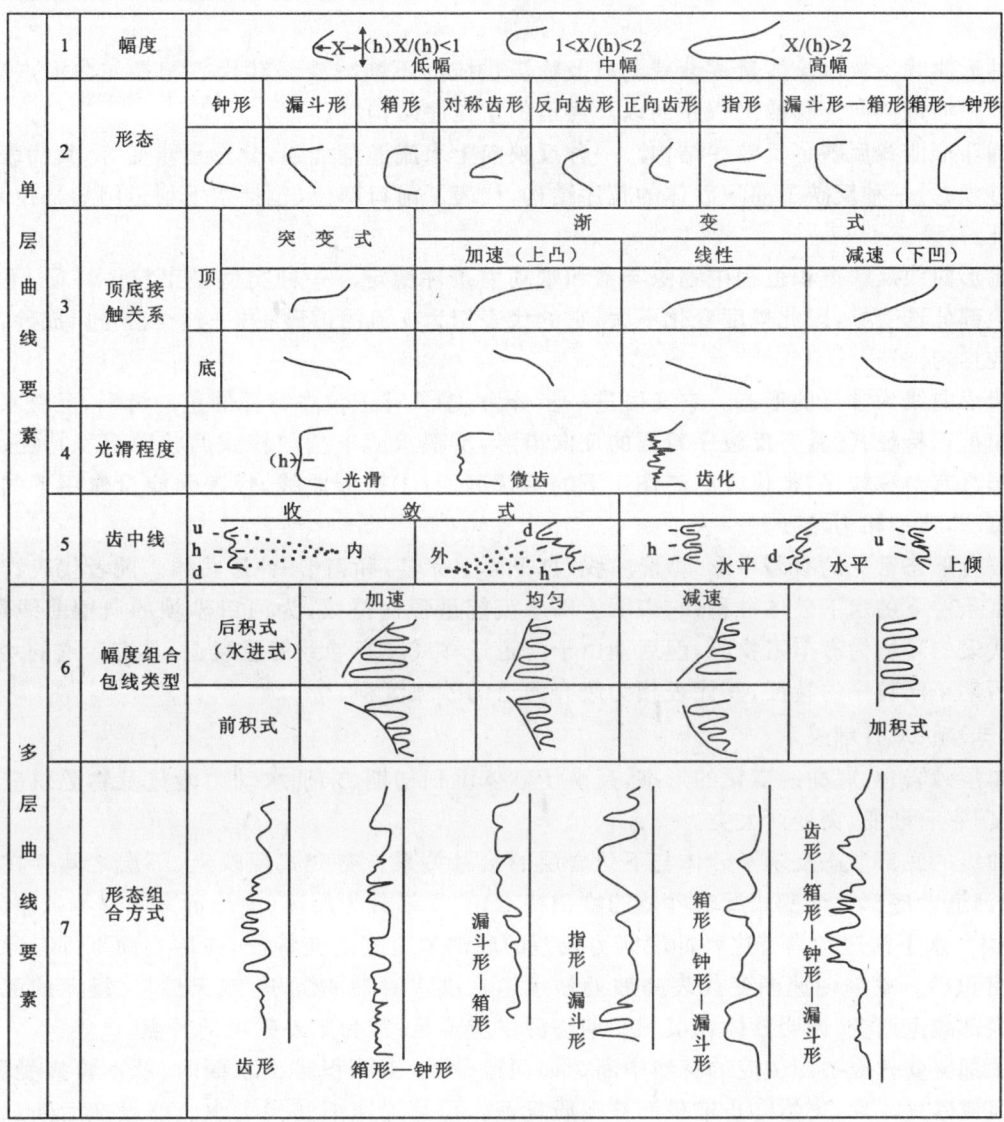

图 2-81 曲线要素图
(据陈立官,1983)

(一)幅度

影响曲线幅度的因素较多,除地层水与泥浆滤液间的离子浓度差、地层厚度(小于2m)、饱和流体性质及高阻层会使幅度变化外,幅度主要反映沉积特征。在中低阻砂泥岩剖面上,单层厚度大于2m的砂岩,在相邻井段中幅度的相对变化反映了物源供应和水流能量双重因素。一般来说,河流的水流冲刷能力强,物源丰富,分选性较差,以中幅为主;滩砂物源少,水流冲刷、簸扬能力强,改造彻底,分选好,以高幅为主;漫滩沉积则因物源细少,水流能量弱,以低幅为主。

(二) 形态

形态是识别3类相的主要要素。它反映砂体沉积过程中水动力能量及物源供应情况的变化。

钟形曲线反映水流能量逐渐减弱以及物源供应的不断减少。其代表相是蛇曲河点砂坝。曲线反映河道侧向迁移的沉积序列以及河道的正粒序结构特征。

漏斗形曲线反映了反粒序结构。一种反映向上水流能量加强，分选逐步变好，其代表相是岸外砂坝；另一种反映了前积砂体的粒序结构，代表了河口部位（包括水下河道河口部位）的沉积特征。

箱形曲线反映沉积过程中物源丰富和水动力条件稳定。一种类型是正粒序特征，下部粒粗而上部分选变好，因此幅度变化不大，它的代表相为支流河道砂；另一种类型是风成砂丘，上下颗粒均匀。

齿形曲线为常见的形态。它又可进一步分为：①具有正粒序特征的正向齿形，反映水下冲刷冲填沉积特征；②具有反粒序特征的反向齿形，反映水道末梢前积式席状砂沉积特征；③对称齿形具有对称粒序，常代表急流作用下的席状沉积；④指形曲线，代表强能量作用下的均匀粗粒沉积，典型相为滩砂。

复合形态常见的有漏斗形-箱形曲线（自下而上命名）和箱形-钟形曲线。前者代表物源供应丰富条件下的水下砂体堆积，它表明上部水流能量强而持续，为河口砂坝的典型曲线形态；后者代表的环境为有丰富物源，但后期由于河道迁移或废弃导致能量衰退，具有河道的均质沉积到后期正向粒序的特征，其代表相为废弃河道的砂坝沉积。

(三) 顶、底接触关系

单层砂岩顶、底曲线变化的形态，反映了砂体沉积初期、末期水动力能量及物源供应的变化速度，它有渐变、突变两大类。

曲线的底部形态反映了砂体与下伏岩层的接触关系。突变式反映上、下层之间存在冲刷面，如河道砂底部。渐变式反映砂体的堆积特点，它又细分为加速（上凸形）、匀速和减速（上凹形）3类。水下河道常具有这种冲刷能力较差的底部加速式渐变特征，在冲刷面下部有原先滞留的沉积砂。底部匀速渐变代表高坡处枯水道在洪水时期的沉积，或天然堤、漫滩的沉积特点。底部减速渐变，说明砂体在沉积初期物源供应不足，常为岸外砂坝的特点。

顶部突变代表物源供应的突然中断。如河道砂坝，当沉积露出水面时，就不再接受沉积。又如风成砂丘末期，突然终止堆积而被泥质复盖。顶部加速渐变代表水流能量在后期急剧减退或物源供应的迅速减少，如废弃河道砂。顶部匀速渐变代表匀速的能量减退过程，为河道侧向迁移形成点砂坝的顶部特征。此外，滩、天然堤顶部也是如此。顶部减速渐变型代表能量和物源供应在后期缓速减退，说明有后续水流的滞后沉积，水下河道砂的顶部具有这种特点。

(四) 曲线的光滑程度

属于曲线形态的次一级变化，取决于水动力能量对沉积物改造持续时间的长短，既反映了物源的丰富程度，也反映了水动力能量的强弱。曲线的光滑程度可分为光滑、微齿、齿化3级。光滑曲线代表在物源丰富和水动力作用强的条件下，被充分淘洗后的均质沉积，如滩砂。微齿代表物源充分但改造不彻底的沉积，如河道砂。它也可以代表河流季节流量不同，引起沉积颗粒粗细间互变化的特点。齿化则代表间歇性沉积的叠加，如冲积扇辫状河道沉积。

(五)齿中线

齿中线系指曲线形态上次一级齿的中线。当齿的形态一致时,齿中线相互平行,它反映能量的周期变化。平行齿中线又可分水平平行、上倾平行和下倾平行3类。水平平行式代表滩砂、堤岸砂和席状砂加积式的沉积特点;上倾平行式乃一组反向齿形的组合,代表多期的水道末梢前积式沉积的组合特征;下倾平行式是一组正向齿形的组合,代表正粒序的韵律沉积,如水下冲积扇根部具有递变层理的多期岩层组合。

当齿的形态不一致时,齿中线将相交。相交类型的齿中线可分外收敛和内收敛两类。外收敛指齿中线相交于曲线的外侧(左),如岸外砂坝,它反映了砂层前积特点,底部齿中线倾斜平缓或接近水平,向上倾斜逐渐加大。齿中线交于曲线内侧(右)者称为内收敛。底部齿中线下倾,中部齿中线水平,到上部齿中线上倾,反映水流能量向上变小,说明是由初期冲刷的滞留沉积、中期较均质的河道砂沉积及露出水面前充填式堆积的3个阶段组成,例如河道砂坝就具有这种特点。

(六)多层的幅度组合形式

多层曲线的幅度组合形式,指多层幅度的包络线形态。包络线形态反映多层砂体在沉积过程中能量的变化及其变化速率。据包络线的形态可分为加积式、后积式和前积式3类。后积式与前积式又可以细分为加速、匀速和减速式3个亚类,以反映同类环境下的多层砂体沉积速度的变化。

(七)层序的形态组合特征

一种沉积环境有其特有的岩性特征的层序组合,因此在测井曲线上也反映出特定的形态组合。利用这种标志,可以在区域上及剖面上研究相带的分布,并借以确定层段位置,帮助进行地层对比工作。

二、不同沉积相带的自然电位曲线特征

(一)冲积扇相

发育于干旱和半干旱气候条件下的山口陡坡地带,具有近源和急速卸载的特征。初期一般以间歇性的泥石流和洪水流为主,后期有间隙性河流作用。冲积扇属于以堆积作用为主、冲刷为辅的沉积环境。每一期洪水形成分布广、厚度薄、范围有变化的砂砾堆积。冲积扇发育的长期性和间歇性,造成多期重复的和总厚度很大的(通常有数百米)碎屑堆积。

在平面上,冲积扇可分为扇根、扇中和扇端3个部分(图2-82),各个部位由于水动力强弱不同,其形成的岩层组合有明显差异。

1. 扇根

扇根又可分为河道部位与非河道部位。后者以泥石流堆积为主要特点。泥石流堆积由于泥砂混杂,渗透性极差,到末期转化为紊流性泥石流甚至洪水流时,沉积物的渗透性变好。因此每一期泥石流堆积的曲线为低幅度、反向齿形,多期泥石流沉积的幅度组合为前积式包络线。

扇根主河道沉积发育在早期的泥石流沉积之上。因水流的冲刷搬运力强,沉积有滞留的碎屑支撑砾岩,底部常有残留的泥石流层。每期的主河道沉积厚度不大。曲线为中幅、正向或对称齿形,齿中线下倾或水平。

2. 扇中

其特点是辫状水道发育,水浅流急,河道堆积快,造成河道迁移速度也快。堆积物以砾、砂

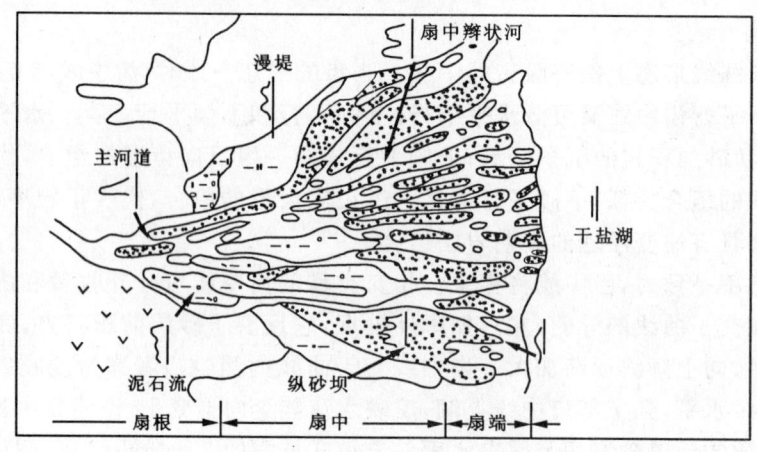

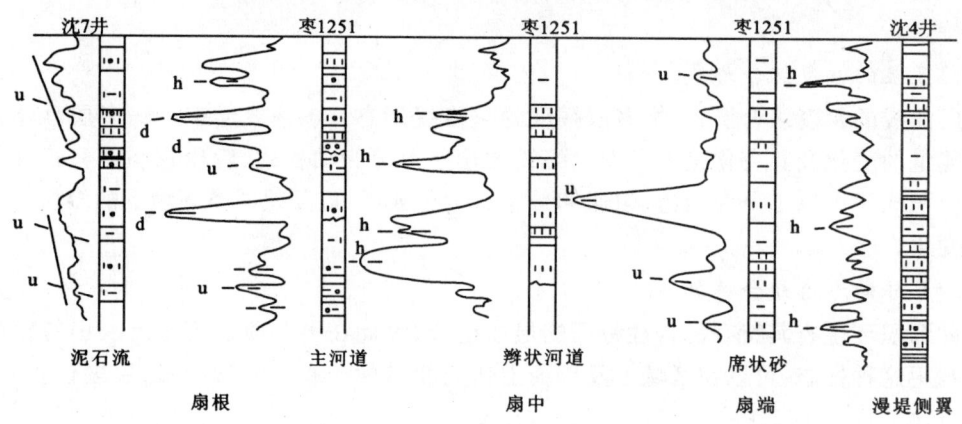

图 2-82 冲积扇环境模式及典型曲线
(据陈立官,1983)

为主,有时几期河道沉积叠置在一起形成一厚层,具有齿化的箱形或齿化的钟形曲线特征,齿中线水平或下倾并相互平行。

3. 扇端

为席状泛滥的砂质沉积夹透镜状砾石层。曲线特征为平直段夹中到低幅的反向齿形曲线,齿中线上倾。

扇端前缘可以过渡到盐湖沉积、河流沉积或滨海(湖滨)沉积。

4. 侧翼

为漫滩沉积,偶有沼泽相的碳质层。曲线为低幅齿形曲线组合,齿中线水平,且互相平行。

冲积扇相的纵向层序有向上变细、变粗或混合3种类型。由于物源供应的减少、构造运动的减弱造成向上变细的层序,即从扇根泥石流到扇端席状砂的层序为主要形式出现。曲线形态总的特征是大套齿形形态组合,幅度中到低幅,在齿形叠置时反映为箱形、钟形、漏斗形等轮廓,齿中线以相互平行为主。录井的相标志有:粗、细混杂的泥、砂、砾堆积,泥岩夹层呈红色。

(二)河流相

河流发育在长期构造沉降、气候潮湿和水量丰富地区。河道沉积物具有正韵律特征。河流可以分为上游辫状河及中、下游曲流河两部分。

1. 辫状河

从图 2-83 可知，上游辫状河道与冲积扇扇中辫状河道特点一致，河道浅而宽，河道迁移快，主要形成分布广泛，层层叠置的河道砂坝沉积。滩及天然堤发育不好。辫状河相为砂多泥少的层序组合。河道砂坝的曲线以箱形为主，因向上泥岩层变厚，基线变明显，曲线形态由齿化向微齿、光滑过渡。

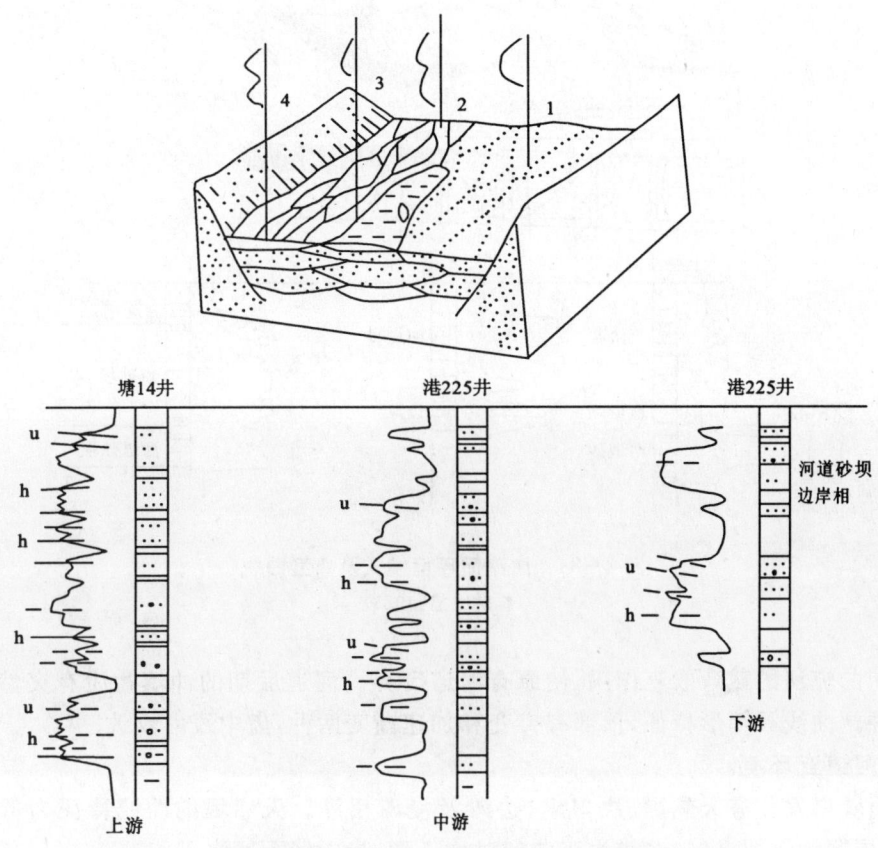

图 2-83 辫状河环境模式及典型曲线
（据陈立官，1983）
1—仅在洪水期才活动的辫状河道；2—上游辫状河道（纵向砂坝）；
3—冲积岛（河道砂坝与顶部漫滩）；4—下游辫状河道（横向砂坝）

2. 曲流河

曲流河仅占有同期冲积平原的极小部分，它由活跃河道、废弃河道和近河道亚环境组成。河道的侧向迁移形成平行古水流方向的带状砂，并导致了纵向上不同亚相的组合（图 2-84）。

（1）点砂坝。

发育在活跃河道凸岸，底为冲刷面，为河道滞留砾石堆积，其上为河道砂，上部为河道侧向迁移后形成的堤岸砂和漫滩泥，为一套正韵律沉积。曲线特征为钟形，齿化到微齿，齿中线内收敛。

（2）废弃河道。

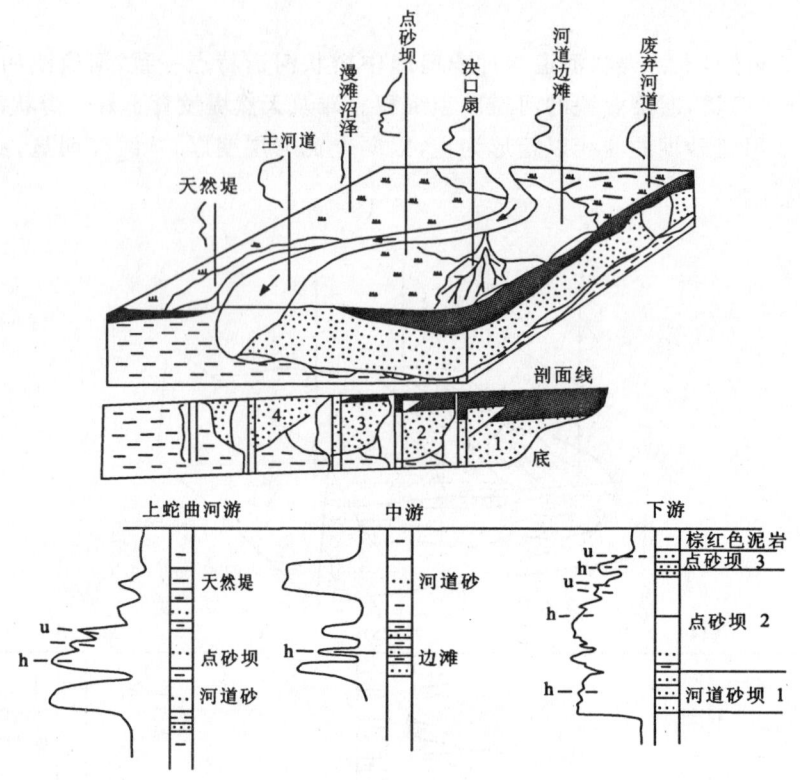

图 2-84 曲流河环境模式及典型曲线
（据陈立官，1983）

洪水期曲流河的截弯取直作用，使原有河道废弃。河道后期的冲填物质有突然终断和逐渐终止两种。曲线具箱形特征，顶部有突变和加速渐变两种，齿中线内收敛。

(3) 近河道亚环境。

曲流河陡岸发育有天然堤、决口扇、边滩及漫滩沼泽。天然堤的曲线特征为低幅对称齿形，决口扇层序为下粗上细，曲线为正向到对称齿形，齿中线下倾水平。

河流相纵向层序及曲线特征为，辫状河以大段的箱形曲线为主夹平直曲线，末期箱形曲线段变小，平直段加多；曲流河相则在平直曲线背景上表现为中幅度的钟形和箱形曲线组合。齿中线具有内收敛特征。相标志为，泥岩的颜色是红色或杂色，代表氧化环境。

(三) 三角洲相

三角洲位于海（湖）、陆之间的过渡地带，属于河口沉积环境。物源丰富，且受到河流、滨海或滨湖波浪双重的水动力作用，在河口附近形成规模宏大的中—细粒碎屑堆积。在平面上形成顶尖朝向陆地的三角洲沉积体系，海陆相沉积相互交替，岩性岩相多种多样，常见的沉积相为海退序列。在没有强大的潮流和波浪能量作用时，河流携带大量泥砂在河口一带迅速堆积下来形成建设性三角洲。它可分为三角洲平原、三角洲前缘和前三角洲（图 2-85）。三角洲各部位的岩层组合不同，曲线特征各异。

1. 三角洲平原亚相

由分支河道、废弃河道、天然堤、决口扇、沼泽和分支间湾等微相组成。岩层组合为砂岩、

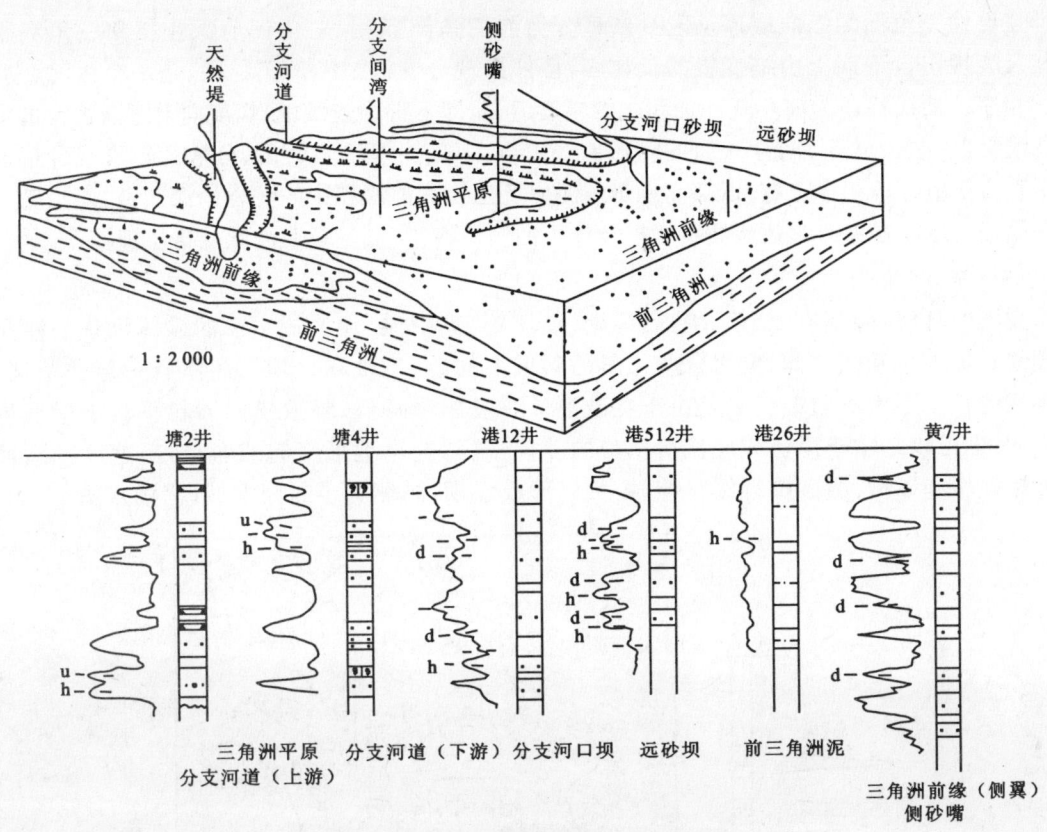

图 2-85 三角洲环境模式及典型曲线
(据陈立官,1983)

粉砂岩、泥岩、泥炭、褐煤交互层。其中主要的骨架砂岩是分支河道微相,它具有河道沉积的正韵律特点,底部可有轻度的剥蚀,有泥砾;中部为砂或细砂,顶部为粉砂和泥交互。曲线为箱形或钟形,上部细齿增多,齿中线内收敛。底有渐变、突变两种。

2. 三角洲前缘亚相

可细分为分支河口坝、远砂坝及侧翼砂嘴 3 个微相。

(1)分支河口砂坝微相。

河流带来的沉积物以前积方式堆积在底积层上。坝的前方和上部受到波浪的筛选,颗粒变粗,分选变好,具反粒序特征。曲线形态为中到高幅漏斗形—箱形组合。在下部的前积式幅度组合部分,齿中线具外收敛特征。上部为加积式幅度组合,曲线形态为微齿形,齿中线水平。

(2)远砂坝微相。

位于分支河口砂坝前方较远的部位,这里仅在洪水期才有砂粒沉积。总的层序组合为泥、粉砂及少量细砂组成的多期反韵律沉积,虫孔发育。曲线特征为多个漏斗形曲线叠加,幅度自下而上逐次加大,形成前积式幅度组合,齿中线外收敛。

(3)侧翼砂嘴微相。

位于前缘砂的侧翼,距离河口物源较远,面临开阔水域,波浪簸扬充分,形成粗粒、分选好的多砂层层序。反映为高幅、层薄的漏斗形曲线与指形曲线的间互,齿中线有外收敛和近于水平平行两种。这种亚相主要发育在波浪和沿岸流发育的地区。

建设性三角洲的纵向层序从老到新可分为前三角洲亚相、三角洲前缘亚相和三角洲平原亚相。表现出自下而上由细变粗的反粒序，顶部出现分支河道砂的正粒序，是一个由海（湖）向陆的相序。曲线特征为前积式和加积式的幅度组合，即下部为连续的、幅度向上逐渐加大的漏斗形曲线组合；中部为幅度近于一致的箱形曲线组合；上部为厚度不大的、分散的箱形或钟形曲线与平直曲线组合。相标志有：下部前三角洲泥岩及三角洲前缘相中的泥岩为深灰色，而顶部三角洲平原相中之泥岩夹有黑色炭质页岩以及伴生的滨岸标志，如鲕粒及波状交错层理等。

（四）滩、坝相

属滨岸环境，包括有滩、坝、堤岛、泻湖、潮坪等，其中滩、坝构成主要的砂体沉积。滩是指低潮线到最大风暴线之间，向海（湖）倾斜的斜坡上的砂、砾堆积。坝则离岸有一定的距离，由砂堆成的长条形水下隆起。它是由于在破浪带波浪能量降低，释放出的砂粒平行于岸线堆积而成的；也可以是由于岸流或底流所携带的砂，在遇到近岸地形隆起或弯口处，速度减缓而形成近岸砂坝和砂嘴，当砂嘴继续延伸时，可以形成堡坝，内侧为半封闭水域（泻湖）（图2-86）。

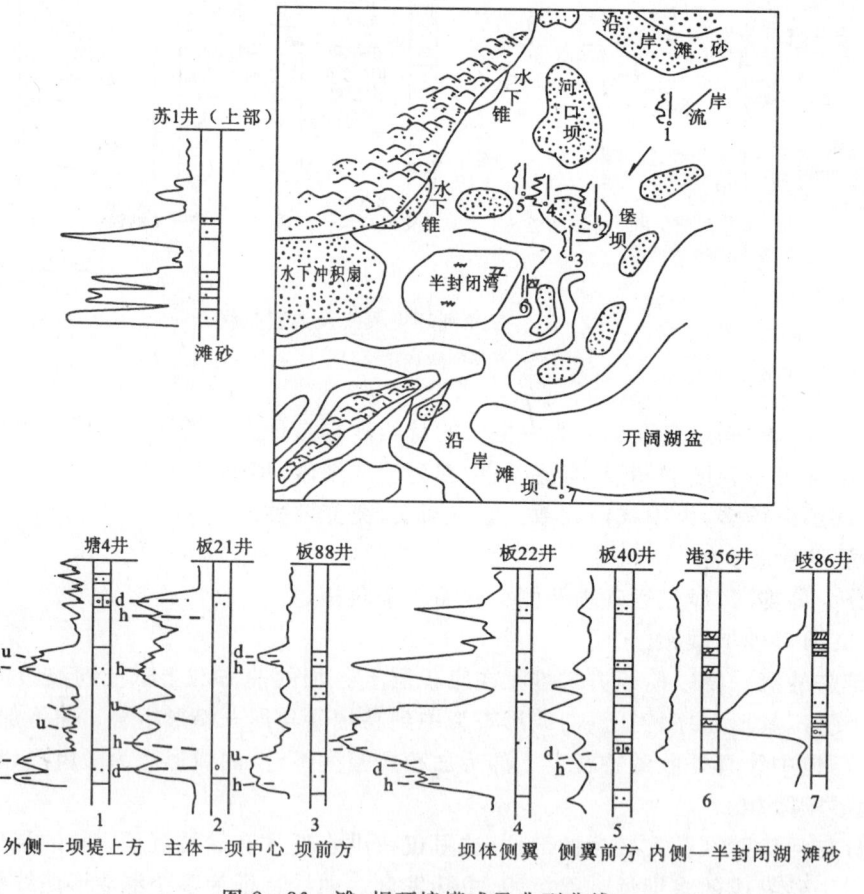

图 2-86 滩、坝环境模式及典型曲线
（据陈立官，1983）

1. 滩

滩在缓坡处发育，为分选好的中到细砂沉积，在河口附近形成的滩砂，可以发育多期，为中到高幅的齿形或指形曲线组合，从其包络线的前积、加积、后积类型可以帮助判断出岸线的向海推进、持续以及向陆退缩等变化。对于物源匮缺地带的滩砂,可以从曲线的漏斗形或钟形形态来判别岸线的变化。前者与坝在曲线上难以区分,可以依据其岩性组合及相标志来分辨。

2. 坝

坝体的岩性组合为由下而上碎屑颗粒加大、分选变好的多层砂层组成,曲线为漏斗形。对于底流携砂在近岸形成的砂坝,其岩性组合特征是,下部为正韵律的水道沉积砂岩,上部为反韵律的坝体沉积砂层。坝中心的曲线特征是下部呈箱形或钟形,齿中线内收敛,上部为漏斗形,齿中线外收敛,组合成一顶、底突变的箱形轮廓。

岸线的变迁形成滨岸环境的纵向岩性组合顺序。如在水进时,其纵向层序自下而上为河道相、冲积平原相、滩砂相、半封闭水域相、堡坝内侧相、堡坝中心相、坝外翼砂滩相和浅海陆棚相。曲线相应为中幅钟形曲线、平直段、漏斗形曲线(有底流时为箱形)和指状曲线。实际上岸线进退变化很大,而且沿岸堡坝也各式各样,所以组成的纵向层序会更复杂些,但曲线仍为指形、钟形和漏斗形组合。

(五)水下扇相

位于盆地陡岸,由山洪携带碎屑经山口直接流入盆地形成的一个水下扇形体。搬运能量强,以间歇性洪水流和末期形成的浅水密度流为特征(图2-87)。水下扇分扇根、扇中和扇端

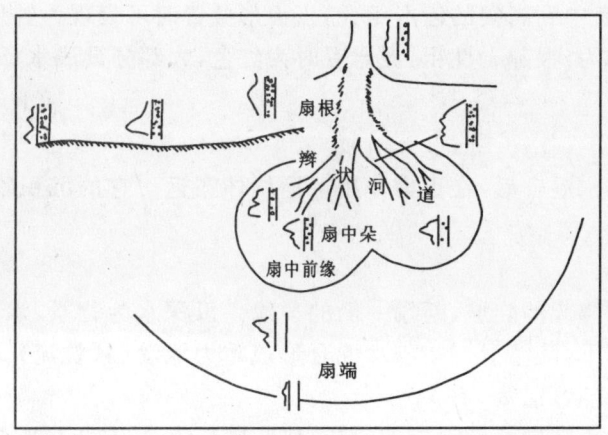

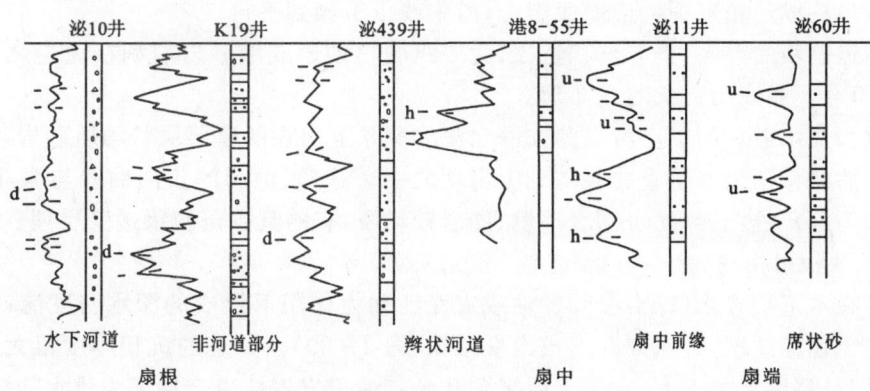

图2-87 水下扇环境模式及典型曲线

(据陈立官,1983)

3部分。

1. 扇根

在扇根河道部位发育薄层的、密集的、具有递变层理的砂砾岩。曲线为一套低幅的正向齿形组合，齿中线下倾。堤岸部分受到浅水波浪不甚充分的改造，分选变好，单齿幅度加大，以齿中线下倾为主。

2. 扇中

扇中部位辫状河道发育，具递变层理的砾状砂岩和块状砂岩沉积。辫状河道砂坝的多期叠置，形成中到高幅齿化的箱形或钟形曲线，齿中线水平或相互平行。

扇中前缘为具有交错层理的砂岩前积于水平纹层粉砂岩之上，侧向延伸好，河道特征消失。砂体前积为中幅齿化的漏斗形曲线，齿中线平行。

3. 扇端

与扇中前缘一样均属于浅水密度流沉积，具有不完全的上部鲍马层序，为薄层粉砂岩前积于块状砂质泥岩之上。曲线为低幅分散齿形，齿中线上倾或水平。由于扇根位置受地形及构造控制，因而水下扇在层序发育上继承性很强，岩性纵向组合有向上变粗的，也有向上变细的，还有混合的方式。在扇体的大部分面积上，一般为向上变细、能量消退的后积式组合，但也有向上变粗的岩性组合，它代表水下扇的前积特点，曲线为前积式幅度组合。总的曲线组合形态与冲积扇类似，为大套中到高幅的齿形组合，当齿形叠置时可表现为钟形、箱形和漏斗形。

水下扇的相标志为：根部岩性粗，泥岩有时为红色，大部分具浅水标志，即有波状层理和鲕粒。

（六）重力流沉积

重力流指碎屑和水混合后，在重力作用下呈块体搬运。它的沉积物分布形式有水道沉积和扇体堆积两类。

1. 重力流水道相

多发育在水下古隆起的陡坡、断坳一侧的边缘。以深水为背景，水道有较大的坡度，在间断的灾变性动力作用下，陡坡滑塌物与水混合形成重力流动（颗粒流）。水下河道砂坝沿水道方向延伸，断面为透镜状（图2-88）。

水下河道砂坝为由多层叠置形成的均质、块状砂岩组合，与下伏泥岩呈突变接触。曲线为中到高幅微齿构成的箱形到钟形曲线组合，齿中线由下倾到平行。

水下河道砂坝的前端，具有前积特征，为较粗的粉砂岩或细砂岩前积在泥岩之上，是多层的砂、泥岩组合。曲线为齿化的漏斗形。

水下重力流水道相的层序特征为在深水泥岩背景上出现的厚层块状均质砂岩，与砂、泥岩间互沉积。曲线特征为在平直曲线基础上出现的一套箱形、钟形的正向曲线与漏斗形曲线组合。相标志为深灰色泥岩，代表深水环境，砂岩较均质，有的具少量粒级递变层理。

2. 深水浊积扇相

多发育在水下峡谷出口处，在阵发性或灾变性动力作用下形成的深水密度流，穿过峡谷，在出口处由于速度减缓，迅速铺开形成扇形堆积（图2-89）。其总的沉积厚度很大，有几百米或上千米，但单层厚度并不大，由几十厘米到几米。浊积岩岩性组合特征为浅水陆源碎屑沉积与深水页岩所组成的韵律层，单层碎屑沉积多具有粒级递变层理。

深水浊积扇相可细分为根部亚相、中心亚相及边缘亚相。根部亚相分布在深水峡谷中，为

2. 地球物理方法

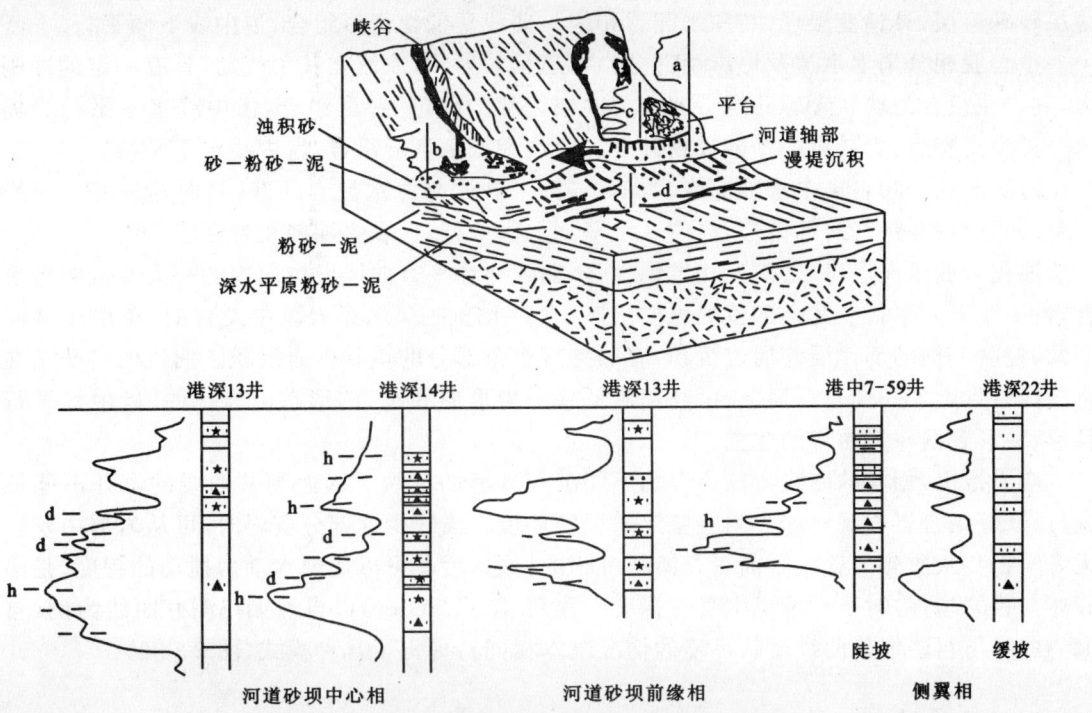

图 2-88 重力流水道环境模式及典型曲线
（据陈立官，1983）

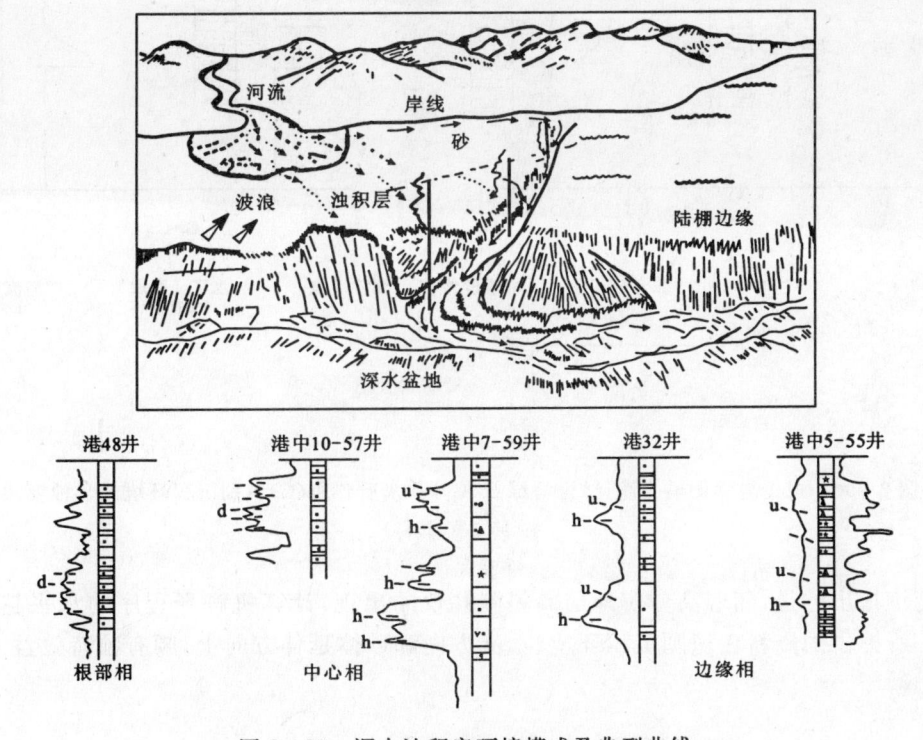

图 2-89 深水浊积扇环境模式及典型曲线
（据陈立官，1983）

薄层砂砾岩层,具递变层理,与深水泥岩相间。曲线呈低幅齿形组合,齿中线下倾平行。

中心亚相分扇上水道及堤岸两部分。水道呈放射状,浊流在其中流动,具有一定的冲刷能力,其岩性组合为块状含砾砂岩。曲线为中幅齿化的箱形、钟形组合,齿中线水平平行。堤岸部分具漫流特点,为灰质的细砂或粉砂岩。曲线为低幅齿形组合,齿中线水平平行。

边缘亚相分布在扇中水道前缘,为薄层粉、细砂岩与深水泥岩间互,侧向延伸好。曲线为中到低幅的漏斗形和对称齿形,齿中线水平到上倾平行,代表多期前积特征。

浊积岩的纵向层序,根部亚相继承性强,曲线为在平直曲线段中出现的一大套低幅齿形组合,齿中线下倾平行。其余部位的纵向层序,为一大套在深水泥岩段中发育的,单层厚度向上变薄、粒度变细的韵律层碎屑岩沉积,有的夹有水道部分的块状砂岩沉积。曲线的特征是在平直曲线背景上的一套自下而上、由高幅到低幅的齿形曲线组合,形态由齿化的、齿中线平行的箱形、钟形到漏斗形曲线的叠置。

应当指出,相同的曲线特征可以是不同沉积环境的反映。因而测井曲线的解释不能孤立进行,最好结合岩心观察和古生物鉴定来识别环境。当缺少这部分资料时,可从岩屑中鉴别有无海绿石和灰质碎屑存在。前者是海相沉积的标志,后者可以反映水动力搅动的程度,是筛选好坏与否的指标,对于环境识别甚有帮助。赛列(R. C. Selley)以自然伽玛测井曲线为例(自然伽玛曲线与自然电位曲线反映环境的情况基本相同),提出了几种模式(图 2-90)。

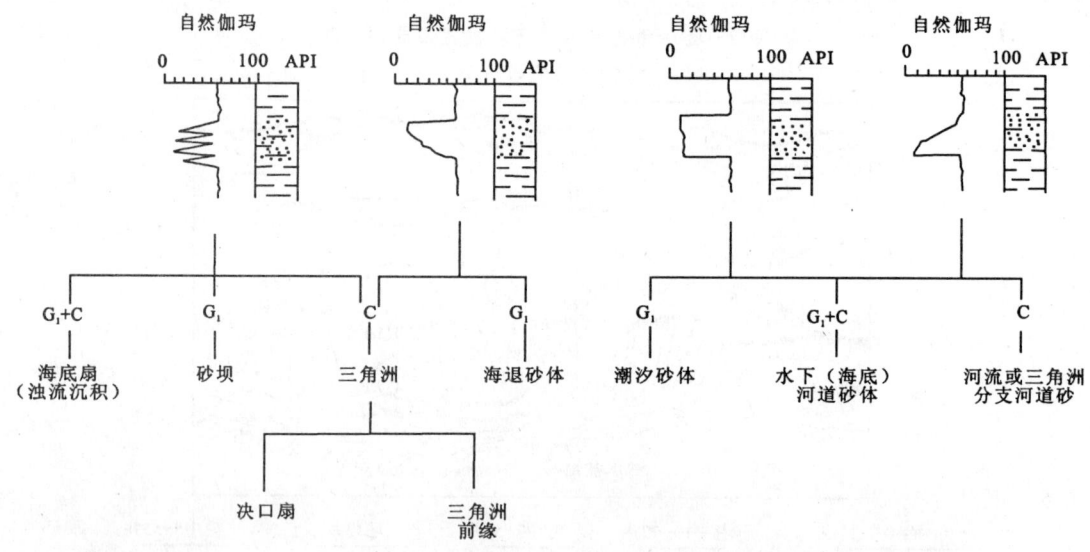

图 2-90 根据自然伽玛曲线,结合海绿石(G_1)和灰质碎屑(C)识别沉积环境的几种模式
(据陈立官,1983)

还应该指出的是,随着高分辨地层倾斜测井仪的出现,计算机解释程序的水平越来越高,倾角测井所提供的资料在识别沉积环境、水流方向和砂体延伸方向上,颇有独特效益。

3. 地球化学方法

3.1 地球化学勘探基本原理

　　油气藏中的烃类物质在各种动力作用下,沿着裂隙网络垂向微运移至近地表,引起地球化学效应、物理效应和生物效应等,地球化学方法就是借助于精密的分析仪器和先进的实验测试技术从土壤、岩石、气体、水体及植物等介质中检测烃及其伴生物和蚀变产物,根据浅层地球化学效应特征,结合石油地质和地球物理成果,预测和评价有利的含油气远景区带,指出油气勘探靶区和钻探目标。

　　油气地球化探方法可分两大类:一类是以探测烃类成分和含量为主的称直接地球化学方法,包括土壤吸附烃类(又称酸解烃)、土壤吸附丝(热释烃)、紫外吸收光谱和荧光光谱、甲烷稳定碳同位素等;另一类是以探测烃类与上覆沉积岩层反应物和效应的称间接地球化学方法,包括土壤蚀变碳酸盐(ΔC)、微量金属元素测量等。

　　化探测量易受土壤、岩性、季节以及样品处理等条件的影响,其中酸解烃和 ΔC 效果好于其他方法。另外,烷烃类各参数相关系数较大,异常范围大于油气藏的范围,但其高值区也未必都对应地下油气藏,很多高值区是由于油气藏破坏而导致的烃类气体泄漏造成的,荧光在油气上方常呈顶部正异常,在油气藏地区,金属异常一般很微弱,且具多解性更大,它们不能成为预测油气藏的主要信息,只起辅助作用。

　　油气藏类型不同,可以形成不同的地球化学异常模式。我国绝大多数含油气盆地地下水为闭流型。一般来说,盖层是水润湿系统,在地层温压梯度驱动下,地层水可以携带其溶解组分透过盖层向上运移,从而形成垂直运移强度在油气藏的边水环部位大于油气藏顶部的初始格局,所以异常的基本模式呈环状(图3-1,背斜油气藏)、半环状或条带状(图3-2,断块油气藏)及顶端异常(图3-3,油气藏范围小)。

3.2 化探在油气勘探中的作用及地质意义

3.2.1 化探在油气勘探中的作用

一、预测盆地的含油气远景

　　在油气资源勘查的初期阶段,投资具有极大的风险性。充分发挥化探的先导作用,根据近地表烃类的富集程度和变化特征,能快速评价沉积盆地的含油气性及构造概况,达到降低成本、缩短油气田发现周期的目的。

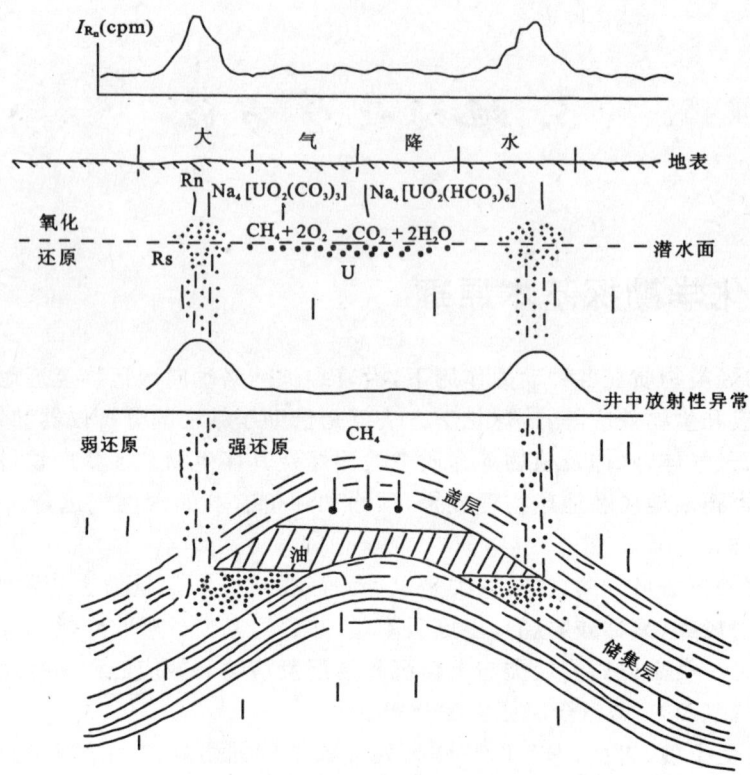

图 3-1 构造油气藏化探异常模式图

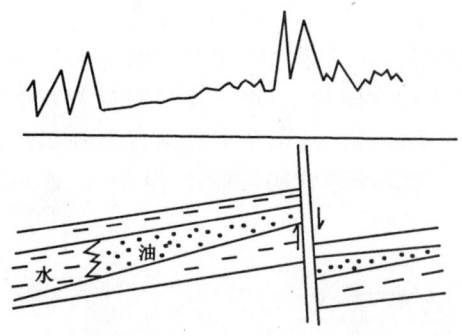

图 3-2 断块油气藏化探异常模式图

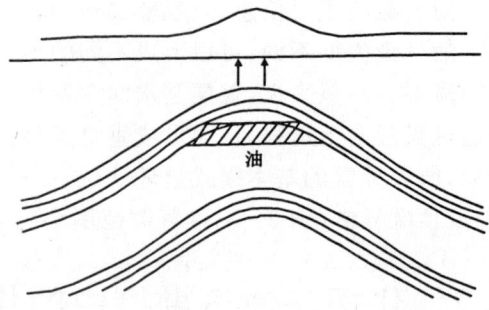

图 3-3 小型油气藏化探异常模式图

二、指出油气富集的有利区带

在具备找油气条件的盆地内进行化探普查,研究近地表不同介质化探指标的空间变化规律及其与油气的关系,在区域地球化学背景衬托下,圈出综合异常带,为油气勘查缩小了靶区。综合异常带是盆地内进行油气勘探最有远景的地区。

三、评价圈闭或区块的含油气性

在油气勘查中发现圈闭或有利区块后,利用化探详查技术,根据化探主要指标的组合、结构和分布规律,对圈闭分类、排序、优选后,再进行钻探,加快了圈闭评价的步伐。

四、圈定油气田的范围

根据前期化探工作的有效指标,在化探精查中增加判别指标,结合地质、物探成果进行综合分析研究,以浓度异常、衬度异常、结构异常、组构异常及梯度异常为基础,利用模拟技术圈定油气田范围或指出油气田外扩方向(面积),并鉴别烃类的性质,可以为油气田滚动勘探与开发提供地球化学依据。

五、化探的钻前预测、随钻预报和钻后评估

以油气地质、地球化学及油气微运移理论为基础的井中化探,主要研究烃类气体和芳烃在纵向上的变化特征与配置关系,已建立了盖层识别指标、油气层预测指标、储层流体评价指标、油气性质判别指标及油气层异常模式,能及时预测待钻地层的含油气性,评价钻遇的油气储层,提供中途测试与完井试油层位及进行区域含油气层对比。

3.2.2 不同化探异常的地质意义

化探方法在不同勘查阶段具有不同的作用,反映为不同异常具有不同的地质意义。油气化探遵循先区域后局部、调查比例尺由小到大的原则,按照勘查阶段逐步缩小目标的程序进行工作,通过圈定不同级次和不同测量精度的异常,逐渐逼近油气藏的空间范围,达到寻找油气藏的目的。不同级次的异常,反映了不同的油气信息。

一、区域异常

区域异常是在沉积盆地范围内通过化探概查(比例尺 $1:50\times10^4 \sim 1:100\times10^4$;网度:线距 $5\sim10km$,点距 $1\sim2km$;密度 $0.1\sim0.4$ 点$/km^2$)、以盆地背景为基础圈定的异常,异常控制范围大(一般为盆地面积的 $1/2\sim1/3$),主要反映了盆地内部化探指标的分布特征和变异程度及其与油气的相对关系。区域异常是盆地含油气远景评价和分区的依据之一,高衬度异常,说明盆地具有良好的找油气远景。

除全球异常外,区域异常是当今油气化探空间范围跨幅最大的宏观异常。

二、区带异常

区带异常是受区域异常控制的次一级化探异常。通过化探普查(比例尺 $1:10\times10^4 \sim 1:20\times10^4$;网度:线距 $1\sim2km$,点距 $1km$;密度 1 点$/km^2$)、以区域背景为基础圈定的异常,面积一般为 $n\times10\sim n\times10^2 km^2$,有一定的延伸方向,集中出现在背斜带、断裂带、挠曲带、长垣及不同构造单元交汇处,主要反映了盆地内油气聚集的有利区带。异常是由指标组合、形态类型、级别与规模不尽一致的多个独立异常组成的复合异常区(带)。区带异常为油气勘探选区提供了依据和方向。

区域异常和区带异常都属于宏观异常范畴,不是具体油气藏的反映。

三、局部异常

局部异常是受区带异常控制的次一级油气化探异常。通过化探详查(比例尺 $1:5\times10^4$;网度:线距 $0.5km$,点距 $0.5km$;密度 4 点$/km^2$)、以地域背景为基础圈定的异常,面积一般为

$n\sim n\times 10km^2$，主要反映了局部构造或圈闭的含油气性。异常指标组合稳定，主要指标强度和衬度高，形态类型复杂多变。局部异常为优选圈闭（勘探目标）或圈闭的分类排队提供了依据。

四、矿置异常

矿置异常是受局部异常控制的次一级化探异常（包括油气田异常和油气藏异常）。通过化探精查（比例尺 1：5 000～1：2.5×10^4，网度：线距 0.1～0.25km，点距 0.1～0.25km；密度 16～100 点/km^2）、以局部背景为基础圈定的异常，面积一般为 $n\times 10^{-1}\sim nkm^2$，主要反映了油气藏（田）的存在与有效范围。异常指标组合和配置关系有序，主要指标的强度和衬度高，且稳定，组成环、块或环块结合的复合型形态类型。矿置异常是钻探布井的有利部位。

上述不同级次异常之间具有依次控制的关系，油气化探从区域调查到发现油气田是一个连续（系统）勘探的程序。就一个盆地而言，并非是必须按勘探阶段逐一进行工作，但不能用前一阶段的工作要求完成后一阶段的任务。

3.3 地表直接地球化学方法

3.3.1 土壤吸附烃类（酸解烃）

甲烷及其同系物是油气中最易迁移的烃组分，在微运移过程中，它们以分子的形式通过断裂、裂隙、可渗透地层等向地表迁移时，除一部分在运移过程中被氧化和逸散到大气外，有相当一部分烃类气体吸附在矿物颗粒表面或进入矿物晶粒中。酸解烃主要是研究吸附在矿物颗粒晶格中的轻烃总量，它并不能完全反映地下烃的存在形式，因为有相当一部分是土壤本身固有的。低能吸附烃测试技术，通过处理后加热不加酸的方式，在不破坏土壤结构的前提下，测得介于游离烃与酸解烃之间的一种烃。对该参数的分析，能获得油气运移至地表的信息。

吸附指的是气体在固体表面的浓集现象，固体表面与气体分子连结的牢固程度用吸附能来度量。因为吸附是一种自发的作用，所以吸附时放出能量。如果要使被吸附的分子重新回到自由状态，就至少需要给它相同的能量，固体表面对气体的吸附能力不是均匀的，在某些地点吸附能力大，叫优先吸附位置，其他面积上无吸附能力，这种特别能吸附的地点可能与晶格位错有关。当存在几种气体时，吸附能大的分子优先争得位置，如原先已被吸附能小的分子占有，则后来的吸附能大的分子也会将其挤出而取而代之。这一现象给吸附烃油气化探带来两点启示：①土壤的吸附能力与其吸附历史有关，同样的土壤，如吸附了大量吸附能低于烃气的分子，则它被活化了。相反，如果它的表面已经被吸附能大于烃分子的气体占满，它就被钝化了；②有可能利用吸附能大的气体将吸附的烃取代出来而达到测定的目的。

同种吸附剂对同种气体的吸附能力与温度有关，通常成反比关系。因此升温往往作为一种解吸的手段。在描述吸附规律时，总是将温度固定，求得等温吸附线。在等温条件下，被固体吸附的分子数量与该分子在气相中的浓度成正比，这就是利用吸附烃找油气的根据。

影响土壤对烃类吸附量的因素，曾作过大量定性的研究与报导，综合起来有：①土壤的成分。有机质比纯粘土吸附烃的能力大 50 倍，而粘土又比细砂大 100 倍。对金属离子有很大吸附能力的铁锰氧化物，在石油化探中研究甚少；②土壤粒度，细粒土壤吸附能力大，这是众所周知的；其实粒度大体上是由成分决定的；③土壤的湿度，实验表明，H_2O、CO_2 分子比烃类更易被吸附，所以，水饱和的土壤，吸附烃含量降低；④土壤的厚度，一般来说厚层土壤具有较长的历史,吸附机会较多,而薄层年轻土壤则吸附烃较少,相反保存了较多的基岩碎屑;⑤气候与季节的影响,细菌对吸附烃的破坏不可低估,更严重的是上述因素有的在小范围内就急剧变化,表现出很大的不均匀性,使取样的误差很大。

3.3.2 土壤吸附丝(热释烃)

吸附丝测量方法检测的主要是新鲜样品中游离状态或弱吸附的烃气,该方法累积效应好,信息量大,可检出 C_5—C_{15} 之间的 30 多种化合物。在以往的应用中,通常是从 30 多种化合物的指标中优选几个单指标或一些组合指标进行分析解释。事实上,地层不是一个均质体,油气在向上微渗透时,由于不同岩性的影响,以及地表的沙土、粘土的吸附差异,导致在地面各个化探点所反映的信息量也不同,这样就不可避免地对化探解释产生了干扰。但是,由于运移到地表的油气信息的组分是相对稳定的,根据这些指标之间的相对量,以无量纲的形式进行分析,就可在已知油田上建立一种模式,即指纹。这种方法可以克服以上因素的干扰,比较真实地反映地下油气信息。

3.3.3 紫外荧光与紫外吸收光谱

原油和沥青在紫外光照射下发出可见的黄绿色荧光,这是野外和井场为检查油迹、油斑通常使用的方法。为了使荧光法成为精确的分析手段,必须控制光源的强度与波长,用光电元件测定特定波长的荧光强度。

紫外荧光的装置简图如图 3-4 所示,已知直链烷烃没有紫外荧光,而芳烃具有特征的紫外荧光光谱。作为激发光源,通常使用高压氙灯或高压汞灯。通过单色器,选择特定的波长照射到样品池。样品激发出的荧光,在入射光的垂直方向上观察。通过单色仪,选出需要的波长,用光电元件即可记录到荧光光谱图。目前在油气化探中常用的是定点测量,即在固定几个波长上测定其强度。例如,用 220nm 的波长激发,接收 240nm、280nm、360nm 等波长上的荧光强度。当激发光谱与荧光光谱同时进行扫描时,可以得到三维荧光记录,从中可以取得有用

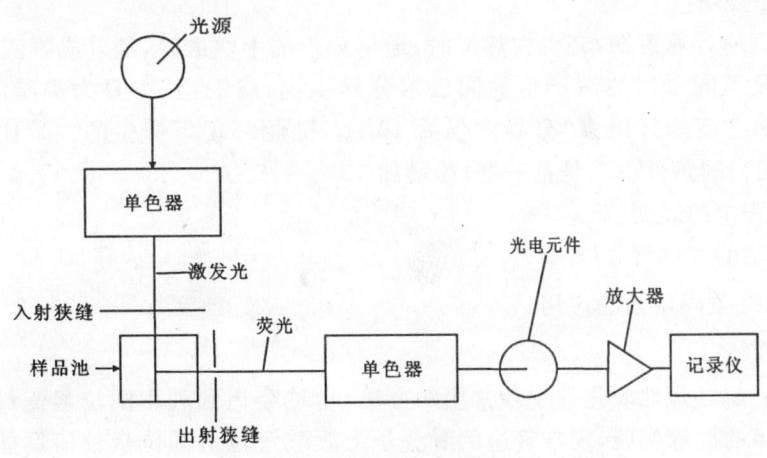

图 3-4 紫外荧光仪简图
(据阮天健、费琪,1991)

的信息,可望成为化探的一种新方法。

紫外吸收分析的装置如图3-5所示,与荧光不同之处在于观察方向与入射线一致,测定的数值是入射线通过样品池后强度的减弱比例。虽然仪器比较简单,但由于吸收光谱的专属性较差,在油气化探中应用尚不广泛。

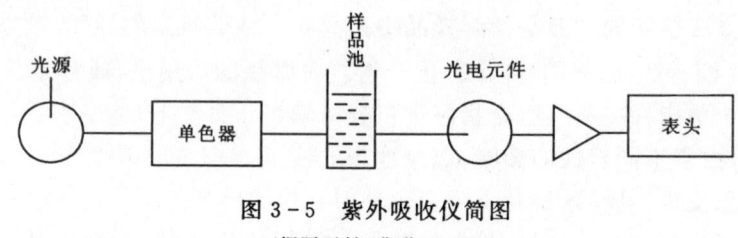

图3-5 紫外吸收仪简图
(据阮天健、费琪,1991)

3.3.4 甲烷稳定碳同位素

一、引起甲烷碳同位素变化的因素

甲烷碳同位素的变化幅度最大,影响因素也最多。甲烷碳同位素用符号 δC_1 来表示,只要它能够完全从样品中分离出来,并且100%地回收,则在测定过程中的同位素分馏就可不予考虑了。现将自然因素讨论如下。

1. 甲烷成因

甲烷有3种基本成因:①细菌生成或叫生物气;②热裂解产生;③原始甲烷,即地球形成时所含的甲烷,其同位素值最重。

2. 母质同位素的差别

从不同碳同位素的母质中产生的 C_1 具有不同的 δC_1,但 δC_1 与母质的同位素有重大差别。因此,不能用来对比气源。

3. 成熟度的影响

由实验及理论计算可知,有机物热解时,最早分出的甲烷最轻,随着成熟度增加 δC_1 变重。另一重要规律是不同母质热解产生的同位素分异不同,腐泥型(主要为类脂质)分异度可达30‰,而腐殖型(主要为纤维素)分异度仅为10‰。陆相环境下产生的 δC_1 比海相环境下的 δC_1 在成熟度相当的条件下总是重一些,约增加10‰~15‰。

4. 迁移过程中的改变(略)

5. 不同 δC_1 的气体混合(略)

二、异源甲烷碳同位素的应用

1. 土壤酸解烃

由于土壤酸解烃是地表化探中最常用的方法,自然会想到利用同位素资料来判断异常成因。经过几十年的勘探实践,现在普遍的看法是土壤酸解烃的同位素数值不能代表地下天然气的同位素组成,所以应慎用。

2. 水溶烃

从水中脱出的甲烷,可能因为动态平衡关系,滞留时间短,故能较好地保持原同位素组成,不同类型地下水中脱出的甲烷 δC_1 值分布范围为 $-26.56‰\sim-91.98‰$，据统计，油藏水及与油气藏有关的异常水的 δC_1 变化从 $-26.56‰\sim-44.6‰$，而生物作用产生的水中甲烷 δC_1 为 $-57.03‰\sim91.98‰$，据此，就可以判断水中烃异常的来源。

3. 岩心脱附烃

在探井中取出的岩屑或岩心，有时含有大量的烃类，而且基本上未受地表作用的影响，因此，保存着原始的同位素比例，对探井岩屑脱气进行 δC_1 测定，可以进行各种对比和成因研究，同时也给地表化探异常解释提供了依据，是提高油气化探的重要一环。

4. 天然气直接取样

如果能取得天然气样，则用其中的 C_1 判断其成因是比较直观的，但对于新区的地表化探来说，只有在遇到气苗时才有这种机会。在解释天然气中 C_1 的同位素时，如能同时分离出 CO_2，并测定其中的 $\delta^{13}C$，利用这两个参数可得到更多信息。

3.4 地表间接地球化学方法

3.4.1 土壤蚀变碳酸盐（ΔC）

土壤蚀变碳酸盐（以下简称 ΔC）是 20 世纪 30 年代由 E. DeGolyer 等人开发的一项地表油气化探指标。所谓 ΔC，就是土壤样品在 $500\sim600℃$ 这一特定温区内释放的 CO_2。

ΔC 法的基本原理与其他油气化探方法一样，是基于烃类的垂向渗漏。不同之处在于：ΔC 法观察的对象不是烃类本身，而是烃类在地表受到氧化破坏后的产物。因为氧化产物具有累积性，从而避免了瞬时变化，所得结果比较稳定，但同时也带来了一些不利因素，如异常衬度低、干扰因素多等。

渗漏到地表的烃类可以引起多方面的异常现象。碳酸盐的生成与积累是广泛而又最易观察的一种，其次还有磁铁矿、黄铁矿及褪色现象等。因此，ΔC 异常往往伴有其他物、化探方法的异常，成为综合勘探的基础。

必须指出，烷烃，特别是作为主要成分的甲烷，在地表条件下可以和 O_2 长期共存而不起反应，只是在细菌或其他触媒存在时才能被氧化，因此烃类的氧化是 ΔC 形成的先决条件之一。有时，很强的烃类异常却并不伴有 ΔC 异常，就是因为烃类未曾氧化。

CO_2 的收集办法有冷阱收集法、溶液吸收法、恒压密封法等几种。CO_2 的最终测定方式有气相色谱法、滴定法、红外吸收法、质谱法、热失重法等。

ΔC 异常在平面上受烃类垂向渗漏位置和烃类氧化及保存条件的双重控制，所以在一般情况下可沿用烃类异常的环形模式。图 3-6 为泌阳凹陷双河油田上方的 ΔC 异常剖面，可以明显地看出 ΔC 异常在油田的外围。这可作为异常解释的一般性参考。当油田很小时，环形异常常压缩为顶部异常。深部断裂可使烃类大量渗出地表，因此 ΔC 异常沿断裂出现线状或带状异常。如有圈闭条件，可出现如图 3-7 所示的异常。此外，在土壤性质、景观状况、油气藏类型等条件的影响下，其形态十分复杂，在解释时必须综合考虑，才能少犯错误。

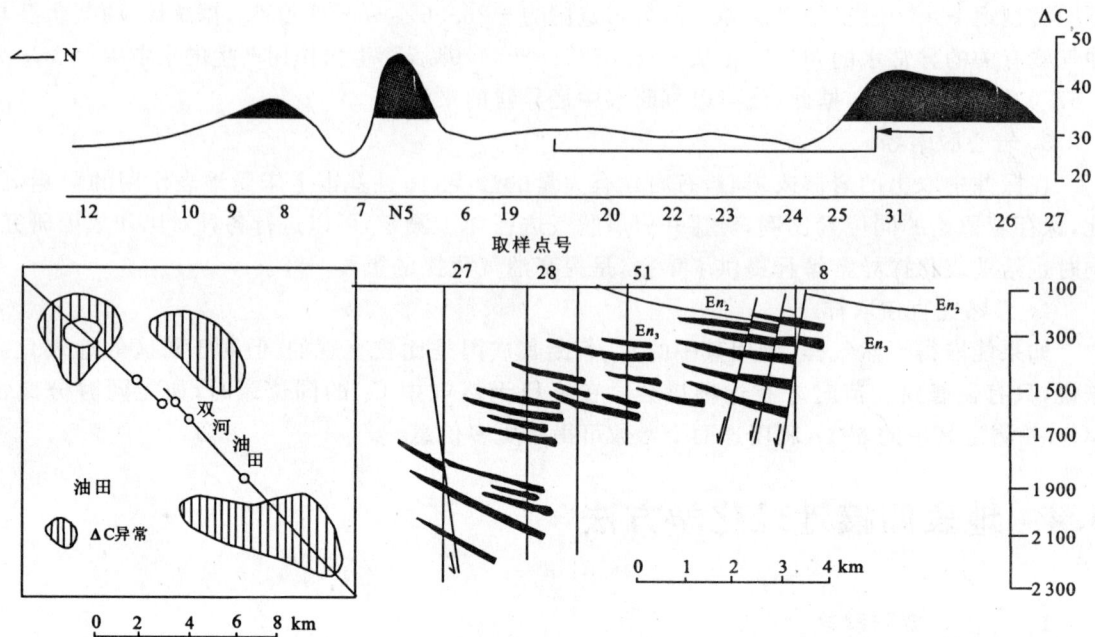

图 3-6 双河油田 ΔC 异常分布图
（据阮天健、费琪,1991）

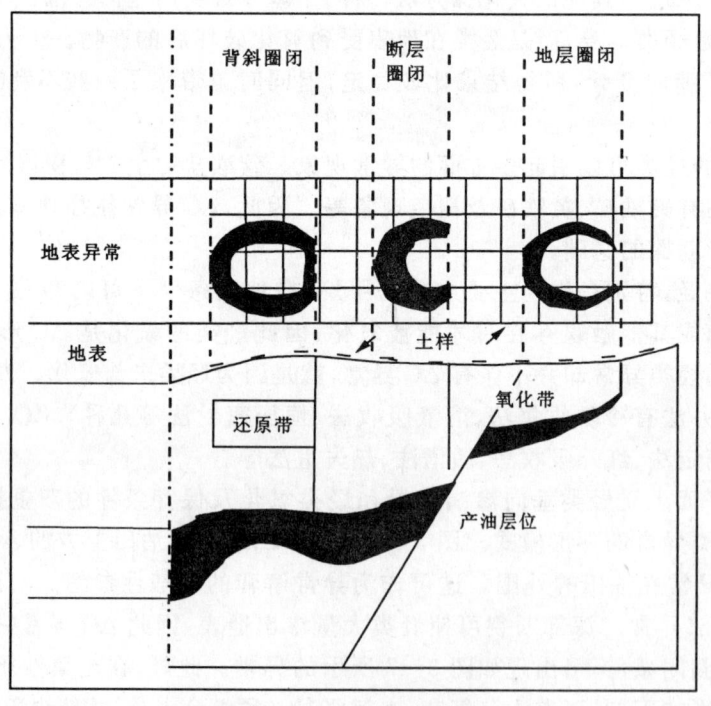

图 3-7 ΔC 异常平面形态图
（据阮天健、费琪,1991）

3.4.2 微量金属元素

一、碱土金属

碱土金属在沉积岩中具有很高的丰度,岩石与土壤的各种物理化学性质,如酸碱度、孔隙度,在很大程度上取决于这族元素的含量。下面简单讨论一下 Sr 和 Ba。

Sr 和 Ba 在地壳中丰度较高,能形成独立矿物,如重晶石、天青石等,但大部分分散在造岩矿物之中。在沉积盆地深部,由于温度升高,有利于 Sr 和 Ba 矿物的溶解,所以在盆地深部,沉积物中的 Sr 和 Ba 能进入溶液,在压实过程中向沉积体外围排出。已知油田水中含有很高的 Sr,如原苏联安卡拉-勒那油田水中含 Sr $6\,000\times10^{-6}$,新疆第三系油田上方甚至出现天青石($SrSO_4$)脉。可见,利用 Sr、Ba 指示油气是有一定根据的。

二、重金属

除了碱金属与碱土金属元素之外的所有金属都归入重金属,它们包含着几十种元素,是金属矿床地球化学勘探研究的主要对象,但在油气化探中它们的应用很有限,因为这些元素与油气都间接有关,大多数这种关系又未进行过认真的研究,只能根据已有的少量文献,作一简要介绍。

Fe 和 Mn 是最常见的元素,它们与油气的关系主要表现在价态的变化上。在大量烃类存在的条件下,由于细菌或烃类的氧化,造成很强的还原环境,在地表通常呈 Fe^{3+} 的铁离子,被还原成 Fe^{2+},而 Fe^{2+} 很容易溶于水中而被淋失。相反,当 Mn^{6+} 被还原成 Mn^{4+} 时则极难溶解,因此,在油田上方发生 Fe 的淋失和 Mn 的积累,造成异常高的 Mn/Fe 比。当铁的淋失严重时,岩石就会由红色变成白色,这种褪色现象在早先的化探文献中早已作过描述。

Dalzid(1980)还观察到,因为岩石土壤中 Fe 的淋失,导致植物中 Mn/Fe 也异常地高,成为生物地球化学找油的标志。

在微渗漏烃存在的条件下,S^{6+} 可能还原成为 S^{2-},而影响重金属的行为。因为 S^{2-} 与重金属的溶度极低,能使大多数重金属以次生硫化物形式沉淀,导致在油田上方某些重金属的异常。例如 Ni、V 等元素,在石油中可能生成有机金属化合物,如 Ni 卟啉、V 卟啉等,可随油气一起分散。当这些有机物分散到地表、解体时,析出的 Ni、V 等金属又被 S^{2-} 沉淀。因此,从理论上 Ni、V 可以作为找油标志,但实际使用时受到岩石、土壤背景含量起伏的干扰很大,故重金属用于找油气只能起补充作用。

3.5 井中地球化学方法

3.5.1 井中地球化学方法概述

井中油气地球化学勘探(简称井中化探)是用于钻井过程中油气储盖预测的一项新技术。除常规的气测井和放射性测井外,对岩心、岩屑、泥浆、涌水、油样及气样的系统地球化学研究,均可归入井中化探一类。该技术运用先进的分析测试技术,借助于计算机数据处理捕捉钻井岩屑(或岩心)提供的地球化学信息,研究地下岩石中不同赋存状态的烃类气体在地层中的分布特征和组成变化,进而分析研究地层岩石含烃量以及所含烃气的组分特征,研究烃类气体的运移机制,追索烃气在运移过程中遗留下来的"形迹",据此预测和发现油气。完善的井中化探方法包括现场样品采集、快速分析测试、快速数据处理和异常综合评价,在建立油气勘探异常判别模式的基础上,对油气生、储、盖快速及时预报,尤其对钻头前方的储层预测具有重大意义。使油气化探工作从近地表研究油气渗逸"形迹"和晕圈异常,进而从平面上预测目的层转向直接对目的层进行研究和预测,可直接寻找和发现油气。无论是参数井、勘探井、生产井,如能系统地进行井下地球化学研究,必能为石油勘探和油田开发提供更多的有用信息。

井中化探包括岩屑物上气轻烃法、酸解烃法、紫外荧光光谱法、甲烷稳定碳同位素法和模式综合判别法等方法系列。

3.5.2 井中化探油气特征响应

井中岩层中的物上气、酸解烃和荧光光谱均对油气的反映较为敏感,有较好的指示作用。已有研究结果表明,其油气敏感特征大致为:

(1)物上气 C_1—C_5 各指标丰度,反映地层岩石中游离烃或溶解态烃的相对含量,而且,井剖面中物上气轻烃异常往往与烃类储集层有密切关系,高背景下的高丰度异常是良好油气层的反映。图 3-8 是中国某油田储层岩屑物上气井剖面统计结果示意图,从图中可以说明这种关系。

(2)酸解烃中 C_1—C_5 各指标浓度,反映地层岩石中酸解烃的相对浓度。一般情况下,井的剖面中岩石酸解烃浓度呈现台阶式分布特征,酸解烃高浓度异常主要分布于油气藏的上覆盖层中,这种分布特征往往与烃源的性质、浓度及轻烃气体的运移和盖层的性质、压力等关系密切。

(3)荧光光谱相对强度指标,反映地层岩石中低环芳态烃的相对含量,井剖面上渗透性岩石的荧光光谱高强度异常往往是油气储层的反映。图 3-9 是中国某油田储层岩屑荧光光谱井剖面统计结果示意图,从图中可以说明这一特点。

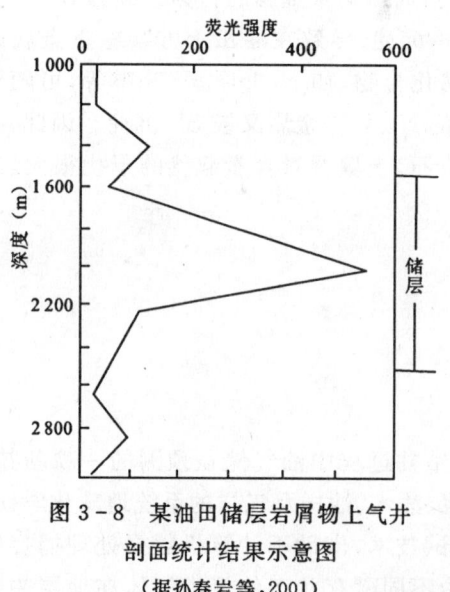

图 3-8 某油田储层岩屑物上气井
剖面统计结果示意图
(据孙春岩等,2001)

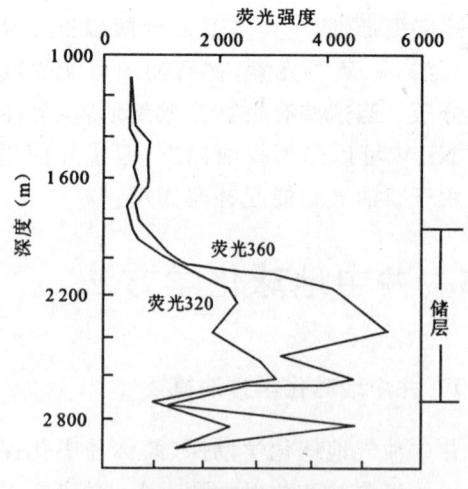

图 3-9 某油田储层岩屑荧光光谱井
剖面统计结果示意图
(据孙春岩等,2001)

使用井中物上气、酸解烃和荧光光谱之间的组合也可以标识油气储集层的相关信息:①酸解烃和物上气组合,作为油气藏盖层指标预测下伏地层的含油气信息;②烃类的组成特征和碳同位素分析结果均揭示其与深部油气藏具有亲缘关系,它不仅反映了油气层(藏)中的烃类气体存在着垂向微渗透和扩散运移的事实,还预示着下伏地层的含油气信息;③酸解烃高浓度异常和油气层上方盖层中荧光光谱强度增大,并伴随物上气的高丰度异常,往往预示油气层的出现;④酸解烃在油气层上方经常呈低的负异常特征,而在气层或含气层上方则表现为较高或中等浓度的异常,其浓度指标和比值在油气层范围内有独特的表现,是判别油气显示的重要指标。因此,化探多信息指标的综合研究对预测储集层油气的存在有重要的指示作用。

3.5.3 井中化探异常模式

物上气轻烷烃丰度、酸解烃浓度和光谱强度等并不随深度或距油气层距离的增减而线性变化。在不同的地层段中具有各异的地化场特征。因此,异常模式及判别应建立在相应的地层段中。根据前面所讲的井中化探油气特征响应,并结合塔北地区若干井井中化探总结建立如下井中化探异常模式。

(1)生油层化探模式:物上气轻烷烃类丰度高,酸解烃类浓度和紫外、荧光光谱强度均显示出较高的异常特征,主要反映进入生油门限后的生油层中自生自存的游离烃,岩石具较强的吸附能力及其较高的吸留烃浓度和油类的光谱强度较高的特征。

(2)油气层上覆盖层化探模式:由于盖层岩石致密、渗透性差、吸附能力强,使得从深部油气层中通过垂向微渗透或扩散运移的烃类气体在盖层岩石中得到相对富集,使之显示出酸解烃浓度特高、物上气烃类丰度和光谱强度低或不显异常特征。

(3)油气水层化探模式:储油层岩石主体为碎屑岩类,孔隙度大,易于游离烃类气体富集和保存。但因其吸留能力弱使之酸解烃浓度相对降低。直接显示油性的光谱强度在油层时高,在气层则为低值或不显示。其化探异常模式为物上气特高、酸解烃低异常或负异常,光谱强度高或不显(见图3-10)。油层与气层在C_1^+与C_1^+比率上有明显差异即油层高、气层低。水层中物上气、酸解烃、光谱强度均低或负异常。油气水层在不同地化指标及其组合配置上有差别,具有各异的地化模式。

3.6 油气综合化探工作方法

3.6.1 油气化探土壤样品的采集深度

如何确定油气化探土壤样品的采集深度,一直是国内外化探工作者十分关注的问题。贾国相等对不同沉积盆地、不同地表地球化学景观条件下取样深度进行了反复试验和实践,结果证明:必须结合本工作地区内地表地球化学景观的特点和分布条件,通过试验确定出合适的取样深度。

我国现有的沉积盆地主要有中生代沉积盆地和新生代第三系沉积盆地两大类。中生代盆地多为山区景观,地形切割,高差变化大,地表土壤分布极不均匀。在山上基岩出露,土壤覆盖少而薄,一般为几十厘米至1m左右,多为基岩风化残坡积土壤;山下多为低缓、平坦的丘陵区和经人工改造过的耕作区。地面水系发育,地表土壤分布广而厚,多为冲积物和运积物,一般

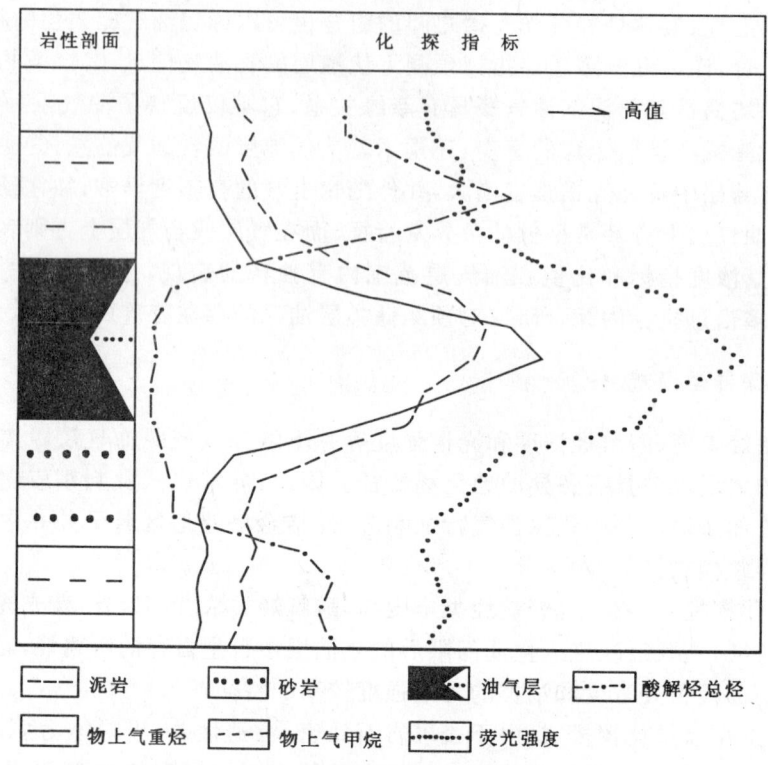

图 3-10 井中化探油气层异常模式示意图
(据汤玉平、丁湘玉,1997)

覆盖厚度 1m 到几米不等。新生代第三系沉积盆地优于中生代盆地,多属丘陵和平原景观。在丘陵地区,地形高差变化不大,土壤分布广而相对较均匀,普遍覆盖在几米至几十米左右,在平原地区最大覆盖厚度可达 300 多米。由此,不论是山区、丘陵还是平原景观,绝对不能采用统一的深度采集土壤样品。

在山上和山下(图 3-11A)选用同一个深度取样,山上采集到的样品大多数不是土壤,而是基岩风化物,样品不具代表性。用这类样品测试所获各项数据,不是因地下油气藏中各种成分扩散、迁移到地表土壤中富集起来的,而绝大多数是反映基岩本身的成分及其含量。甚至该成分含量通常高于本地区标准土壤的正常含量。若把这种高含量误看成异常,就会作出错误的解释和判断。在图 3-11B 中,根据工作区地球化学景观条件,再结合地表土壤的分布情况,正确的采样深度是:在山上取样深度既要能排除地表干扰,又要避免采集基岩风化物,以控制真正的稳定土壤层为限。若遇地表土壤极薄,宁可缺空,也不能勉强应付了事。在山下取样,一是土壤覆盖厚,二是地表污染也较山上严重,要采集到稳定土壤层,其取样深度无疑应比山上大。至于具体某一个地区的取样深度定多大才符合要求,试验研究的结果表明有如下规律。

一、中生代沉积盆地

在山区景观条件下,采集土壤样品的最佳深度山上为 70cm,山下为 200cm(图 3-12)。这是由于山上地表土壤几乎无污染,与油气有关的指标组分主要在 40~70cm 深度的土壤层中富集。而山下土壤有两个异常峰,深度 60cm 处的高峰为地表污染形成的干扰异常,只有深度为 200cm 处的异常峰,才是地下油气活动在地面的反映。

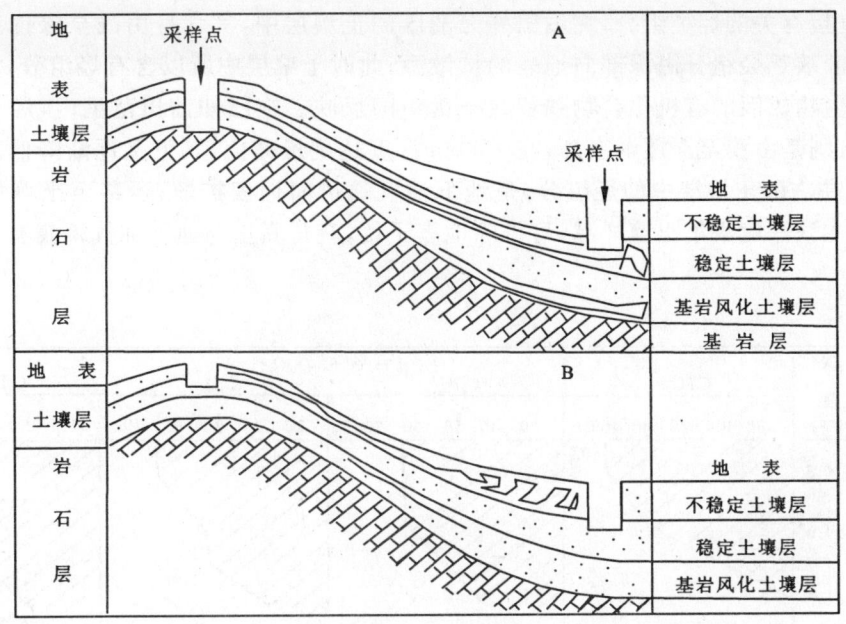

图 3-11 不同地形条件下的土壤取样深度示意图
(据贾国相,2000)

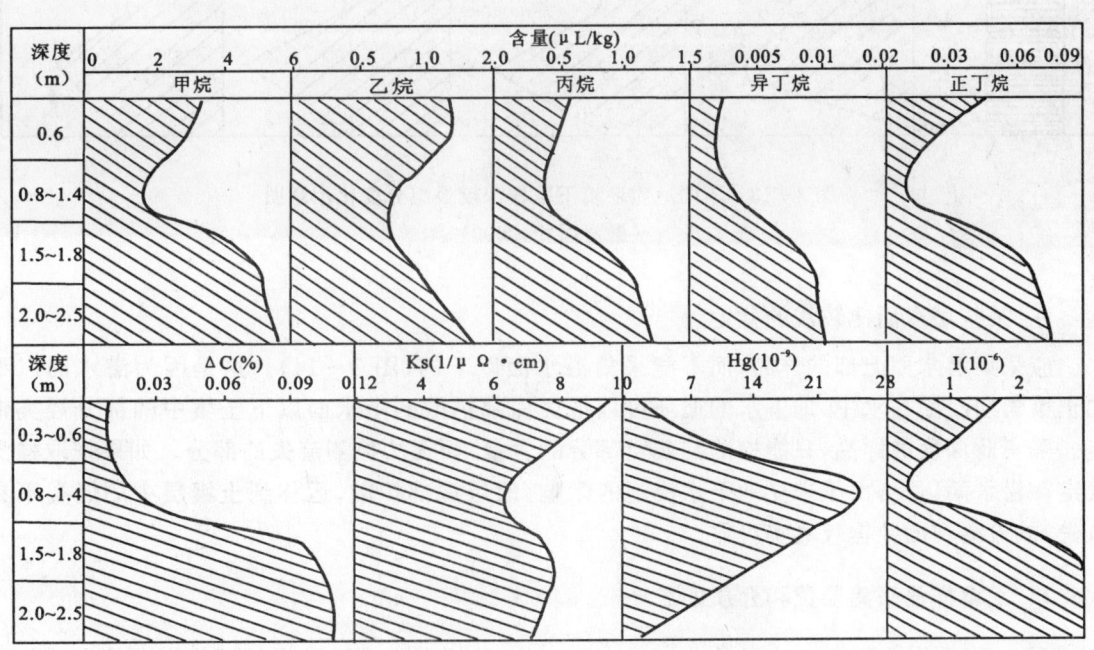

图 3-12 土壤深度各项指标含量变化图
(据贾国相,2000)

二、新生代第三系沉积盆地

在丘陵景观条件下,采集土壤样品的最佳深度一般在 150～200cm 左右。从图 3-13 可见,与油气直接有关的烃类组分,在油田外无油区的土壤层中,其含量由浅至深逐渐降低。这说明在无油区缺乏烃组分由深部向地表的扩散源,此时土壤层中所以含有烃组分,大多数情况是地面某些生物成因的有机化合物残留在土壤中的反映。在已知油田范围内,烃组分在土壤层中的含量,则是由浅至深逐渐变高,在150cm深度达到最高值,其下又逐渐降低。这表明埋深在150cm左右的土壤层中的烃组分,是地下油气通过向地表扩散、运移至土壤层中富集的结果。如果在该深度采集土壤样品,可排除地表干扰,获得真正与地下油气聚集有关的化探异常。

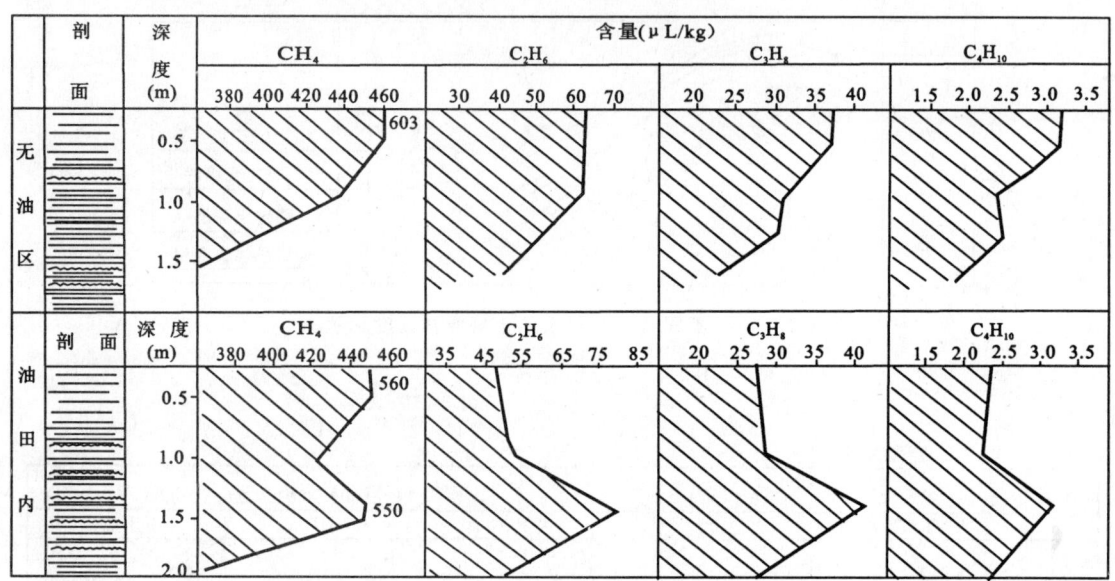

图3-13 不同地质环境下取样深度烃组分变化示意图

(据贾国相,2000)

三、某些潜水面比较浅的盆地

应采集潜水面上部的样品,而不能采集潜水面以下的(图3-14)。这是因为潜水面以下的土壤长期浸泡在水中,地下水的循环可以把由深部扩散到潜水面以下土壤中的部分烃类带走。采集此深度的样品,只能检测到残留部分的含量,而无法检测流失的部分。如果把取样深度定在潜水面以上,由于未受地下水浸泡的影响,地层深部扩散、运移到土壤层中的烃类不易散失,故检测到的数据较真实可靠。

3.6.2 土壤样品采集层位和介质的统一

在一个工作区内,确定出最佳取样深度后,还应注意尽量统一取样的层位和土壤介质。不同的土壤层位是由不同的土壤介质堆积而成的,而各种土壤介质对油气组分及其与油气有关的伴生非烃组分的富集作用都有一定的差异。在多数盆地内,第四纪覆盖的土壤介质主要可划分为砂土、亚砂土、亚粘土、粘土4种类型(表3-1)。由表3-1可见,有以下影响因素。

3. 地球化学方法

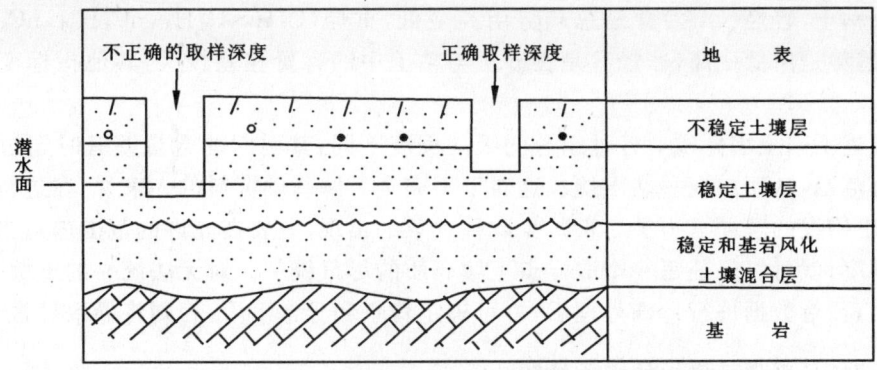

图 3-14 潜水面较浅盆地取样最佳深度示意图
(据贾国相,2000)

表 3-1 不同类型盆地土壤介质各项指标含量变化对比表
(据贾国相,2000)

盆地类型	采样地区	土壤性质	吸附烃含量(μL/kg)					非烃元素、指标					
			甲烷	乙烷	丙烷	正丁烷	正戊烷	Hg (10^{-9})	ΔC (%)	Ks (μV/cm)	Fe^{2+} (%)	I (10^{-6})	F (10^{-6})
小型盆地	百色盆地	砂土	3.98	0.60	0.41	/	/	1.90	0.06	1.04	—	2.27	
		亚砂土	3.73	0.46	0.30	/	/	2.61	0.04	1.48	—	2.18	
		亚粘土	4.69	0.86	0.44	/	/	2.14	0.07	2.13	—	1.54	
		粘土	4.80	0.90	1.91	/	/	2.90	0.04	4.14	—	1.52	
中型盆地	楚雄盆地	砂土		1.19	0.33	0.05	0.24	4.90	0.07	1.50	0.45	0.45	—
		亚砂土		3.57	0.44	0.04	0.17	3.50	0.06	1.40	0.36	0.36	
		亚粘土		2.73	0.13	0.04	0.16	4.81	0.05	1.40	0.28	0.28	
		粘土	3.85	1.48	0.09	0.01	0.04	4.40	0.04	1.16	0.24	0.24	
大型盆地	渤海湾阳信洼陷	砂土	380.30	49.80	15.04	2.55	1.00	5.30	0.78	43.00	0.50	—	88.00
		亚砂土	369.20	56.70	16.51	2.80	1.03	8.60	0.84	40.00	0.54		107.00
		亚粘土	342.00	59.30	17.34	2.94	1.02	8.40	0.97	48.00	0.56		141.00
		粘土	325.40	65.20	19.10	3.20	1.17	11.70	1.14	56.00	0.59		186.00
大型盆地	渤海湾临清坳陷	砂土	319.39	46.71	14.78	2.75	0.92	6.92	0.71	71.17	0.57		96.00
		亚砂土	325.73	48.77	15.50	2.86	0.92	5.14	0.62	69.20	0.55		92.00
		亚粘土	262.67	43.07	14.30	2.80	0.92	4.97	0.52	63.33	0.59		99.00
		粘土	279.54	50.90	16.63	3.19	1.05	0.45		53.76	0.56		98.00

注:"/"表示检测不出含量;"—"表示未检测

一、盆地大小

从盆地类型看,盆地由小到大各项指标由低变高,特别是吸附烃组分和 Ks 的差异达到 1~2 个数量级。此外,在不同土壤介质中的各项指标,也随盆地由小变大而由低变高。这说明同一种土壤介质对烃组分和非烃组分的富集程度与盆地内油气的生成条件成正相关关系。

二、土壤介质

在同一盆地中,不同土壤介质对烃组分和非烃组分的吸附作用也不相同:从砂土→亚砂土

→亚粘土→粘土,轻烃(CH_4)含量总趋势由高变低,重烃(C_2H_6,C_3H_8,nC_4H_{10},nC_5H_{12})含量正相反,总趋势是由低变高,非烃只是在砂土与粘土中的含量相差较大,其他指标变化规律不明显。

由于上述不同土壤介质对各种组分的吸附程度不同,其引起的含量差有时超过该指标的异常下限值范围,从而出现一些干扰。这对于不完全了解基础资料的人来说,在进行综合评价时,容易做出错误的解释。为了尽量减少此种现象的出现,只要在允许的范围内适当调整一下各点取样深度,就可以保证每一个取样点土壤介质的尽量统一。对无法统一的土壤介质,若含量差异较大,须对数据进行特殊处理后,方可确定背景和异常下限,否则将导致异常干扰。

3.6.3 土壤样品采集可靠性的相关检验

相关检验用于判断所取样品是否因混有与油气无关的成分,而出现干扰异常或迭加异常。国内外地球化学工作者认为:真正来源于油气藏的烃类组分,在从生油岩初次运移进入储层形成油气藏,直到从油气藏散失向上运移达地表构成化探异常,由于它们的地球化学性质和所经历的地质过程相同,所采样品中各组分之间必然有良好的正相关关系(即线性关系)。如果样品中有近地表生物成因烃类组分污染物混入,就会导致所取样品烃组分之间的相关系数降低,甚至发生所谓线性畸变。

从图3-15可见,不论是南方盆地还是北方盆地的绝大部分样品,其数值点都分布在相关回归线两侧,形成良好的线性关系。这表明样品中的烃类组分无论是轻烃与重烃之间,还是重烃组分之间,均具有较高的相关性。说明样品中的烃类组分的确是地下油气藏或油气活动在地表的反映,并非地表生物降解的产物。

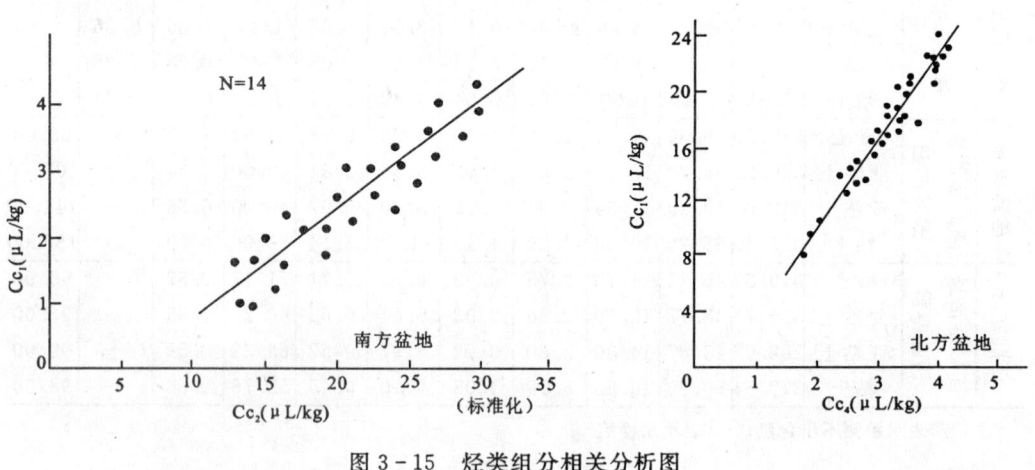

图3-15 烃类组分相关分析图
(据贾国相,2000)

图3-16则明显不同,所采样品在图中布点十分分散,不具备线性关系。这表明样品中的烃类组分是地表生物降解形成的,所取样品不具代表性,可评判为不合格,应返工重新取样。显然通过烃类组分之间的相关分析,便可判断样品所具有的代表性和可靠性。

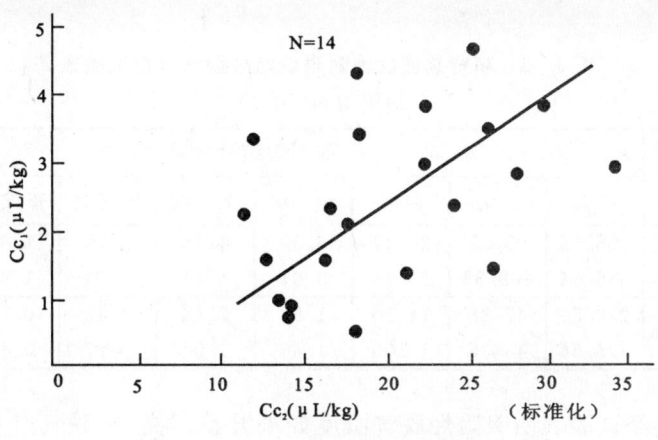

图 3-16 烃类组分相关分析图

(据贾国相,2000)

3.6.4 吸附烃样品脱气温度的选择

吸附烃作为化探寻找油气藏的直接指标,被国内外地球化学工作者广泛应用。但在测定吸附烃含量时,怎样选择合理的脱气温度,却有不同的看法。通常国内外普遍采用的脱气温度为常温40℃。通过生产实践证明,40℃只适用于高背景值的沉积盆地(即样品中 CH_4 含量大于 $100\mu L/kg$),不适用于 CH_4 含量小于 $100\mu L/kg$ 的低背景值沉积盆地,特别不适于我国南方中小型盆地。

表 3-2 烃类组分测试条件试验表

(据贾国相,2000)

试验温度 (℃)	试验地区	吸附烃组分含量(μL/kg)								
		甲烷	乙烷	丙烷	异丁烷	正丁烷	异戊烷	正戊烷	乙烯	丙烯
40	1号地区	0.49	0	0	0	0	0	0	0	0
	2号地区	0.45	0	0	0	0	0	0	0	0
	3号地区	0.20	0.07	0	0.01	0	0	0	0.05	0
	4号地区	0.40	0.01	0	0	0	0	0	0.03	0
60~90	1号地区	14.11	0.42	0.21	0.02	0.32	0.02	0.12	1.78	0.30
	2号地区	62.74	1.74	0.30	0.03	0.08	0	0.35	3.78	0.44
	3号地区	24.94	7.68	3.38	0.15	0.63	0.11	0.40	4.13	1.70
	4号地区	10.01	0.43	0.13	0.02	0.04	0	0.03	0.08	0.02

从表 3-2 可见,南方某盆地,先采用常温40℃脱气,在样品中只能检测到低含量的轻烃(CH_4),重烃几乎无法测出。把脱气温度提高到 60~90℃,不仅检测出的轻烃含量有很大提高,而且大范围地检测到了重烃组分,各组分含量与盆地实际相符合。相反在高背景值盆地,样品的脱气温度不论是常温还是高温,检测到的烃类各组分含量变化都不大(表 3-3)。所以

在不同沉积盆地开展化探工作需要试验确定最佳的测试条件,这是值得重视的问题。

表3-3 高背景值盆地吸附烃组分脱气温度试验表

(据贾国相,2000)

测试地区	测试温度(℃)	吸附烃组分含量($\mu L/kg$)								
		甲烷	乙烷	丙烷	异丁烷	正丁烷	异戊烷	正戊烷	乙烯	丙烯
ASB洼陷	40	508.63	99.53	26.44	3.39	4.12	2.65	1.06	0.42	0.41
	80	536.34	108.55	29.54	3.61	4.41	2.24	1.94	3.42	0.76
YX洼陷	40	271.50	47.38	14.30	1.99	2.44	1.42	0.72	0.15	0.23
	80	278.64	46.38	13.00	1.66	1.94	0.97	0.44	1.35	0.71

需要说明的是,经试验表明吸附烃脱气温度如果升得过高,在脱气过程中容易导致轻、重烃热分解为烯烃。此外,吸附相态汞指标测试温度过高,也会出现这种情况。

3.6.5 不同景观条件下背景值的确定方法

地表化探中不同景观条件下背景值的确定方法,一直是地球化学工作者探讨的热点问题,并做了许多有益的研究。其共同认识是:应根据工作区不同的景观条件,合理划分背景区块,选取合理的背景值求取方法。

如在百色某油气田,如不考虑地表景观条件,仅按传统的方法求取背景值和确定异常下限(表3-4),结果在该油气田上方基本上没有综合化探异常显示(图3-17A)。后来,发现该地区油气田上方地表为大面积水稻田景观,其他则为较干燥的丘陵景观。针对地表景观的不同特点,把工作区属于水稻田分布的地段划分出来,分区块单独统计背景值和确定异常下限(表3-5)。按该表中的异常下限和浓度分带划分的结果,在该油气田周围获得了比较好的化探异常分布图(图3-17B)。

表3-4 百色盆地西部某区常规法背景值统计表

(据贾国相,2000)

分析项目	背景值	异常下限	异常浓度分带		
			外带	中带	内带
$\Sigma C_2^1 (\mu L/kg)$	0.35	1.0	1.0~10.0	10.0~100.0	>100.0
CH_4	2.10	5.0	5.0~50.0	50.0~500.0	>500.0
C_2H_6	0.19	0.50	0.5~5.0	5.0~50.0	>50.0
C_3H_8	0.085	0.25	0.25~2.50	2.50~25.00	>25.00
nC_4H_{10}	0.015	0.03	0.03~0.50	0.50~5.00	>5.00
$\Delta C(\%)$	0.056	0.10	0.10~0.40	0.40~1.5	>1.5
$Hg(10^{-9})$	1.3	3.5	3.5~14.0	14.0~28.0	>28.0
$I(10^{-6})$	1.45	1.8	1.8~3.6	3.6~7.2	>7.2
$Ks(1/\mu\Omega \cdot cm)$	0.62	0.40	4.0~15.0	15.0~60.0	>60.0

表 3-5 百色盆地西部某区按景观分区背景值统计表

(据贾国相,2000)

分析项目	背景值	异常下限	异常浓度分带		
			外带	中带	内带
$\Sigma C_2^1(\mu L/kg)$	0.17	0.60	0.6~2.0	2.0~50.0	>50.0
CH_4	1.35	2.50	2.5~25.0	2.50~250.0	>250.0
C_2H_6	0.13	0.25	0.25~2.50	2.50~25.0	>25.0
C_3H_8	0.07	0.25	0.25~2.50	2.50~25.0	>25.0
nC_4H_{10}	0.01	0.02	0.02~0.50	0.5~2.5	>2.5
$\Delta C(\%)$	0.044	0.06	0.06~0.10	0.10~0.50	>0.50
$Hg(10^{-9})$	1.05	2.5	2.5~10.0	10.0~20.0	>20.0
$I(10^{-6})$	1.2	3.0	3.0~6.0	6.0~11.0	>11.0
$Ks(1/\mu\Omega \cdot cm)$	1.4	3.5	3.5~9.0	9.0~30.0	>30.0

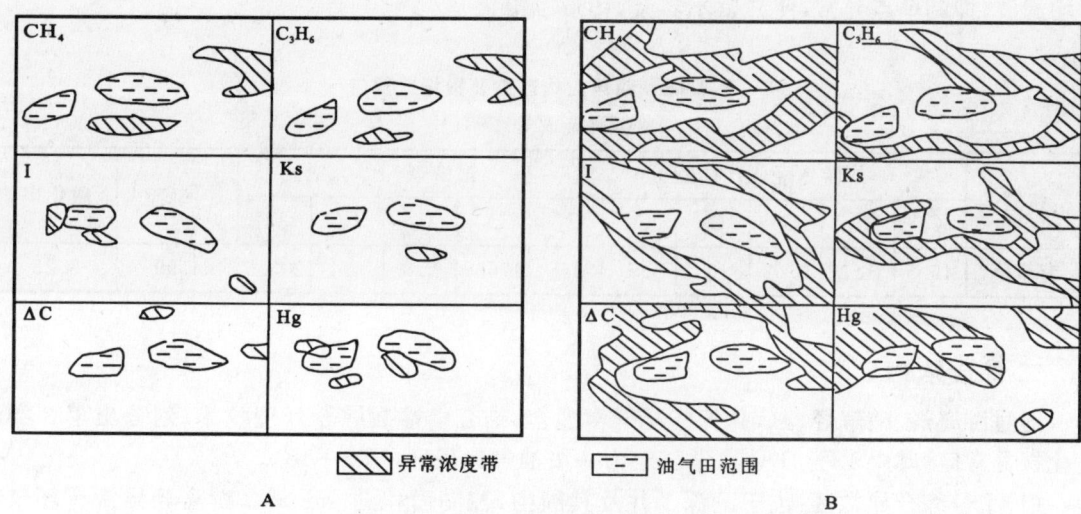

图 3-17 百色某油田背景异常图

(据贾国相,2000)

A—不分区统计;B—分区统计

在油气地表化探中,合理地确定样品采集深度,统一采样层位和介质并进行相关检验,正确选择样品脱气温度,以及划分合理的背景区块并确定有效背景值和异常下限,是能否获取有效异常进而预测地下油气藏分布的重要保证。

3.7 地球化学勘探方法应用实例

3.7.1 柴达木盆地葫芦山构造的多信息化探检测

多信息油气化探检测即是以直接检测油气微渗漏的游离烃为主,土壤样品气及伴生物质为辅,综合分析提取共有的信息,降低多解性,并结合地质、物探资料,划分出属性相同的综合异常区。柴达木盆地葫芦山构造因地表环境恶劣,油气勘探工作较少,所以,采用多信息油气化探检测异常区,寻找有利勘探区,不失为一种实用、经济的方法。

一、数据处理及参数选择

葫芦山构造地处山地、盐碱和浮沙区,所以首先须通过迭代统计分析、归一化处理,把不同景观条件的丰度值归一到同一水平,从而确定主要指标的背景值(表3-6)。其次,通过因子分析、聚类分析,寻找不同参数指标的组合特征,研究各参数之间的相关性及内在成因关系。分析结果表明:该区甲烷、丙烷、戊烷和重烃代表了游离烃的总体特征;丙烷参数主要反映酸解烃的特性;ΔC 亦有一定的辅助作用;而磁化率则几乎没有参考价值。这样处理之后,原先的26个地表化探参数即精简为上述6个,最后通过网络化和滤波技术对其进行有方向性的迭代平均滤波,抑制单点异常,使异常不零乱,图形圆滑。

表3-6 葫芦山构造主要指标背景值
(据马金龙等,2001)

参数	游离烃($\mu L \cdot g^{-1}$)						酸解烃($\mu L \cdot g^{-1}$)				ΔC	磁化率
	C_1	C_2	C_3	C_4	C_5	C_2^-	C_1	C_3	C_5	总烃		
背景值	45.5	1.7	0.62	0	0.97	3.5	176.5	2.8	3.4	203.5	1.99	3.25

二、综合异常区

通过游离烃、酸解烃、ΔC 化探指标异常叠合,结合多参数综合处理技术,划分出了3类油气化探异常区,其中Ⅰ号、Ⅱ号异常区定为一级油气远景区(图3-18)。

(1)Ⅰ号综合异常区:位于葫深1井及其周围,控制面积约45km²。游离烃异常有环晕特征,酸解烃在此处均有明显的异常显示,规模和强度都很大,为形态完整的椭圆形,ΔC 在此处有异常显示,但规模不大,形态不完整。综合评价指数 PI 也呈明显的块状异常,各指标在Ⅰ号异常区吻合性好。葫深1井在该异常区的中心部位,见多层段气测显示和可疑气层,说明了烃气异常是客观存在的,预示了该构造具有较好的含油气远景。

(2)Ⅱ号综合异常区:一部分位于测区北部,呈明显的条带状展布,游离烃异常在该带反映最明显,具有强度高、规模大的特点,甲烷最大值在该带达到 $1\,338 \times 10^{-6} \mu L \cdot g^{-1}$,酸解烃异常显示强度明显低于游离烃,$\Delta C$ 异常在条带的西部有显示,该异常带与贯穿测区NWW向的南倾逆断层相距约2~3km,呈现平行走向,说明该异常明显受到断裂的控制,与地下油气藏有直接的成因联系,具有明显的油气指示意义;另一部分位于测区西南角,呈条块状异常展布,游离烃、酸解烃、ΔC 指标都有异常显示,而且异常浓集中心相互吻合,PI 综合评价指数异常清

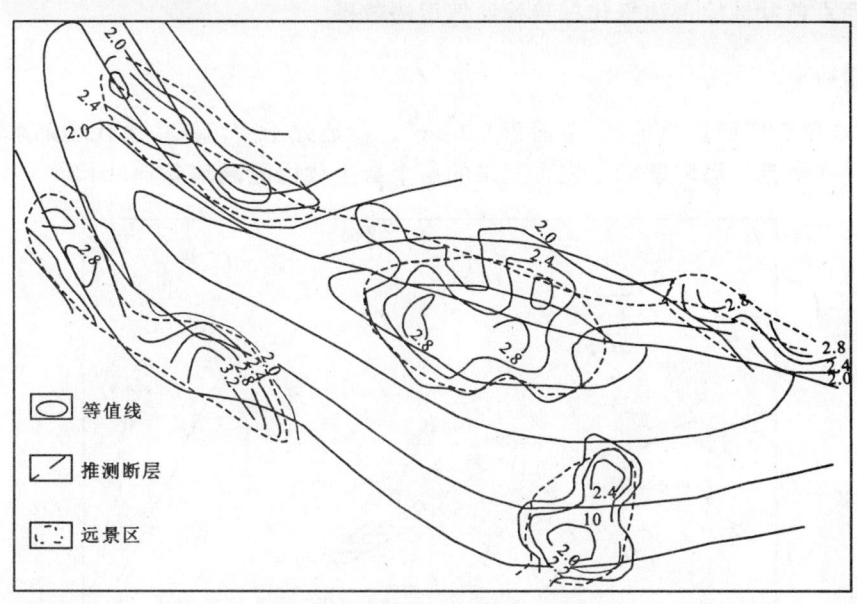

图 3-18 葫芦山构造地表化探异常综合评价图
(据马金龙等,2001)

晰。据地质调查资料,在该处狮子沟组上段发现 0.3m 厚的灰绿色砂质泥岩中含油,在长约 12km 的范围里均有油味,为油气通过断裂运移到地表所至。异常与油气苗分布位置有很好的对应性,证明了化探异常成带分布的真实性。

(3)Ⅲ号综合异常位于测区东南角,除了游离甲烷外,其他指标异常都相对较弱,异常规模较小,以轻组分异常为特征,可能是浅层气的反映。

三、异常成因

不同成因的气体运移至近地表后,其组分和甲烷碳同位素值存在一定的差异,由此判断地表化探异常的来源。深部裂解成因的烃组分一般具有 $C_2^+/C_1^+>0.05$,C_1/C_1^+ 在 $0.75\sim0.95$ 之间,$(C_4+C_5)/C_3>0.5$ 等特征,葫芦山构造地表化探显示的轻烃组分特征与此类似(表 3-7),表明其为深部裂解成因。另据中国科学院兰州地质所研究成果,$C_1/(C_2+C_3)<50$ 为深部成因气范畴,也佐证了葫芦山构造的地表化探异常为深部裂解气的渗漏所致。该区游离烃甲烷碳同位素值为 $-2.77\%\sim-3.40\%$,表明其为有机成因。

表 3-7 葫芦山构造游离烃组分特征
(据马金龙等,2001)

组分	C_1/C_2^+	$C_1/(C_2+C_3)$	C_2^+/C_1^+	C_1/C_1^+	$(C_4+C_5)/C_3$
比值	13.1	18.3	0.07	0.93	1.54

3.7.2 广西百色盆地综合油气化探寻找油气田的效果

一、地质概况

百色盆地位于广西百色地区,总面积 830km²。盆地处于南盘江中生代坳陷东南端右江断裂的南侧,是在南盘江坳陷基础上发育起来的一个新生代内陆断陷盆地(图 3-19)。

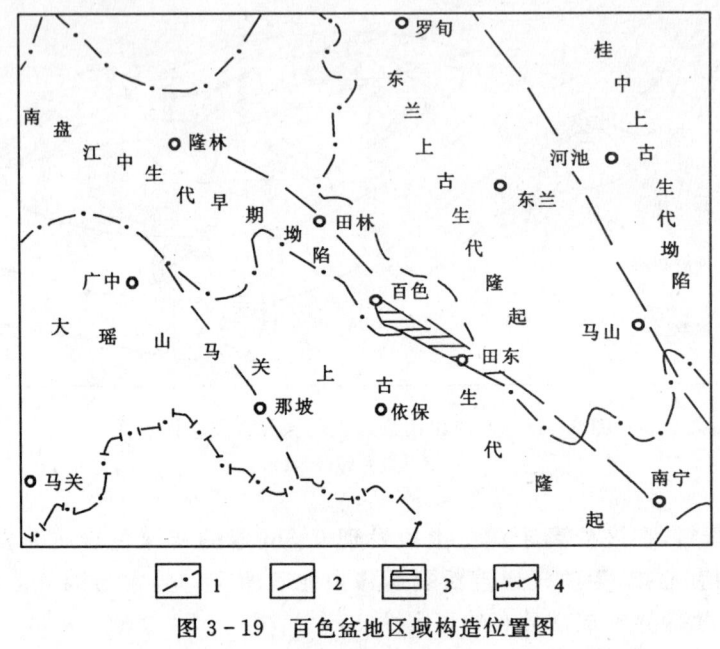

图 3-19　百色盆地区域构造位置图
(据贾国相,2000)
1—区域构造单元界线；2—大断层；3—百色盆地；4—国界

百色盆地的地层是在中三叠统褶皱基底发育的第三纪陆相盆地,详细地层层序见表 3-8。

从表中不难看出：①那读组是盆地中主要生油和储层之一,该地层分布整个盆地,平行不整合于洞均组或六吧组之上,岩性主要为一套褐色泥岩,其下部夹一套砂岩或含煤夹层；②百岗组上部和伏平组中下部是盆地主要的含气储集层。

盆地在构造上经历了 3 个阶段 5 个时期,即断陷阶段(初始期、发育期)、坳陷阶段(坳陷期)和抬升期(萎缩期、褶皱抬升期)。构造具先张后压、深凹偏于北侧,是一个继承性发展的陆相沉积残留盆地,其残留最大厚度 3 000m；构造单元呈现有三坳两隆特点,自西向东分为百色坳陷—四塘隆起—田阳坳陷—那百隆起—田东坳陷(图 3-20)。现已勘明的油气田主要分布在盆地东部田东坳陷周边和田阳坳陷东部斜坡带。

二、盆地油气勘探历史

盆地油气勘探始于 1936 年,首先由两广地调所徐继勉等人在田阳那读组发现油砂岩,1937 年谢家荣再次到田阳考察,1948 年郭文魁等已发现多处油砂岩。1954 年石油总局广西 101 队组建,至 1962 年已有多个石油勘探部门在盆地的东南缘钻了石油浅井 167 口,有 123 口井均不同程度的发现油气层和油气显示,于 1969 年广西煤炭石油管理局在林蓬、新洲土法开采浅油层,年产原油 200~300t。

表 3-8 广西百色盆地油气形成条件地质背景综合表

(据贾国相,2000)

地层			厚度 (m)	盆地演化阶段		岩性	沉积相	古气候	地化环境	矿产	
系	统	组	代号							油气	其他
第四系			Q	0~40	抬升剥蚀	消亡期	灰、土黄、紫红色耕土、砂质粘土砾石层	残积相河流相				
	上新统	长蛇岭组	N_2ch	0~50			土黄、紫红、灰白色泥岩、砂质泥岩与砂岩互层及砂砾岩、砾岩	河流相	半干旱	氧化—弱氧化		
第三系	渐新统	建都岭组	E_3j	0~<708	坳陷缓慢回升	萎缩期	灰绿及杂色、土黄色泥岩、砂质泥岩,含泥及钙铁锰质结核,大型交错层理发育	河流相为主				
		伏平组	E_3f	551~1032			灰绿夹杂色泥岩、砂质泥岩及薄层细砂岩、炭质泥岩和煤线,含菱铁矿结核、钙、铁锰质结核,下部夹那沟土矿0~5层,局部见石膏层	河流相浅湖相			○	
		百岗组	E_3b	240~870	坳陷稳定沉降	发育期	灰绿、灰色砂质泥岩、粉砂岩及砂岩,含煤层1~33层,油层1~8层,中部含气层,顶部夹那沟土矿3层,油层多分布于中、下部	浅湖、沼泽相为主	温暖潮湿	弱氧化—弱还原	○	☆☆
	上始新统	那读组	E_2n	300~1162	整体断陷快速沉降		深灰褐灰色泥岩钙质泥岩为主,下部夹砂岩或生物灰岩,油层3~5层,煤层见于中、下部,盆地东部3~5层,盆地西部多达30~40层	半深湖相及前湖相为主		还原	○	☆☆
		洞均组	E_2d	0~118	局部断陷	形成期	灰白~灰黄色泥晶灰岩	浅水湖相	潮湿			
	中下始新统	六吡组	E_1d	0~328			紫红、褐红色泥岩砂岩、砂砾岩顶部夹紫红色,含石膏泥岩	洪积相	干旱	氧化		
三叠系	中三叠统		T_2				灰绿色中—中厚层状粉砂质泥岩、砂岩,夹灰岩透镜体,灰岩潜山顶部含油	湖相				☆

○ 天然气　☆ 石油

1971年广西石油勘探开发指挥部成立,对百色盆地的油气进行全面的区域勘探,至20世纪80年代初、中期,在田东附近的上法古潜山(百4、法1井)获日产200t和400t高产油井,并已发现花茶、塘寨、仑圩、子寅、上法、那满、新洲、林蓬、江泽等9个油气田,其石油产量已达5~10万吨以上,揭开了小盆地创高产的新局面。

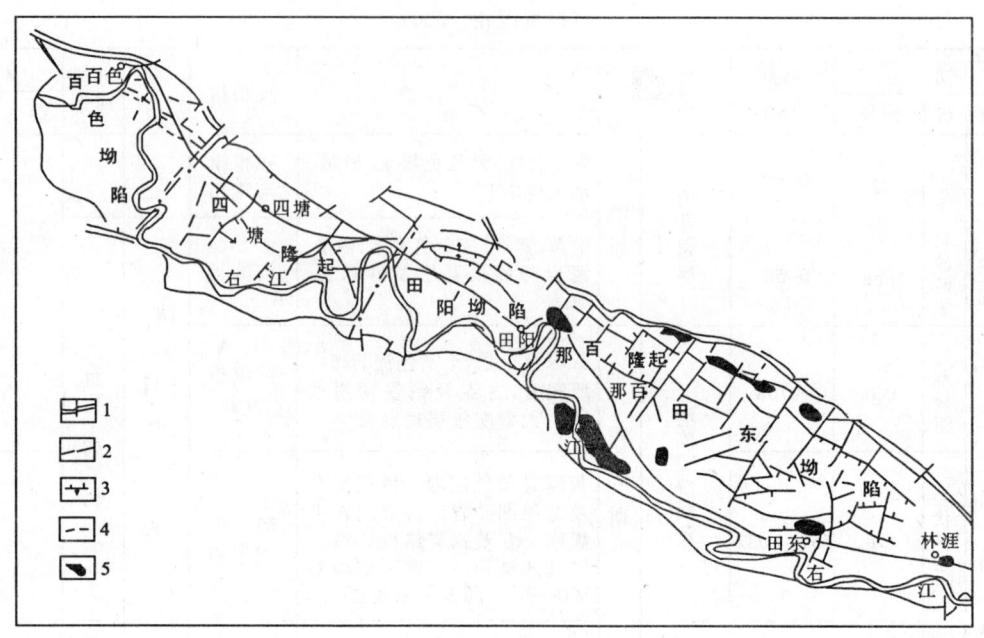

图 3-20 百色盆地构造略图
(据贾国相,2000)
1—盆地边界;2—二级构造单元分界线;3—断层及倾向;4—推测断层;5—油田

三、引进新技术,争取新突破

虽然百色盆地的油气勘探已初具规模,但小盆地内地质构造十分复杂,勘探难度仍然很大。盆地中西部地区一直未能突破,贾国相等在1986年与滇黔桂石油勘探局勘探开发科学研究院首度合作,首次在百色盆地展开了油气化探新技术新方法有效性试验研究。从试验研究的结果中发现:在沿盆地走向的剖面上,烃类和非烃类十分吻合地出现了3个异常峰群,第一个分布于田东坳陷东部,第二个分布于田阳坳陷和那百隆起过渡带上,第三个则位于百色坳陷与四塘隆起过渡带。其烃类指标异常强度显示东西强、中间弱的特征,非烃指标则是中间强、两头弱,区域背景则呈东强西弱之特征,这一特点在一定程度上从地球化学角度展现出田东坳陷的油气活动明显优于田阳和百色坳陷。这完全与百色盆地的勘探现状和油气分布的勘明现状十分吻合(图3-21)。

从盆地的走向上已证明了该方向与盆地勘探现状吻合,在横向上的结果是否也是如此呢?在横切盆地的3条剖面上进一步证实了该方法的指示效果与现状吻合(图3-22)。图中的异常特征是:重烃、甲烷、乙烷、丙烷和电导率(Ks)、后生碳酸盐(ΔC)主要分布在盆地北部斜坡带上,并有由北部斜坡带向盆地中部地区至南部斜坡带的异常强度由强变弱的规律,这与盆地的工业油气流主要分布北部斜坡带,部分在中间古潜山外,盆地南部除发现浅层凝析油气之外(无法开采),没有发现任何具有北部规模的油气田的勘探现状和油气分布完全吻合。

与此同时,为了更进一步的证实该方法的有效性,探索该方法用于推断盆地油气聚集、运移是否也呈北强南弱的变化规律和了解油气扩散、运移到形成异常的有效空间和异常控制的可能范围,分别在田东、田阳、百色3个坳陷的北部和南部盆地外部向外进行了剖面性试验研

3. 地球化学方法

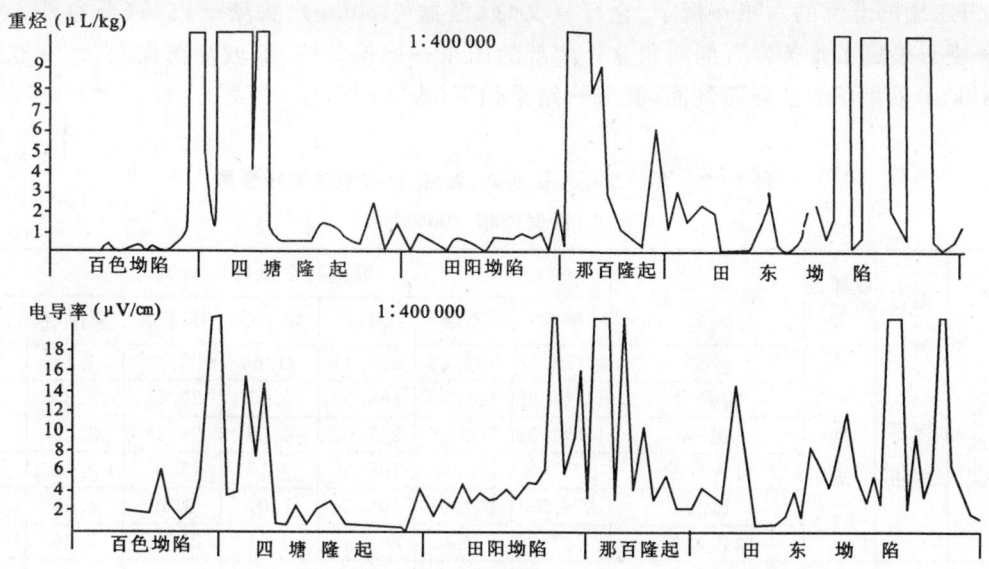

图 3-21 广西百色盆地不同构造单元某些指标含量变化图
（据贾国相，2000）

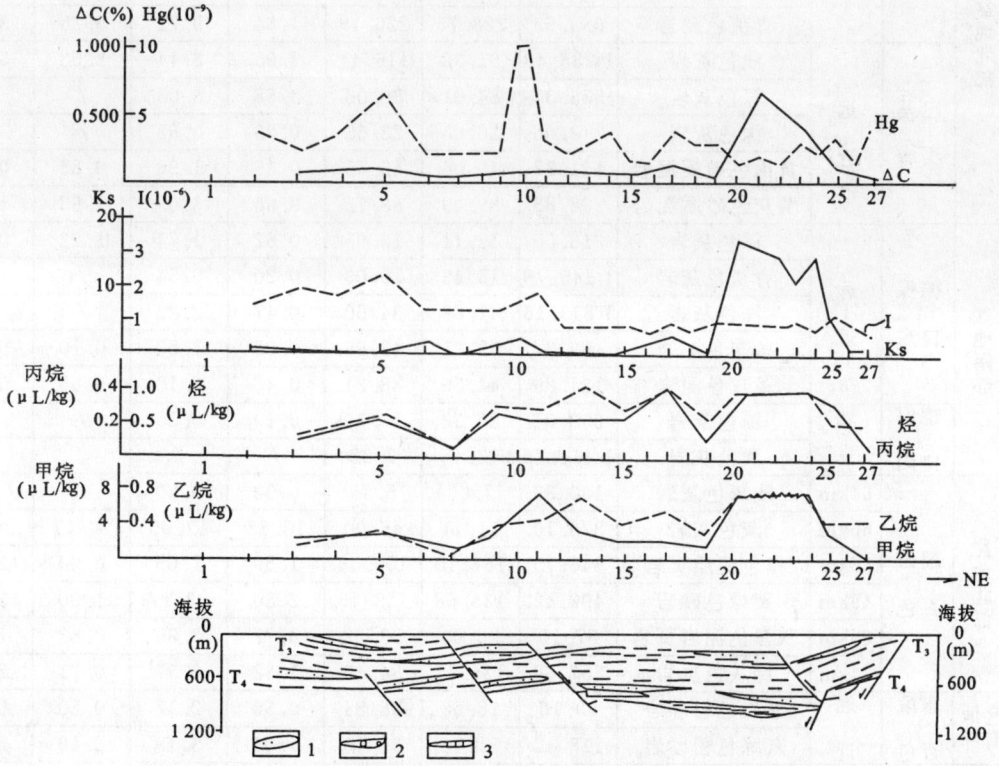

图 3-22 百色盆地西部 75 线（地震 87-40 线）地质、化探综合剖面图
（据贾国相，2000）

1—砂岩及复合体；2—砾岩；3—含砾砂岩

究,在田东坳陷北部的六吅→梅宁、仑圩→义圩(至盆外 30km)、头塘→巴马(至盆外 50km)、百色→凌云采集了 4 条岩石剖面和盆外南部的田东→德保公路、那坡→德保、百色→东凌(离盆地 28km)采集了 3 条岩石剖面,其分析结果如下(表 3-9):

表 3-9 百色盆地外围灰岩、泥岩、砂岩中吸附烃含量

(据贾国相,2000)

地区		地名	取样点距盆内	岩 性	吸附烃含量(μL/kg)						
					甲烷	乙烷	丙烷	异丁烷	正丁烷	异戊烷	正戊烷
林莲	盆地北部	梅宁—六吅	远—近	砂岩	1 178.56	537.13	589.11	11.60	55.69	9.14	16.87
				粉砂岩	1 245.65	321.32	283.63	5.51	25.87	3.35	10.36
				泥岩	1 106.86	266.95	227.03	4.56	21.22	3.26	8.23
				黄色砂岩	685.48	190.66	195.49	3.17	15.51	2.12	3.91
				砂岩	376.29	107.61	109.34	2.07	9.60	2.33	3.42
				绿色砂岩	1 527.26	383	261.54	3.91	21.12	2.36	7.09
口东亚口阳	盆地北部	义圩—仑圩	远—近	深色灰岩	682.04	67.77	48.06	0.82	4.09	/	/
				深色灰岩	300.67	39.55	36.63	0.77	2.24	/	/
				深色灰岩	317.43	116.34	91.14	2.64	1.53	1.04	0.82
				青灰色泥岩	86.16	22.32	24.17	0.64	1.74	1.23	0.57
				青灰色泥岩	683.53	228.75	220.19	1.64	9.72	5.26	3.21
		巴马—头庸	远—近	浅色灰岩	1 735.43	91.32	116.44	7.95	8.44	8.53	5.28
				深色灰岩	553.37	84.01	80.06	0.58	3.03	/	/
				深色灰岩	242.06	26.85	23.53	0.23	0.68	/	/
				黄褐色砂质泥岩	131.77	49.06	45.56	0.35	1.96	0.83	0.49
				黄灰色砂质泥岩	228.85	89.49	88.72	0.66	3.69	1.93	1.04
	盆地南部	德保—口东	远—近	深色灰岩	218.55	12.11	12.05	0.62	1.74	1.22	0.93
				青灰色灰岩	1 145.79	15.49	10.03	0.20	0.54	/	/
				深色灰岩	1 833.16	41.88	34.60	0.47	2.23	/	/
				黄褐色泥岩	109.37	52.21	42.95	0.35	1.83	0.70	0.52
				黄灰色泥岩	134.89	44.50	38.21	0.40	2.10	0.66	0.52
		德保—口阳	远—近	深色灰岩	252.01	25.32	16.39	0.19	0.35	/	/
				浅色灰岩	1 414.26	13.45	7.32	/	/	/	/
百色	盆地北部	凌云—百色	64km	浅灰色灰岩	100.39	7.97	5.35	0.32	0.30	/	/
			60km	灰色灰岩	379.10	31.11	46.90	18.83	12.05	30.17	10.05
			55km	黑色泥质页岩	646.79	167.10	100.44	1.59	7.65	0.90	2.43
			45km	黄绿色砂岩	492.12	135.58	153.15	2.80	13.17	1.90	3.49
			35km	灰黑色泥岩页岩	87.10	26.60	33.22	0.77	3.39	0.83	1.37
			24km	绿色页岩	557.60	135.41	84.46	1.32	6.57	0.71	2.04
	盆地南部	东凌—百色	远—近	紫红色粉砂岩	99.16	28.65	28.84	0.56	2.47	0.50	0.75
				灰绿色粉砂岩	118.45	31.45	31.10	1.04	3.49	3.16	2.89
桂林地区		二庸		深色灰岩	74.66	/	/	/	/	/	/
				浅色灰岩	40.64	0.60	0.54	0.04	0.05	/	/

注:"/"表示没有含量

(1)虽然北部已离盆地达 30km(义圩方向)至 64km(凌云方向),南部至盆外 25~30km(田阳、田东→德保方向),然而二叠、三叠系的灰岩、泥岩和砂岩中吸附烃含量仍然很高。

(2)北部 4 条剖面的吸附烃普遍高于南部 3 条剖面的吸附烃,显示了北高南低的特点。其中,重烃各指标特别明显。

(3)北边的剖面虽离盆地较远,但其吸附烃含量并没有明显降低的趋势,虽然在近盆边处由较高值突变为较低值,然而,紧接着往外逐渐回升呈逐渐增高的趋势。而南边的剖面尽管离盆地较近,但随着离开盆地的距离增加,吸附烃的含量明显减弱。

(4)盆地东部的外围剖面比盆地西部的外围剖面普遍具更高的吸附烃含量。

(5)在同一剖面上,通常灰岩的吸附烃含量要比泥岩的高。

(6)桂林地区的灰岩与之相比,吸附烃含量要低 1~2 个数量级。

以上变化规律反映出盆内油气往北侧比往南侧的运移量大得多,导致了各烃类指标背景值呈北高南低趋势。另外还显示了盆地东部与盆地西部的油气可能存在不同的运移方向。

四、寻找油气藏的应用效果

1. 百色盆地化探异常特征

综上所述,当油气化探技术方法经试验获得一些效果后,1989 年开始在盆地已知区和未知区开展面积性评价研究,其研究结果在已知油气田上方或周边发现了比较好的化探异常,异常反映出来的特征是:①烃类组分甲烷(CH_4)、乙烷(C_2H_6)、丙烷(C_3H_8)和非烃类指标后生碳酸盐(ΔC)、电导率(Ks)、碘(I)等均在油气田周边分布,并形成环带、半环带或港湾状异常;②吸附相态汞(Hg)异常则与其相反,主要分布在油气藏正上方,形成明显的顶部晕异常;③Hg异常的分布位置与其他指标异常的分布位置正好形成明显的镶嵌结构特征,其镶嵌结构部位正好处于油气藏的分布范围。这一异常组合在平面上、空间上的分布规律为我们对未知区异常的评价和推断解释提供了准确性很高、可信度极大的地球化学理论依据(图 3-23)。

基于上述已具有的地球化学特征在已知油气田上方或周边展现的规律,对整个百色盆地的油气化探异常进行了综合评价,圈定出了有利于油气富集的异常远景区(图 3-24),图中石油、天然气的直接化学组分重烃类(C_2^+)在区域上分布形成三块异常区,第一块异常分布在盆地东部田东坳陷东北部,南部较弱;第二块异常位于田阳坳陷和那百隆起之过渡带,特别是过渡带之交接地段异常强度最大;第三块异常则分布在百色坳陷至四塘隆起交接带的中部地段,异常较第一、二块异常规模小,但强度优于第一块异常,这 3 个异常块展现的一个共同特点是北强南弱,这与百色已探明的油气工业储量分布在盆地北坡的规律相吻合。第一块异常区的北部仑圩油田,是百色盆地打出高产油气井的第一个油气田,中南部为上法潜山油气田,东部边缘则为林蓬油气田,是百色盆地发现最早的油气田。第二块异常区的北东部地区已标明有花茶油气田,仅次于仑圩油田的第二大工业油气田,东部有百育油气田,虽然油气田的分布规模大,但属凝析油层不具备开采价值。第三块异常区,仅在百色坳陷中南部已探明一气田,其规模也比较小。因此,油气化探异常的区域分布与百色已探明的油气田分布区域相当吻合,这一特征已进一步证明了该项新技术新方法在南方内陆中小型盆地应用于寻找油气田是一种有效的新手段。它的试验成功不仅仅说明该方法在百色盆地有效,更重要一点是该方法适合于各种复杂景观条件下的应用。

2. 百色盆地化探异常的评价和钻探效果

根据油气化探异常在区域上的分布与已知油气田在吻合程度上证明其有效性后,贾国相

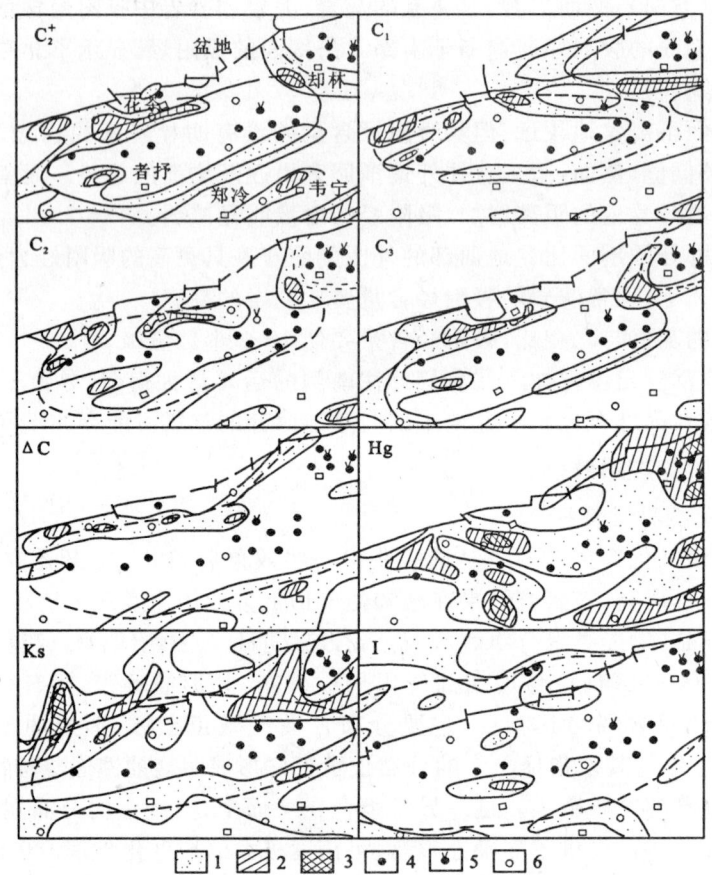

图3-23 百色盆地花茶-却林油田(断块、岩性油藏)区各指标异常图

(据贾国相,2000)

1—异常外带;2—异常中带;3—异常内带;4—油井;5—油气井;6—无油气井

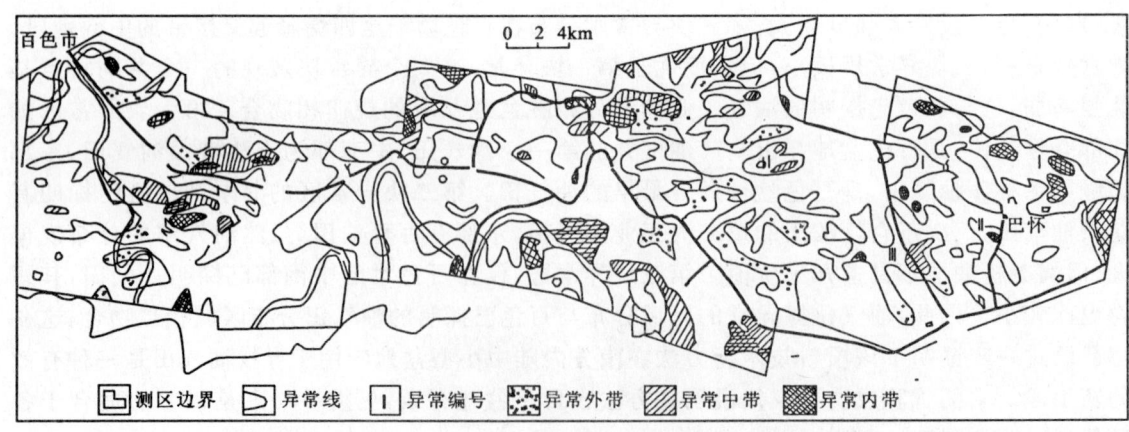

图3-24 广西百色盆地土壤吸附烃、重烃(C_2^+)异常图

等对全区的化探异常进行了全面的综合评价,并圈出了一批化探异常远景区。按其异常组合形态特征和强度特征的分析认为,整个百色盆地三大块异常的分布特点是第一、二块都是北部强,南部弱,第一块异常区北部已探明有仑圩油田,第二块异常区东北部已探明有花茶油田,而第二块异常区西部,特别是西北部,即田阳县城北部的异常越靠北异常越强,其异常强度远远超过仑圩油田和花茶油田的异常强度,一个明显的信号告诉我们,在田东县北部地段应该有一个不亚于花茶和仑圩油田规模油气田。但是,化探的推断解释与百色当时的地质、地震构造的资料不吻合,加之百色盆地北油南气中间空的传统观念认为,从地质上、地震构造上该地区不具备油气富集的条件,很显然化探成果的提出与当时的地质背景是不相符的。尽管如此,百色盆地的高层决策者们对化探成果进行了再次分析,认为化探成果在区域上、剖面上和异常分布位置与已知油气田具有相当大的吻合性,最后决策重视化探成果提出田阳县北部有大油田富集的推断,后来地质上和地震资料证明在田阳县城北部有一断块圈闭。随后,百色盆地项目经理当即就在 16 号异常远景区布设了雷 1 井,结果雷 1 井在远景区内打出日产 21t 多的工业油气流。后布设的雷 2、3 井钻探验证结果,雷 2 井仍然在异常远景区打出了高产工业油气流,雷 3 井在异常远景区外侧落空,3 口井钻探后最终证实了油气化探新技术在南方中小内陆盆地寻找油气田获得了成功。

3.7.3 化探多信息在小合龙地区找油气中的应用

本实例中对吉林省小合龙地区物化探找油工作的具体测量及采样是以剖面法进行的,在点位上做了放射性伽玛能谱总计数率、铀、钍、钾及 ^{218}Po 的测量,同时取土壤样做了 ΔC、吸附烃、发光沥青指标、紫外荧光的分析,通过对物化探多信息综合异常及构造图的分析,预测了有利勘探区。

一、放射性测量成果解释

目前对油气田上方放射性异常特征,人们普遍能够接受的模式是,油田上方为低值异常,周围伴随有环状高值晕圈,根据本区测量提供的总计数率(Tc 脉冲/分)、铀含量($Q_U \times 10^{-6}$)、钍含量($Q_{Th} \times 10^{-6}$)、钾含量(Q_K%)和 ^{218}Po(相对强度)5 个参数整理成图后的结果初析如下:

(1)总计数率。其最高值为 53.7,次高值为 46.5,异常下限为 43,在平面等值线图(图 3-25A,Tc 平面等值线图)上可见有 2 个正异常,分布在工区西南上、下部位。

(2)铀。其最高值为 0.32,最低值为 0.1,异常下限为 0.25,在平面等值线图(图略)上有 8 个正异常。

(3)钍。其最高值为 1.3,最低值为 0.6,异常下限为 1.04,在平面等值线图(图略)上有 3 个正异常。

(4)钾。其最高值为 3.5,最低值为 1.96,异常下限为 2.72,在平面等值线图(图略)圈定出 5 个正异常。

上述 5 个参数异常基本吻合,都呈北东向条带状展布,各参数反映情况是 Tc 最好,其他几个参数次之。根据油田上烃类垂直迁移理论,由于烃类的向上迁移,使地表及附近地球化学环境发生变化,生成碳酸盐岩,并使粘土分解或蚀变,使 SiO_2 和 Al_2O_3 的浓度增大,并充填于沉积孔隙中,形成阻挡或吸附层,阻止油气藏中的放射性元素向上迁移。同时,地表 U-Ra 元素发生物理和化学变化,使之能够在外动力(水、气体)作用下搬运而减少,油田边界处受这两方面来的核素叠加而积累。所以能谱测量的铀量、钍量、钾量都有所反映。具体说来：①因为铀镭族元素大多数子体的化学性质活泼，在油气田的烃类作用下很容易形成异常；②能谱的钾道主要反映的是 ^{40}K 单色能谱，其异常来源主要是烃类迁移到地表后，发生化学反应，使粘土分解和蚀变，把土壤中的 ^{40}K 释放出来并溶于水中，在水动力作用下产生异常；③钍道则反映钍系元素，其化学性质比较稳定，不易受地表油气场的干扰，但烃类上升过程中在地表产生阻挡层，阻止了核素的向上迁移，所以在地表产生继承性的低值异常。由此可见，伽玛能谱总道集中了铀、钍、钾各元素产生的异常，它的特征最明显。

(5) ^{218}Po。工区 ^{218}Po 测量最高值为 879，次高值为 838，最低值为 20，异常下限为 98，在平面等值线图（图 3-25B）上可圈出两个正异常，其中上部异常为一宽条状，中间夹低值异常，油气藏中含放射性 Ra 的地下水沿裂隙带垂直运移，在近地表的氧化带附近渐渐析出沉淀在构造裂隙中。这些后生富集的镭（Ra）在 α 衰变的过程中，不断放出氡射气，这些氡气沿裂隙运移到地表，在土壤层中形成氡的异常， ^{218}Po 法测量的结果就是反映这种氡浓度异常的。

二、化探测量成果解释

1. 烃类气体指标

本例中化探主要测定了土壤中吸附烃（C_1—C_4），其中甲烷在地表的生化条件下可以产生，所以可能带来一些干扰，而乙烷、丙烷及丁烷都难以在近地表中形成，因此，一旦在近地表的土壤测量中发现了乙烷及其他重烃异常的存在，就可以认为是在地下深部油气藏在地表的微观显示，它们是寻找油气藏的直接指标。从测定结果看，甲烷最高值为 520，乙烷最高值为 11.32，丙烷最高值为 2.81，根据一定的背景值和异常下限，以甲烷=56、乙烷=0.6 和丙烷=0.3 为异常下限，在平面等值线图（图 3-25C）上分别圈出 5 个异常及 4 个异常，内部都有一些局部高异常，3 种参数的异常形态相似，都呈北东延伸的条带状（或线状），工区中上部有一宽异常带向东北方向变窄。异丁烷最高值为 2.48，以 0.8 为异常下限，在平面等值线图（图略）上圈出 10 个异常（其中 3 个范围很小），也呈北东向条带状分布，但较前三者不同之处，工区中上部异常条带变窄，而东南部出现一强异常带。

2. 发光沥青指标

发光沥青指标是指应用一般化学方法来研究地表岩石或土壤中分散的液态或固态的沥青（在油气化探中把溶于中性有机试剂的天然有机物质称为沥青），本实例中是测定紫外吸收光谱和荧光发射光谱的某些特定的波段，以此反映地下深处油气藏运移至地表的重组分物质的信息，目前认为那些分子量较大的物质是由芳香烃类组成。此次在小合隆地区油气化探中选取了紫外 UV220、荧光 UF320、UF350、UF370 4 个波段作为发光沥青指标。其中紫外 UV220 区内最高值为 0.28，次高值为 0.277，异常下限为 0.19。在平面等值线图（图略）上可圈出 7 个异常，异常总体也呈北东向，除东南部外，其余异常范围较小。荧光 UF320 的最高值为 59.2，次主值为 33，若以 UF320=23、UF350=16、UF370=15 为异常下限，在平面等值线图（图略）上，分别可圈出 5 个、4 个异常，异常形态及局部高异常相似，主要为北东向延伸的 3 个条带，其中中部条带仅分布工区东北部，与紫外吸收光谱相比，荧光异常的分布范围要广，异常值要高。

3. ΔC 指标

工区测得的 ΔC 最高值为 1.2，次高值为 1.14，最低值为 0.07。以 0.29 为异常下限，在平面等值线图(图3-25D,ΔC平面等值线图)上可圈出3个异常,包含4个局部异常,异常都呈北东向条带状,上部异常在工区内从西南一直延伸到东北,从局部高异常来看,近似环状特点。

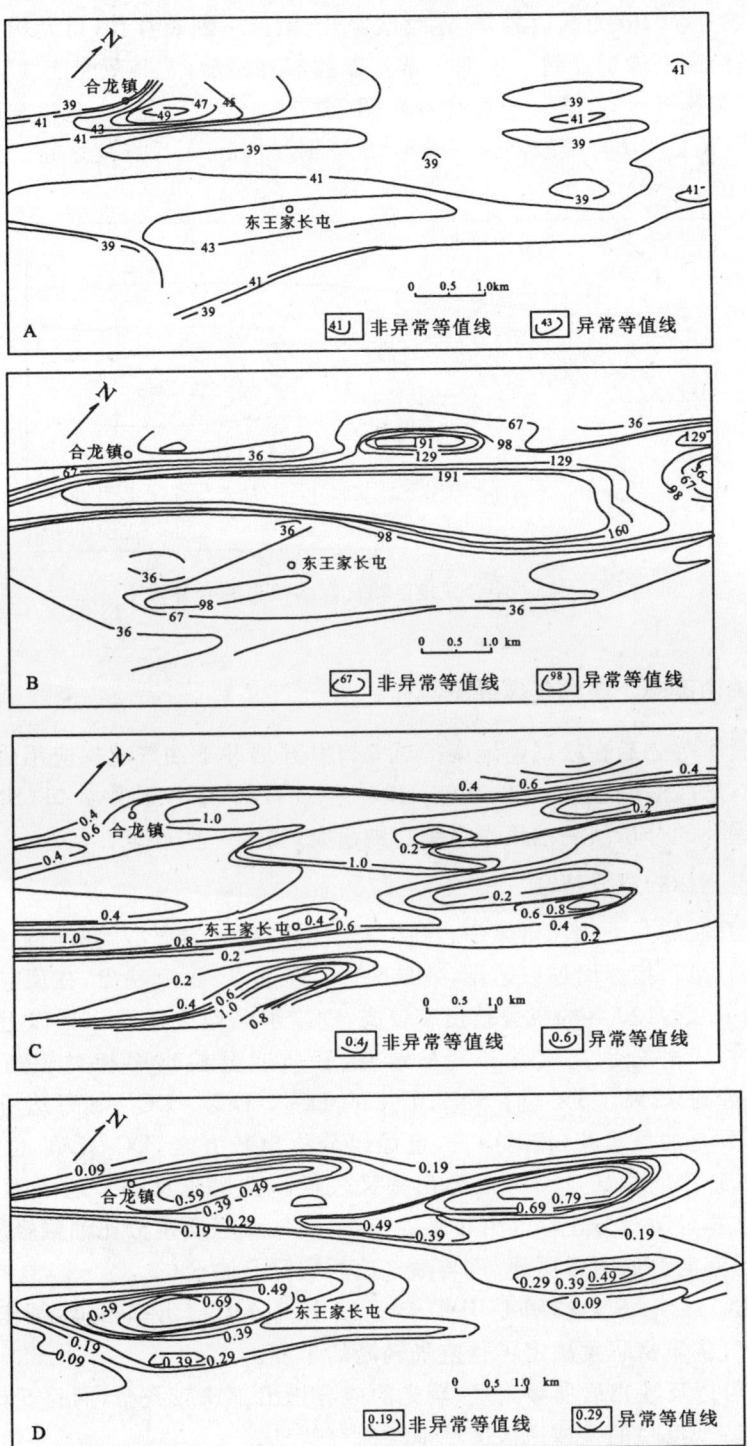

图3-25 小合龙地区Tc、^{218}Po、C_2H_6、ΔC等值线平面图

三、物化探地质综合分析

通过上述物化探多信息分析,另据物化探在寻找油气藏中已有模式,认为工区偏上部烃类异常明显,而且荧光、^{218}Po 为高值异常,连续性好,推测有一断裂存在(得到构造图证实),各种异常是地下烃类沿断裂渗透所致。下部异常各参数都有显示,尤其荧光连续性好,在这两个异常中间部位是有利勘探区,在多信息综合异常图(图 3-26)上可见,合龙镇东南与东王家长屯之间为最有利区,相当于 1 号测线 0~1~5 号,2 号测线 -2~1 号点位之间。

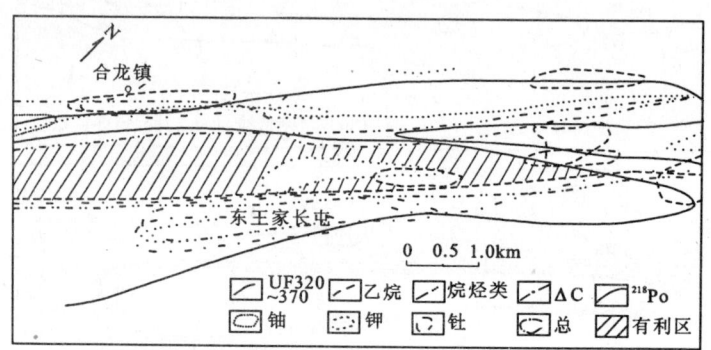

图 3-26 小合龙地区物化探多信息综合异常图

3.7.4 松辽盆地南部井下油气化探应用研究

本例中,吴爱军等先后在松辽盆地南部对 5 口井开展井下油气化探应用研究。这些井是:气井 1 口(SN91 井),油气显示井 2 口(SN110 井、SN120 井),干井 2 口(SN117 井、SN128 井)。通过对这些井的分析预测结果作系统归纳研究,得到一些认识。

一、油气化探指标的成分特征

在松辽盆地开展的井下化探研究中,将顶空气轻烃指标、岩屑酸解吸附烃指标和岩屑光谱指标作为油气良好指示指标而加以运用,效果明显。从表 3-1 反映出,在顶空气轻烃指标中,SN91 井、SN110 井、SN120 井的成分检出率较高,DC_2 组分均达到了 50% 以上,组分也比较齐全。SN91 井、SN110 井分别是气井和气显示井,轻质成分检出率相对较高,如 SN91 井中 DC_2、DC_3 分别达到 72%、75%;而 SN110 井的 DC_2、DC_3、DC_4 则高达 96.6%、84.5%、83.2%。SN120 井是油显示井,相对而言,重烃组分检出较齐全,DC_6、DC_7 也有一定的检出;而轻质成分相对 SN91 井、SN110 井的检出率又较低。这也正反映了地下不同油、气源在向地表迁移的过程中,轻质组分迁移能力较强的特点,而气藏轻质组分比油藏轻质组分相对浓度压力更大,所以运移向上的能力更强,这与油气地质实际是吻合的。

另一方面,SN117 井、SN128 井是干井,DC_2 以上组分的检出率很低,都未超过 40%。这说明地下所含油气的丰富程度决定了顶空气轻烃的丰度。

从表 3-10 可以反映出岩屑吸附烃、荧光的成分检出都比较齐全,而且 5 口井对比基本无差别。岩屑指标特征反映的是该地区区域地层油气信息。

表 3-10 油气化探指标检出率表(%)

(据吴爱军等,2000)

	SN91 井	SN110 井	SN120 井	SN117 井	SN128 井
DC_1	$\dfrac{2861.47}{13.44 \sim 50274.6}$	$\dfrac{2283.93}{16.9 \sim 46240.5}$	$\dfrac{1110.2}{0 \sim 25369.9}$	$\dfrac{1419.0}{4.38 \sim 15521.3}$	$\dfrac{348.5}{0 \sim 5674.6}$
DC_2-C_4	$\dfrac{105.87}{0 \sim 1694.6}$	$\dfrac{474.5}{0 \sim 34701.8}$	$\dfrac{162.76}{0 \sim 5563.8}$	$\dfrac{67.79}{0 \sim 1815.0}$	$\dfrac{27.45}{0 \sim 865.9}$
DC_5	$\dfrac{4.72}{0 \sim 647.0}$	$\dfrac{187.65}{0 \sim 24336.1}$	$\dfrac{347.25}{0 \sim 12280.3}$	$\dfrac{147.33}{0 \sim 4079.81}$	—
SC_1	$\dfrac{1140.6}{31.5 \sim 3739.3}$	$\dfrac{1070.4}{24.6 \sim 2771.5}$	$\dfrac{1212.8}{43.7 \sim 2776.4}$	$\dfrac{720.3}{16.86 \sim 3762.9}$	$\dfrac{991.47}{173.3 \sim 5366.3}$
SC_2	$\dfrac{275.5}{0 \sim 913.3}$	$\dfrac{239.16}{4.08 \sim 2867.5}$	$\dfrac{231.47}{1.74 \sim 490.7}$	$\dfrac{183.14}{0 \sim 588.5}$	$\dfrac{248.91}{40.41 \sim 1386.3}$
F_{405}	$\dfrac{623.78}{2 \sim 57600}$	$\dfrac{23.95}{2 \sim 353}$	$\dfrac{247.03}{1 \sim 18920}$	$\dfrac{40.77}{1 \sim 7026}$	$\dfrac{2.58}{0 \sim 168}$
F_{360}	$\dfrac{773.39}{6 \sim 64000}$	$\dfrac{60.29}{5 \sim 507}$	$\dfrac{812.12}{10 \sim 73370}$	$\dfrac{42.11}{1 \sim 4577}$	$\dfrac{10.12}{1 \sim 567}$
F_{320}	$\dfrac{297.01}{11 \sim 22600}$	$\dfrac{45.99}{2 \sim 220}$	$\dfrac{811.08}{1 \sim 80190}$	$\dfrac{12.30}{1 \sim 448}$	$\dfrac{10.64}{1 \sim 329}$

分子:平均值;分母:最小值~最大值

二、油气化探指标的浓度特征

通过对 5 口井测试结果的统计归纳(如表 3-11 所示),可以发现气井、油气显示井和干井的指标浓度具有比较明显的差异。

表 3-11 油气化探指标浓度特征表

(据吴爱军等,2000)

	SN91 井	SN110 井	SN120 井	SN117 井	SN128 井
DC_1	100	100	99.8	100	80.79
DC_2	72	96.6	52.2	38.5	21.65
DC_3	55	84.5	36.0	31.6	5.18
DC_4	16.8	83.2	31.8	29.9	0.91
DC_5	8	46	17.2	20.3	—
DC_6	—	6.3	10.1	11.7	—
DC_7	—	6.7	9.4	9.9	—
SC_1	100	100	100	100	100
SC_2	100	100	100	99.7	100
SC_3	99.2	100	99.3	99.3	100
SC_4	97.7	99.9	97.3	97.3	99.7
SC_5	96.2	99.9	95	82.5	97.9
F_{405}	100	100	100	100	99.7
F_{360}	100	100	100	100	100
F_{320}	100	100	100	100	100

顶空气轻烃系列中,气井、气显示井的 DC_1 浓度平均值都在 2 200 以上,最大值在 40 000 以上。油显示井的 DC_1 浓度平均值为 1 100 左右,最大值在 25 300 以上,而且极高值点位具有一定的连续性。而干井中的 SN117 井虽然平均值也达到 1 400 左右,但极高值点具有突变性,且点位孤立少点,它们平均值相对较高可能与它所处构造地层的整体含油气信息有关。而干井 SN128 井所反映出的浓度特征最高值和平均值比前面的几口井相差 1 个数量级,仅仅反映了地层的区域含油气性。

$DC_2—C_4$、DC_5^+ 反映出 SN91 井比 SN110 井、SN120 井的平均值,最高值均很低,说明了气井和含油井在高碳成分方面是有明显差异的。SN117、SN128 井的重烃成分平均值尚不足 100,只反映了地层的区域含油气性。

在岩屑酸解吸附烃系列中,SC_1 在气井和油气显示井的均值都在 1 000 以上,最高值与干井的差别不大。5 口井的 SC_2^+ 差异不明显。

在岩屑荧光光谱指标系列中,SN91 井、SN120 井的最高值都在 18 000 以上,平均值达几百,SN110 井虽然最高值不大,但平均值也都在几十以上。而干井中荧光指标的高值点是突跃性孤点状,平均值都不高。

从 5 口井的化探指标浓度特征来看,气井、油气显示井的顶空气高值具有连续性,DC_1 浓度最高值可达 25 000 以上,干井 DC_1 浓度最高值虽然也可达 10 000 左右,但高值的出现是突跃性的孤点状。岩屑酸解吸附烃中气井、油气显示井 SC_1 均值可达 1 000 以上,荧光光谱指标高值在油气显示井中显现明显,对储层的反应灵敏。干井中此两类指标只能反映地层在区域上的油气特点。

三、顶空气轻烷烃比值图特征

根据色谱分析结果,计算出顶空气轻烷烃比值如 C_1/C_2,C_1/C_3,C_1/C_4 等,画在半对数坐标上。各类储集层的轻烃比值范围如表 3-12 所示。

表 3-12 各类储集层轻烃比值范围表
(据吴爱军等,2000)

比值	油层	气层	干层(非产层)
C_1/C_2	2~10	10~35	<2 或 >35
C_1/C_3	2~14	14~82	<2 或 >82
C_1/C_4	2~21	21~200	<2 或 >200

如图 3-27 所示,对松辽盆地南部 4 口井的异常段的轻烷烃比值作在同一个半对数坐标之上,可以比较明显地区别不同油气类型的差别。

SN91 井是气井,图形显示比值连线落在气区向右上倾,SN110 井是气显示井,比值连线落在气区微向右上倾。根据派克斯勒(Pixler)的经验法则,这种图形差别反映出 SN91 井具有可开采价值,而 SN110 井的可开采性略差,但它们总体上都反映出气的特征。

SN120 井比值连线 C_1/C_2 端落在紧邻油区的气区范围内,C_1/C_3、C_1/C_4 端都落在油区。而且比值连线是向右下倾的。根据派克斯勒(Pixler)的经验法则,这种形状表示储层富含水,因而无开采价值。实际上,SN120 井也正是这样,只有油异常显示,测试未获工业油流。

SN117井的比值连线则很紊乱，C_1/C_2，C_1/C_3端落在气区，而C_1/C_4却落在油区。这种形状说明了SN117井的地层区域油气性是含气性质的，但没有开采的价值。这种不规则性也反映了SN117井是一口干井。

SN128井由于C_2—C_4检测率很低，无法作图。这也反映出干井不具有油气显示井的一般特征。

通过顶空气轻烃烷烃比值图的研究对比，可以发现松辽盆地南部含气井的连线特征是右上倾的，偏向于干气的方向。而含油井的连线特征是右下倾的可能储层富含水，开采价值要打折扣。而干井的连线特征紊乱，甚至根本无法作图。

四、油气层化探异常模式

通过对含油、气井的异常层段的对比研究，可以发现一个普遍的规律，在生油层段，化探各指标高值层段往往同步出现（图3-28）。在油气显示层段顶空气轻烃系列和荧光光谱系列具有较高的异常显示，而酸解烃系列则正好相反，具有较低的异常显示，在油气显示层上方泥岩盖层内酸解烃往往具有较高的异常显示（图3-29）。高背景上的高强

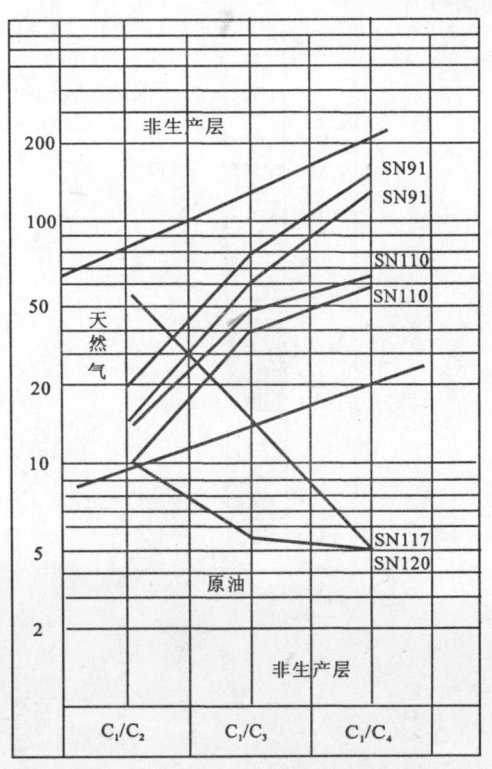

图 3-27 顶空气轻烷烃比值图
（据吴爱军等，2000）

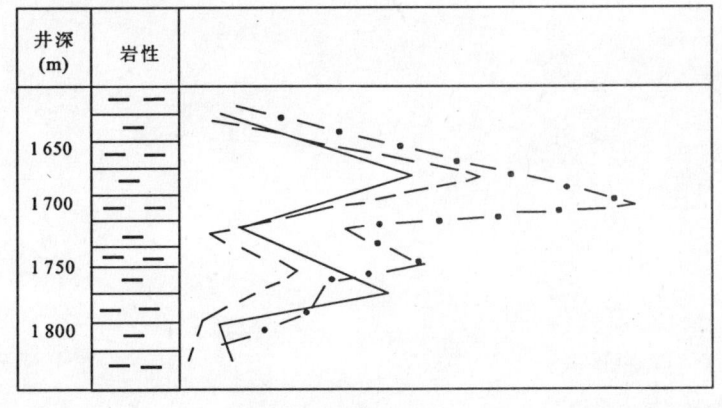

图 3-28 生油层异常模式
（据吴爱军等，2000）

度异常,则是良好油、气层的反映。

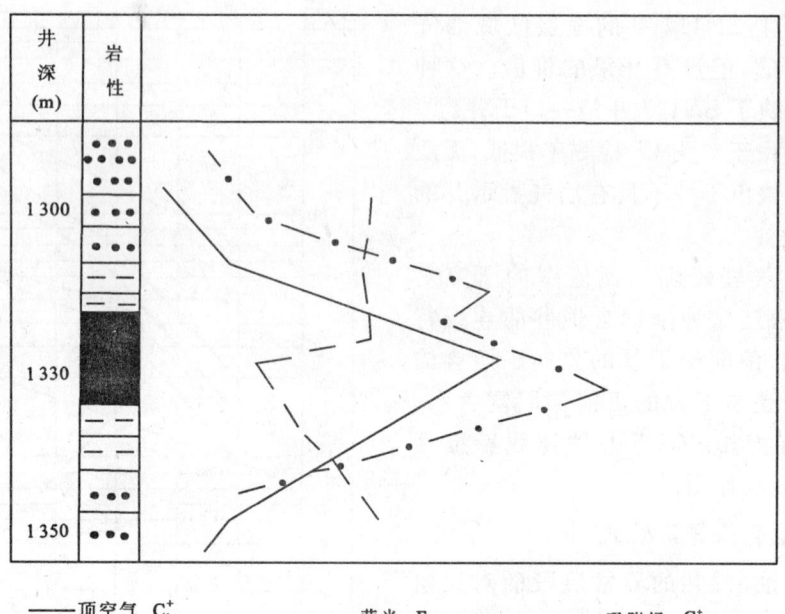

图 3-29　储层异常模式
（据吴爱军等,2000）

4. 综合信息预测方法

4.1 预测油气藏的信息类型

4.1.1 信息类型的划分

油气勘探的基本单元是油气藏。我们知道组成油气藏的基本物质组分包括两大部分：第一部分是圈闭（油捕），是指捕获与储集油气的空间场所；第二部分是流体，也就是石油、天然气和油田水。在石油地质学中，根据圈闭类型将油气藏划分为构造油气藏，包括背斜油气藏、断层油气藏、裂隙油气藏、刺穿接触面油气藏；岩性油气藏，包括岩性尖灭油气藏、透镜体油气藏、礁块油气藏等；地层油气藏，包括地层不整合油气藏和地层超覆油气藏。由此可见，油气藏类型相当复杂，各种不同油气藏都具有各自的特殊性，并且有些油气藏类型尚未被人们所认识，但不管哪种油气藏类型其勘探工作基本由 3 个层次构成：首先对沉积盆地进行全面的构造运动史、沉积发育史、油气形成史的分析，确定有利的油气聚集带；其次在有利油气聚集带上确定有利构造和非构造圈闭的位置、类型，规模；然后详细地解释有利圈闭的含油气性并作出评价，进而提出具体钻探方案。长期以来，人们按这样一种程序把注意力集中在查明油气藏赋存的空间场所上，采用重、磁和大地电磁测深等手段，查明盆地边缘性质和基底结构、基底断裂等，所谓"探边摸底"，采用地震勘探，查明盖层埋深、构造特征与演化，恢复古地貌与古构造、局部构造形态、基底起伏等。近年来，又利用层序地层学的分析来判别沉积体系、恢复沉积环境、划分沉积相并预测有利的生、储油岩相的分布。采用有机地球化学等方法研究盆地的生烃过程和演化历史等。总之，侧重于油气勘探前两个层次的工作，从生油条件、圈闭条件（包括储层和构造形态）、保存条件的研究对第三个层次的含油气性作出定性评价，在研究过程中所采用的各种信息及其综合都是从某一方面，或者综合各方面的结果，指示了油气聚集的有利条件及可能性，即组成油气藏的基本物质组分的第一部分，而不能说明是否一定有油气聚集（第二部分），就像具备了杯子，杯中不一定有水一样，为此我们把这类信息称之为间接信息，它是指评价油气聚集空间场所的信息量，在这里包括含油气盆地的基底埋深与结构、盖层构造形态特征、空间状态、储集体产状与形态，隔挡层厚度与展布范围，储层与隔挡层配置，封闭条件，等等。

20 世纪 80 年代以来，国内外相继开展了物化探直接找油气的工作，其方法是利用物探、化探手段检测油气在地震动力学信息及地表产生的微观效应和异常，从而指示地下是否有油气聚集。作为石油地球物理学家，总是千方百计地从自己的技术领域中寻找直接评价油气藏的信息：重力工作者利用高精度重力资料，力图从油、气、水与岩石之间微弱的密度差，寻求判别标志；航磁工作者利用高精度磁性异常，寻求低缓的微弱的局部异常，将其作为判别油气圈闭的标志。就地震勘探而言，反射地震勘探的发展已经跨进了一个新的阶段，即采用的信息不再单纯是研究构造的运动地震学参数,同时还广泛利用与地层或岩性以及油气有关的动力地震学参数。但利用地震信息进行油气藏预测是相当复杂的,某种信息与油气的关系往往表现出随机性,即用一种信息现象不能与唯一的地质现象相对应即所谓"多解性"或叫"一果多因"。因此,必须同时研究多种地震信息预测油气富集的方法。

直接检测碳氢的地质和物理基础是油气饱和与水饱和区域相比存在许多不同的物理特征(V. V. Fedynsky、L. I. Ivanov 等),即地震波通过储层时 P 波速度减小,吸收增大;波通过储层时频率范围发生变化;在储层的油气接触面上声波阻抗和反射系数发生变化,岩石密度变小等。

国内外学者进行研究表明,下面的指示因子可以用来检测与储层有关的地震异常:①储集层底部的反射,其平均速度和有效速度都变小;②储集层内部层间速度减小、波旅行时间增长;③波通过储集层时吸收增大;④波通过储集层后,频率范围发生变化;⑤通过储集层的波,相关性变小;⑥从油气饱和层反射的波,振幅增强或减弱;⑦在储集层底部和油—气—水分界面上出现反射。上述因子可划分 4 组:第一组指示因子①~②反映储集层对地震波的影响;第二组指示因子③反映储集层对频谱能量的影响及吸收特征;第三组指示因子④~⑤反映油气藏对地震波频率的影响;第四组指示因子⑥~⑦反映了油气藏对地震反射振幅的影响。

干酪根热解生油理论认为,生油物质从地表逐渐沉降到发生热解深度以后,有机质才开始形成石油和天然气。在油气生成和聚集过程以及成藏以后,通过扩散,渗透和水层中上浮等方式不断往地表运移,可以在油气藏上方或旁侧的地表土壤中富集某些微弱的油气地球化学场(也称为晕)。这样便可以利用地表地球化学方法预测油气藏。

上述物化探方法所采用的各种信息及其综合都是试图研究某一区域甚至某一圈闭是否有油气聚集,即组成油气藏的基本物质组分的第一部分,我们称该类物化探信息为直接信息,是指直接评价圈闭内存在油气的信息量,包括地震剖面上的亮点、暗点与平点,与碳氢检测有关的全部信息,三瞬信息,石油地球化学场的烷烃、紫外荧光、ΔC、热释光等。

4.1.2 不同类型信息在预测油气藏中的相互关系

首先,应在间接信息研究基础上,筛选出有远景的地区,然后把化探技术作为一种先行于地震方法的普查程序,进行小比例尺大面积化探扫面,圈定化探异常,继而利用遥感地质、区域地质资料、重磁资料优选靶区,这样做我们认为漏掉油气田的可能性较小,因为化探异常的晕,总是比油气田分布范围广。再次,在优选的靶区中,选择物化探开展大比例尺细测,同时进行地震剖面勘探,通过对物化探大量信息的综合解释,可进一步缩小靶区,在靶区内开展地震细测,提取地震直接预测油气参数,确定钻探部位。这一评价含油气盆地、选择石油勘探靶区的步骤,将会大量减少地震勘探的工作,节省费用,迅速有效地进行油气资源评价。

然而我国各含油气盆地中,都进行了大量地球物理工作,尤其是昂贵的地震勘探,覆盖面积很大,尽管如此,仍应进行石油地球化学的普查工作,确定详查对象和评价区域含油气性,缩小靶区,以减少盲目性和提高效益,在靶区内进行化探详查,结合地震直接找油信息的研究,确定圈闭的含油气性。

在综合利用和分析地质、物化探异常时,不仅需要石油地质学家的配合,而且还需要地球物理及地球化学家的配合,需要多学科的渗透以及需要掌握多学科知识的科研人员,他们可以从本学科领域中尽可能多的提取控制油气聚集有关的各种间接和直接信息,但从各种资料中提取的各种信息,在某种程度上都具有一定的"模糊性",于是人们开始着眼于将各种信息进行相关分析,建立各种数学模型和判别式,如果这种模式一旦被建立起来,不仅会迅速评价一个含油气盆地,选择石油勘探的靶区,而且会改变传统的石油勘探程序,节省大量的勘探经费,加快勘探速度。

4.2 各类油气藏信息的提取

4.2.1 单斜油气藏信息提取

石油与天然气在单斜构造内,被圈闭而形成的油气藏称单斜油气藏。它的形成条件有以下几点:①具有充足的油气来源;②具有能够容纳与排除油气的储集物性条件;③具有非渗透能力的隔挡层;④具有圈闭油气的条件等。

从以上形成条件中,可以提取以下信息。

一、间接信息

在单斜构造上,能够捕获油气的储集体、隔挡层与封闭油气条件,有以下 4 种组合型式:

(1)在具有隔挡层条件下,储集体沿倾斜岩层向上方尖灭,而且尖灭线只有在弯曲部位才能捕获油气,成为判断圈闭的间接信息。

(2)储集体在剖面上呈透镜体在平面上呈带状,带状储集体上倾突起方向才能捕获油气成为油气藏(图 4-1)。

(3)储集层夹在隔挡层之间,储集层沿上倾方向出露地面,原油经氧化而形成沥青塞时,才

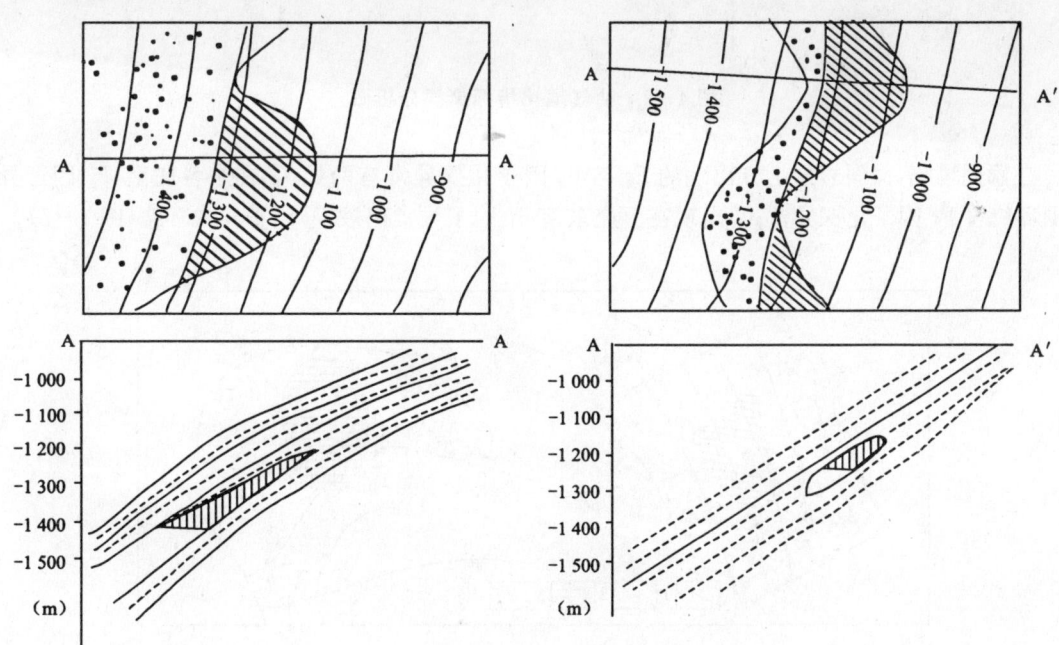

图 4-1 单斜构造圈闭形成条件示意图

可能封存油气,如四川厚坝油气田。

(4)储集层沿上倾方向被一组或二组压性或扭性断层切割,而且断层面弯曲,对盘被非渗透层封堵,在这种情况下可提取间接信息。

以上4种型式所构成的油气藏空间条件,可以从层序地层学的研究、储集体的形态特征、厚度大小与阻挡层的配置关系以及与断裂的组合特征中获取。

二、直接信息

圈闭内赋存油气的直接信息,可以通过石油地球化学指标来判断,例如,在华北廊固坳陷,使用了 J、ΔC、UF 310、UF 320、UV 200、UV 233、活性炭、热释光、CH_4、C_2H_6、C_3H_{48}、IC_4H_6、nC_4H_8 等参数。首先对以上参数进行聚类分析(图4-2),然后对样品的地球化学指标进行正交因子分析,结果得出 F_1 因子中负载最大的是紫外、荧光物质。其次是 ΔC,与聚类分析中的组合完全一致。最后 F_2 因子中负载最大的是烃类气体,也与聚类分析的组合一致。

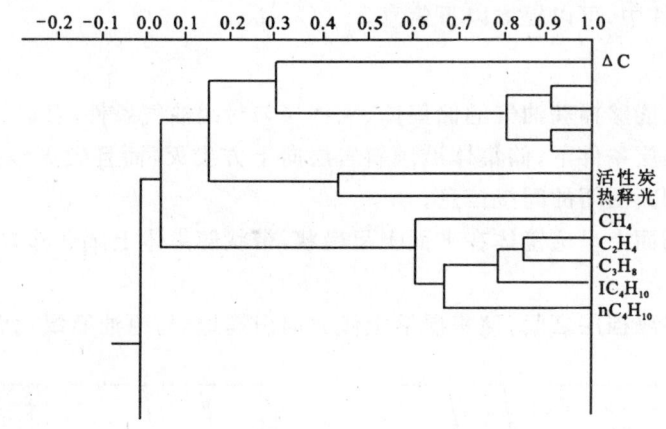

图 4-2 油气地化指标聚类分析图

在廊固坳陷,倾斜岩层上方出现的 F_1 与 F_2 因子化探异常有两处:①在东各庄南,F_1 因子异常外围环绕着 F_2 因子化探异常;②出现在万庄东南 F_1 因子异常仍被 F_2 因子异常环绕(图4-3)。

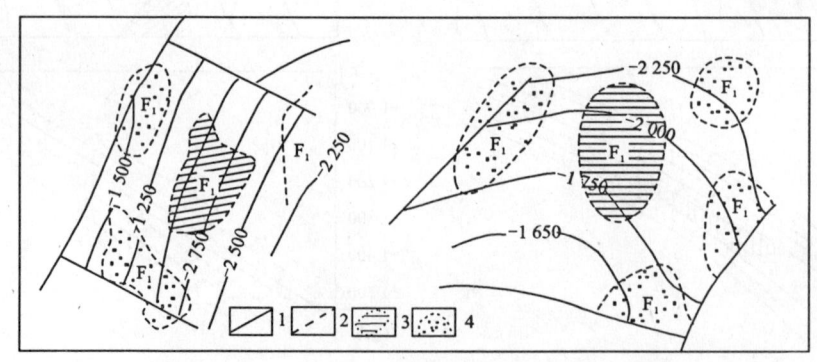

图 4-3 廊固坳陷倾斜岩层化探多参数异常分布图

除了地球化学指标外,在倾斜岩层上方还可以在地震时间剖面上提取碳氢检测参数和瞬时速度、瞬时频率和振幅等参数作为直接信息。

4.2.2 背斜油气藏信息提取

油气在背斜圈闭中聚集形成的油气藏称为背斜油气藏,是油气勘探的主要对象,它的形成条件有以下几点:①具有充足的油气来源;②组成背斜的岩层,必须具有能够容纳和排除油气的储集物性条件;③组成背斜的岩层,必须具备有非渗透能力的隔挡层;④组成背斜岩层,向上拱起区的弯曲形态具有圈闭油气条件等。

从以上形成条件中,可以提取如下信息。

一、间接信息

背斜油气藏间接信息的提取,可以从以下几方面进行。

1. 从背斜与基底结构的关系中提取有利于油气圈闭的间接信息

背斜与基底结构的关系有以下几种型式:①背斜发育在基底坳陷之上,如大庆长垣是发育在松辽含油气盆地中央坳陷之上的一个平缓的长垣构造;②背斜发育在基底隆起之上,如扶余油田三号构造就是发育在松辽含油气盆地东南隆起带基岩隆起之上;③发育在基底斜坡之上的背斜或者发育在基底断裂上方或旁侧的背斜。

从以上几种组合型式分析,如果基底坳陷是油源区的话,坳陷上方之背斜,有利于油气聚集。隆起上方之背斜,如果距油源区较近,并且属同生背斜,则有利于油气藏形成,而斜坡上的背斜,一般属后生背斜,对油气聚集来说,较前两种差些。

2. 从背斜形成时间上提取有利于油气圈闭的间接信息

按背斜构造形成与沉积作用之间的关系,可划分两种类型:①为长期发育的同沉积背斜,是指在沉积作用过程中边隆起、边沉积所形成的背斜,它控制了岩性与岩相带的分布;②为沉积后的背斜,是指沉积作用之后,由于构造运动而形成的背斜。这两种类型的背斜,前者较后者有利于油气聚集。

3. 从背斜组合特征中提取有利于油气圈闭的间接信息

在一系列平行排列、斜列式排列或"S"型排列的背斜中,背斜两翼倾角大、个体小、幅度高者有利于油气聚集,比如柴达木盆地中鄂博梁构造带是一个反"S"型背斜带,其中冷湖油田便是此例。

4. 从组成背斜的储集层与隔挡层的组合关系中提取有利于油气圈闭的间接信息

在背斜中储集层与隔挡层的组合关系,有3种方式:①储集层与隔挡层互相迭置、互相平行,共同组成背斜,储集层厚度稍有变化,但变化不大;②储集层仅分布在背斜一翼,呈楔形体,隔挡层与储集层呈镶嵌式组合,如乾安油田,储集体仅发育在背斜西南翼;③储集层在剖面上呈透镜状,平面上呈带状,隔挡层即是隔挡条件,又是封闭条件,如新北油田黑帝庙油层,在新立背斜上为一北东-南西向展布的河流相带状砂岩体(图4-4)。

从以上储集层与隔挡层组合关系中可以看出,在背斜中,对储集层的研究相当重要。所以,我们在提取有利油气圈闭的间接信息时,可以采取赋值得分的办法进行评价。方法如下:

首先对背斜构造进行赋值,圈闭面积之内赋"1"分,闭合面积之外赋"0"分;继而对背斜中储集体与隔挡层组合进行赋值,发育有储集体之内赋"1",没有储集体赋"0"。这样所提取得分为"2"者是有利于油气圈闭的间接信息(图4-5)。

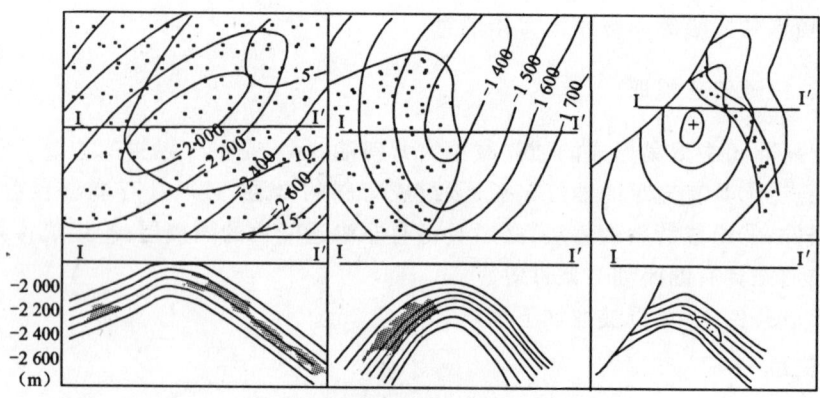

图 4-4 背斜圈闭形成条件示意图

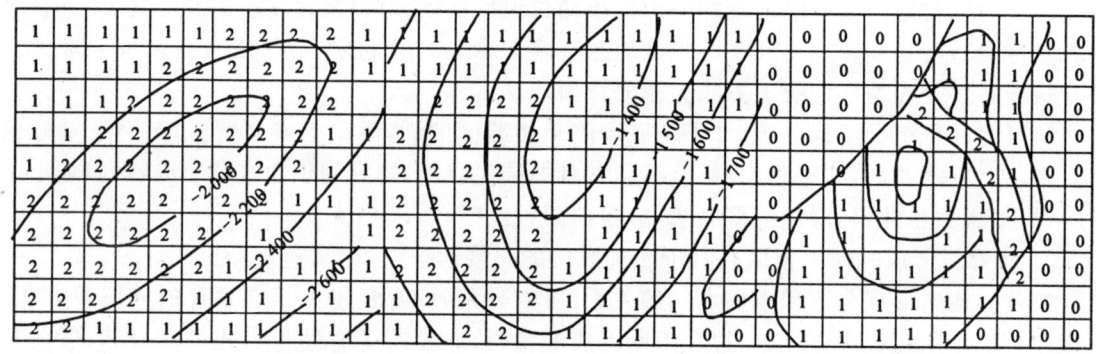

图 4-5 背斜圈闭间接参数赋值示意图

5. 从背斜成因类型中提取有利于油气圈闭的间接信息

背斜成因类型有以下几种：①来自于盆地边缘老山区的倾向挤压力或者盆地与老山区相对扭动所形成的褶皱；②由于盆地基底断块差异性升降运动或者基底断块相对扭动而形成的褶皱；③由于盆地内塑性或含盐物质上冲刺穿而形成的弯窿状背斜；④由于基底古潜山的隆起或沉积时差异压实作用而形成的背斜。

从以上 4 种背斜成因类型中，可提取如下有利于油气圈闭的间接信息：

(1) 在第一种情况下，背斜在形成过程由构造应力场强度从盆地边缘向盆地内部越来越弱(图 4-6)，所以在构造应力场强度的驱动下油气从盆地边缘向盆地内部迁移，但是在盆地内背斜构造定型以后，由于背斜幅度从盆地边缘向盆地内部逐渐变小，在水动力条件的驱动下，油气从盆地内部又向盆地边缘迁移。所以，构造幅度大、个体小、两翼倾角大的背斜，可成为有利于油气圈闭的间接信息。

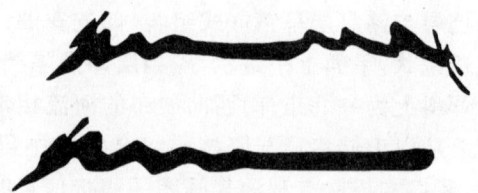

图 4-6 盆地盖层构造示意图

(2)在第二种情况下,基底断块差异性升降运动与相对扭动而形成的背斜,从时间上看,如果基底断块活动,具有长期性质,边运动、边沉积,沿断裂带所发育的同生背斜和滚动背斜都可以成为有利于油气圈闭的间接信息,而基底断块垂直与相对扭动,发生在沉积作用之后,一方面可破坏圈闭条件,促使油气重新分布;另一方面也可以成为新的封闭条件。

(3)在第三种情况下,形成底辟与盐丘,在一般情况下,可以形成刺穿接触圈闭条件。

(4)在第四种情况下,基底古潜山边隆起、边沉积,由于差异性压实作用而形成的背斜,到目前为止,一直被多数石油勘探者所重视,成为有利油气圈闭的间接信息。

此外,在含油气盆地中利用遥感解释,对那些环形影像,尤其是处于大的线型影像旁侧的环形影像,也可成为有利于油气圈闭的间接信息,如奥伦堡地区博尔舍涅尔长垣上的局部构造与线性影像特征和油气田有关(图4-7)。

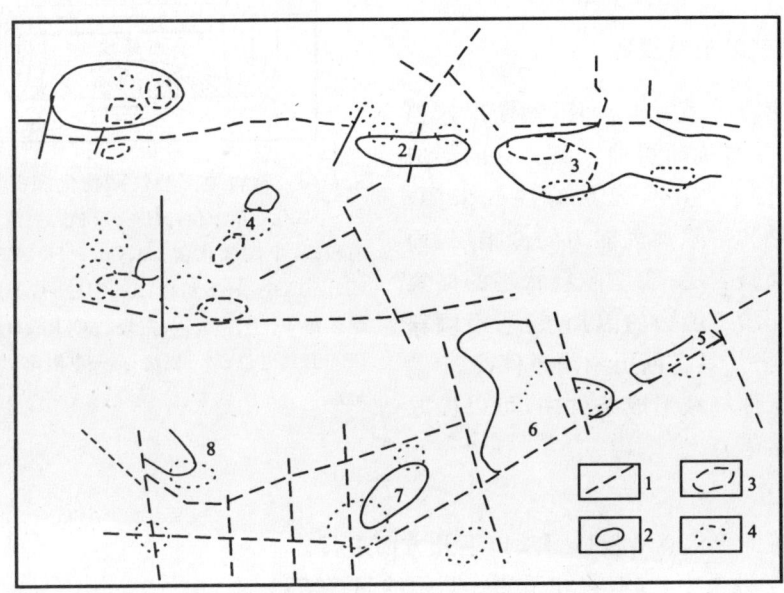

图4-7 博尔舍涅尔长垣线性与环形影像
1—线性体;2—油田;3—影像异常;4—构造活动正异常

二、直接信息

背斜圈闭内赋存油气的直接标志,可以通过石油地球化学指标来判断。例如,在松辽盆地青冈背斜上,采用的地化指标有^{214}Bi、^{222}UV、^{310}UV、^{431}LF、Sr、Ni、V、Hg、I、Tu等。

原地矿部物化探研究所1985年总结出背斜顶部油气藏多参数理想模式如图4-8所示。

以上这些背斜上方物化探异常分布特征,基本上有两种型式:

(1)背斜上方物化探异常呈现圆形、椭圆形顶部正异常,如磁法、地温,A类;

(2)背斜上方物化探异常呈环形,断断续续顶部负异常,如放射性、Em、pH、ρ_3等。

此外,在地震时间剖面与特殊处理三瞬剖面上,也可以提取多种信息做为直接油气信息指标,据英国石油地质杂志报导:"已经证明,瞬时频率和振幅的综合与石油的产出有某些相关性"、"潜在油水存在的标志是部分剖面与周围构造相比看起来平坦得多,剖面平坦部分常常指示流体的界面",又指出:"结合振幅和剖面平坦部分分析,频率衰弱的差异与油气存在似乎有一定的相关性"。

青海石油管理局通过研究柴达木盆地西部跃进一号构造上的(1019)测线时发现：地震信息异常与油气富集层段和部位有一定的内在联系，表现在以下几个方面：① 频率信息异常。含油层段低频响应丰富，第一主频偏低；② 振幅信息异常。在水平迭加剖面上，含油气层段的顶底界面形成反射"亮点"，油气层内部则表现为"暗点"；③ 碳氢检测剖面。位于油田高产部位有较大的正异常，而低产及油水边界以外部位则有负异常趋势（图4-9）。

4.2.3 断层油气藏信息提取

油气沿储集层上倾方向运移，被断层遮挡而聚集，形成油气藏称断层油气藏。它的形成条件有以下几点：① 具有充足的油气来源；② 具有能够容纳和排除油气能力的储集层，而且储层产状为倾斜岩层；③ 呈倾斜状态的储集层必须具备有非渗透能力的隔挡层；④ 沿倾斜岩层上倾方向，必须具备断层圈闭条件等。

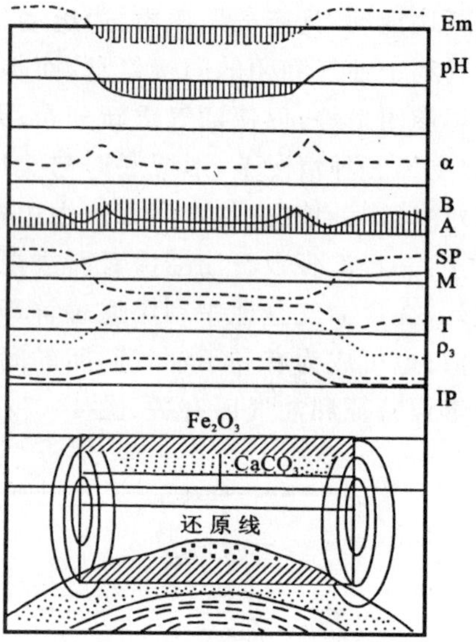

图 4-8 背斜顶部油气藏物化探多参数理想模式
Em—氧化还原单位；pH—pH 值；α—放射性；B—CH_4 有机碳，甲烷氧化菌 Cu、Co、I、He、VH_3、Br、V、Li、$CH_4 \sim CO_2 \sim H_2S$ 组合；A—$CH_4 \sim C_4H_6$、CH_4 同系物氧化菌 V、Nj、Mo、W、重烃、ΔC、Rn、Hg、Mm、Ca 等；SP—自然电位；M—磁法；ρ_3—电阻率；IP—激电；T—地温

从以下断层油气藏形成条件中，可以提取间接信息与直接信息。

一、间接信息

断层油气藏间接信息的提取可从以下几方面进行。

1. 断层力学性质中，提取有利于油气圈闭的间接信息

断层在油气藏形成过程中，具有双重性，它一方面可以遮挡油气，成为良好的封闭条件；另一方面又可破坏油气藏，成为油气运移的空间条件，所以，断层油气藏形成条件是比较复杂的。

按断层形成的力学性质，可分为压性断层、扭性断层、张性断层、压性兼扭性断层、张性兼扭性断层。这5种不同力学性质的断层，对油气封闭所起的作用也不同，一般可分两类：① 对油气能够起遮挡作用的断层有压性断层、扭性断层、压性兼扭性断层；② 对油气不能够起遮挡作用而成为油气运移通道的断层有张性断层和张扭性断层。

因而第一类力学性质的断层，便成为有利于油气圈闭的间接信息。第二类力学性质的断层，只要具备以下条件，可以封闭油气，成为有利于油气圈闭的间接信息。

(1) 张性与张扭性断层中，由于地下水活动，水中溶解物质（$CaCO_3$）沉淀，将破碎带胶结起来而能起封闭作用。

(2) 断裂带中沿断层面所产生的粘土质断层泥遇水膨胀，也可起封闭作用。

(3) 油气沿张性与张扭性断层运移，逐渐被氧化，而形成固体沥青物质，堵塞运移通道，起封闭作用。

2. 断距大小与两盘岩层组合接触关系中，提取有利于油气圈闭的间接信息

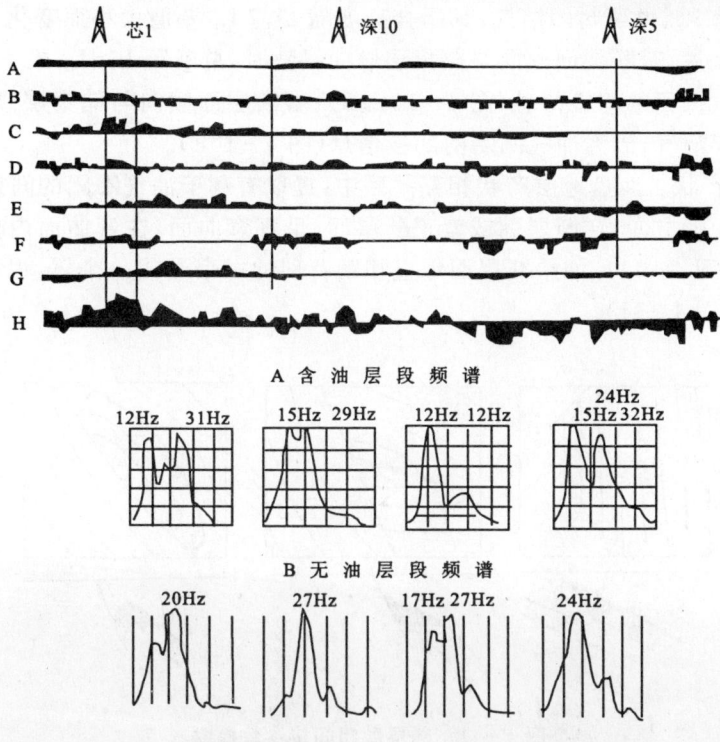

图 4-9 柴达木盆地西部跃进一号构造地震信息异常图
A—层速度;B—16Hz百分比能量;C—16Hz能量;D—平均频率加权能量;
E—有效频带 12～72 能量;F—主频;G—能量包络;H—总和

断距可分为总断距 L、水平断距 a 和垂直断距 b。

对于正断层来说,在断层面倾向与储集层倾向相同时,断距大小与两盘储集层厚度有以下两种情况(图 4-10A、B):①总断距 $L > L_1$,储集层所谓"不见面",断层上盘可封闭油气成为有利于油气圈闭的间接信息(图 4-10A);②储集层部分对接,油气沿上倾方向运移,不易聚集(图 4-10B)。

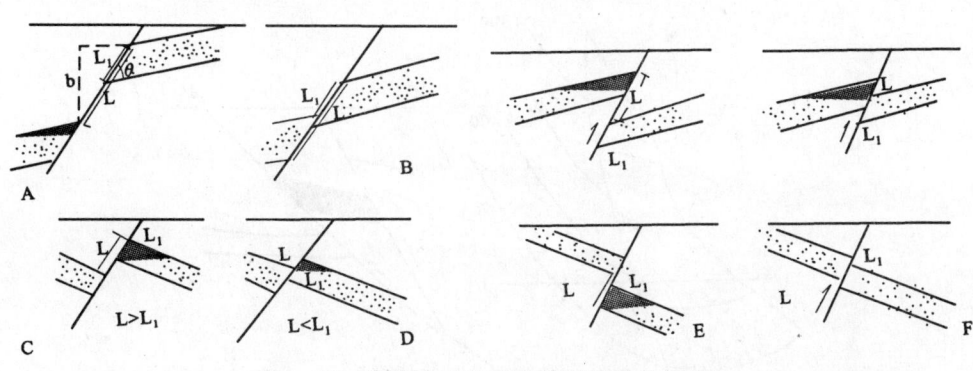

图 4-10 断距大小与两盘储层厚度的关系图

在断层面倾向与储集层倾向相反时,也有以下两种情况(图4-10C、D):①总断距$L>L_1$可封闭油气;②$L<L_1$,也可封闭油气,其闭合高度随L与L_1差值大小而变化。

对于逆断层来说,若断层面倾向与储集层倾向一致时,总断距$L>L_1$或$L<L_1$时,两者都可以成为有利油气圈闭的间接信息(图4-10E、F);若断层面倾向与储集层倾向相反时,只有$L>L_1$时才能封存油气,成为油气圈闭的间接信息(图4-10E)。

3. 从断层面产状与两盘地层产状相互关系中,提取有利于油气圈闭的间接信息

沿倾斜岩层上倾方向,逆断层面或者正断层面,呈现弯曲面,在弯曲面内侧可成为油气圈闭封存有利条件(图4-11);如果断层面平直切割背斜的一个端或一个翼,也可成为提取油气圈闭的间接信息(图4-11)。

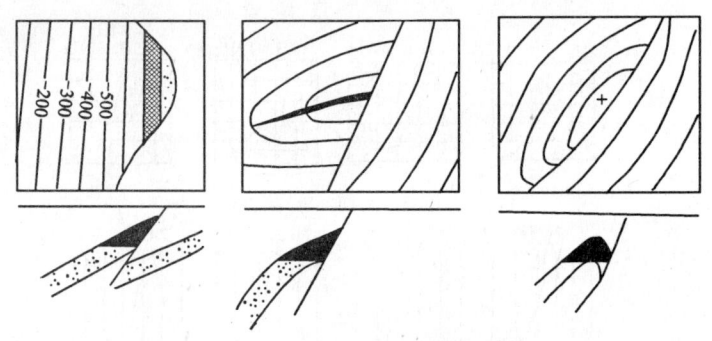

图4-11 断层圈闭间接参数提取

4. 从断层组合与地层产状相互关系中提取有利于油气圈闭的间接信息

沿倾斜岩层上倾方向被压性、扭性或压扭性两组交叉断层切割,则可成为间接信息,如柴达木冷湖油田(图4-12)。如果其中有一组是张性或张扭性断层,则对封闭油气不利。若两组压性、扭性或压扭性断层切割背斜顶部或倾没端,在两组断层交叉部位可提取间接信息,或者该两组断层面呈弧形弯曲,两端交汇在一起在被断层面围限部位也可以提取间接信息(图4-13)。

5. 从断层形成时期与活动性,提取有利于油气圈闭的间接信息

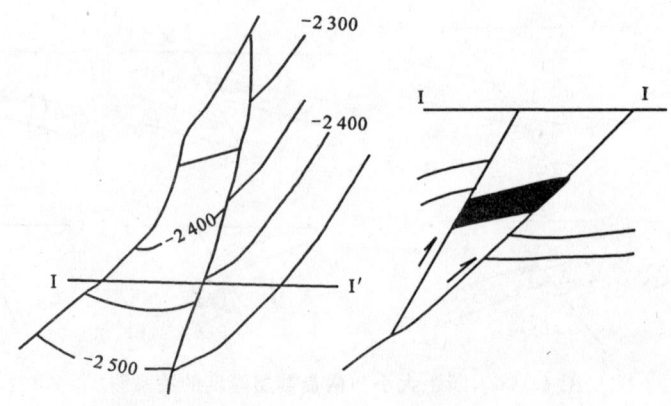

图4-12 柴达木冷湖油田

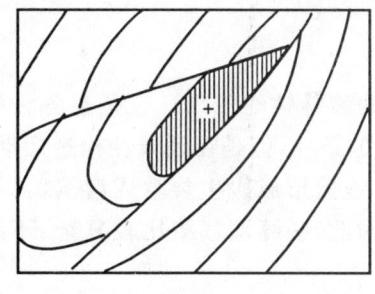 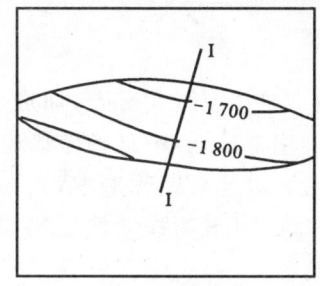 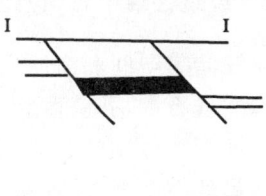

图 4-13 坨-胜油田

依据断层形成与活动时期和油气生成、运移、聚集的关系,可划分为聚油期前断层、聚油期断层和聚油期后断层。

聚油期前断层是在油气聚集前,已经形成与活动的断层,它可控制油气生成、运移和聚集。

聚油期断层是在油气生成、运移、聚集过程中断层形成与活动,它不仅控制油气生成,而且控制油气运移方向、途径和距离。聚油期后断层是在油气藏形成以后,形成与活动的断裂,它可破坏油气藏,促使油气再次运移,重新分布。

依据断层与沉积作用的关系,又可将断层形成时期划分为沉积前、沉积同时、沉积后 3 种类型。

沉积前的断层可控制古地貌特征和早期沉积环境,因而沿断层可发育有储集条件;沉积同时断层也称同生断层(生长断层),在长期活动中,它不仅控制储集体的发育,而且在断层旁侧可形成逆牵引和滚动背斜等,有利油气聚集,可成为间接信息;沉积后的断层,可进一步促进油气运移,使得油气重新分配。

二、直接信息

石油地球化学指标,烷烃(CH_4、C_2H_6、C_4H_8)和紫外荧光(UV^{222}、UV^{310}、UF^{431})等,对断裂反映是很显著的,尤其是放射性物质和氡气沿断裂带呈现出明显异常。

异常的分布有 4 种类型(图 4-14)。并且,这种多信息化探异常的分布具有分带性。一

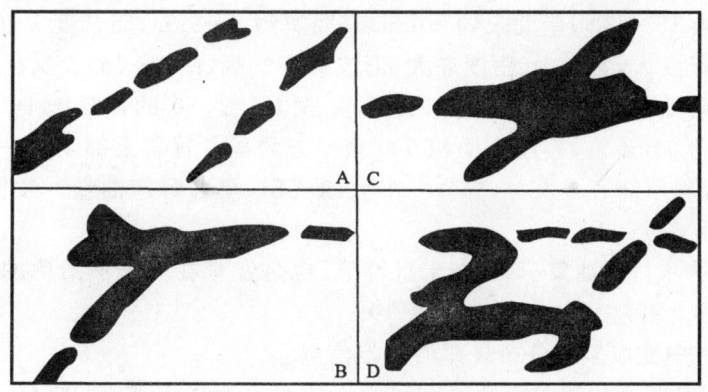

图 4-14 异常分布的类型
A—线型异常;B—三叉型异常;C—交叉型异常;D—菱型异常

一般情况,轻烃分布的晕较重烃分布的范围广,而烷烃分布的晕又较紫外荧光分布的范围大。

4.2.4 裂缝性油气藏信息提取

油气储集空间和渗滤通道主要靠裂缝和溶孔,而形成的裂缝性油气藏。它是在各种致密和性脆的岩石中,孔隙度和渗透率都很低,不具备储集油气的条件,但是在区域性构造运动中,形成各种不同性质的裂缝,或者在其他后期改造中,在局部地段形成次生裂隙或溶洞,具备了油气储集的空间条件,使得油气聚集,成为裂缝性油气藏,因此,裂缝油气藏比较复杂,不易查明。

一、间接信息

有利于裂缝油气藏形成的间接信息,只有从重力、航磁、地震、遥感等资料中,注意分析研究断裂的分布规律入手。

1. 从褶皱构造中,提取裂缝分布规律的间接信息

褶皱构造中的裂缝,按形成序次可分为两个期次,一是高序次裂缝,二是低序次裂缝。

高序次裂缝是组成褶皱的岩层,在水平侧向挤压应力作用下,未发生弯曲时,所产生裂缝,有两种类型:两组共扼剪切裂缝与挤压方向平行的张裂隙。剪切裂缝延伸较远,切割较深,裂缝面光滑,裂缝闭合,与岩层层面垂直;而张裂缝是牵就两组剪切面而产生的,断续分布,延伸不远,裂缝呈锯齿状,是一个张开裂口。

低序次裂缝是组成褶皱的岩层,在侧向挤压构造应力场的继续作用下,发生弯曲而形成的构造裂缝;此时在背斜顶部出现纵张裂缝;在翼部出现剪切裂缝;在核部出现挤压裂缝和小逆断层。如果组成褶皱岩层厚度小而且属于脆性岩石,则在层间可以产生虚脱空间,因此背斜顶部裂缝可以成为提取有利于油气圈闭的间接信息。比如,我国四川盆地东南部的石油沟气田,是一个近南北向的不对称长轴背斜,西翼陡,倾角达 45°~

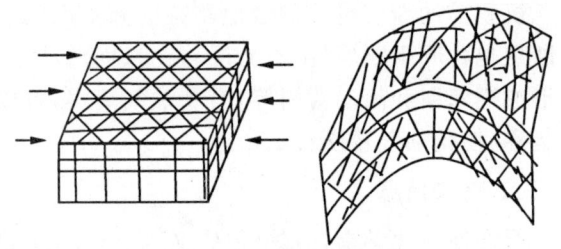

图 4-15 褶皱构造裂隙分布图

50°;东翼缓,倾角为 15°~30°;南北长约 40km,东西宽约 8~9km,闭合度 1 100m,背斜轴部发育 4 组裂缝,延伸长度大,宽度大,密度亦大,形成高产气区(图 4-15)。又比如伊朗加奇萨兰油气田,第三系的阿斯与利灰岩,是一个顶部平缓,两翼陡达 50°的背斜,轴向 NWW,长 70km,宽约 9km,闭合度 3 000m 左右,闭合面积 600 余平方公里。背斜上部则为一个向斜。由阿斯与利灰岩组成的背斜顶部裂缝发育,成为一个大油气田,单井日产油量一致保持在 8 000t(图 4-16)。

此外,我国柴达木盆地油泉子、开特米里特等,也是发育在一个不对称的似箱状背斜顶部的裂缝性油田(图 4-16)。

2. 从断层构造中提取裂缝分布规律的间接信息

断层构造按两盘相对位移方式及断层力学性质可分为以下类型(图 4-17):①压性逆断层旁侧裂缝分布;②压扭性斜冲逆断层旁侧裂缝分布;③扭性平移断层旁侧裂缝分布;④张性正断层旁侧裂缝分布;⑤张扭性正断层旁侧裂缝分布。

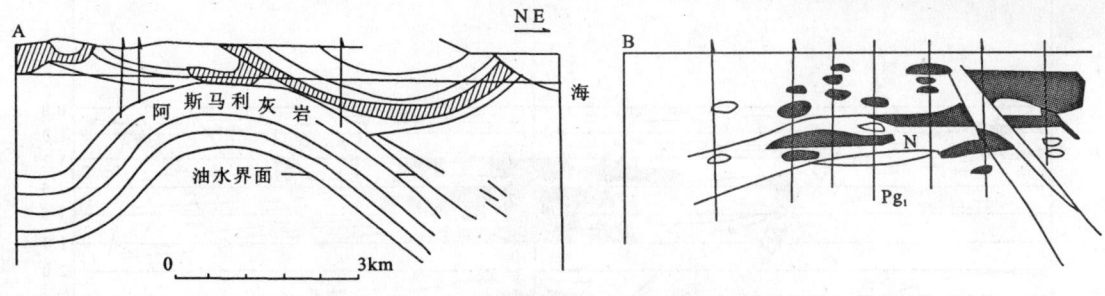

图 4-16　加奇萨兰、油泉子裂隙油气藏
A—加奇萨兰油田剖面；B—油泉子油田剖面

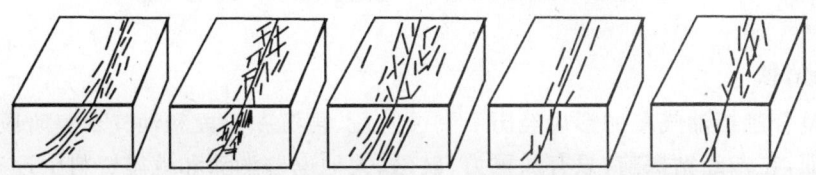

图 4-17　断层旁侧裂隙分布图

前三者断层旁侧不仅发育有羽状裂缝，而且还发育有羽状剪切裂缝，越近断层面裂缝越发育，密度越大；后两者仅仅在断层旁侧发育有张裂缝，偶尔见剪切裂缝。

作为断裂构造发育地段，能够提取裂缝油气藏形成圈闭条件的部位，应当是两组压性、压扭性断裂相交部位，因为这个部位各种不同性质的裂缝极其发育。

二、直接信息

石油地球化学指标，烷烃、紫外和荧光物质，都可作为查明裂缝性油气藏的直接信息，异常分布也呈现 4 种类型，即线型、三叉型、交叉型和菱型，微晕带较宽而零散。

通过数字地震特殊处理，提取三瞬参数，进行综合解释，也可作为判别裂缝性油气藏的直接信息。

1985 年，我们进行了大庆油田泥岩裂隙的研究，所使用的资料是 82—104.9 线数字地震特殊处理资料。首先利用瞬时相位，查明断层位置及延展深度和组合性质，然后利用瞬时速度、瞬时频率和振幅，查明裂缝分布，发现英五井以东 526 点位置是具备有裂隙性油气藏和背斜油气藏的地段，然后布了一口探井，结果大庆油田在该井附近发现工业油气流（图 4-18）。

4.2.5　地层不整合遮挡油气藏信息提取

油气在不整合面（角度不整合面、平行不整合面）上下，聚集而形成的油气藏，称地层不整合遮挡油气藏，它的形成过程包括 3 个阶段：①老地层发生构造变动，出露于水面，遭受风化与剥蚀，形成侵蚀突起或剥蚀构造；②新地层形成阶段。由于构造变动，地壳下降，老地层之上再次接受沉积，形成不整合接触关系；③油气运移至不整合面上下，逐渐聚集，形成不整合遮挡油气藏。

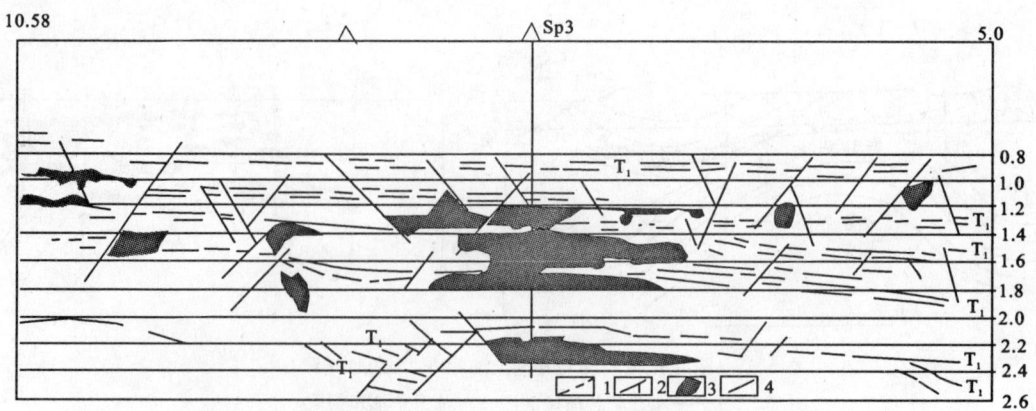

图 4-18 松辽盆地 82—104.9 线数字地震特殊处理资料解释
1—地震反射面；2—断层；3—裂缝油气藏；4—背斜油气藏

一、间接信息

地层不整合遮挡油气藏的形成经历了剥蚀阶段、再沉积阶段和油气聚集阶段，而这种油气藏的结构特征，在未经钻探前，只有从重力、航磁、大地电磁测深和地震资料中逐渐加以认识和提取。

1. 从老地层遭受剥蚀阶段中，提取有利于油气储集空间条件的间接信息

在老地层遭受剥蚀阶段中，取决于剥蚀面起伏、剥蚀深度、剥蚀结构特征（包括孔隙、溶洞）的主要因素有两种：一种是老地层的岩性特征、岩石组合特征和构造特征，也可称为内因；另一种是气候条件。前者可以是各种类型的变质岩、岩浆岩和沉积岩。不同岩石类型，抵抗风化剥蚀作用的强度亦不同，所产生的剥蚀面起伏、剥蚀深度、剥蚀结构也不完全相同；另外老地层的产状及构造形态，包括倾斜、背斜与向斜、节理系及断层性质等不同，剥蚀面起伏、剥蚀深度、剥蚀结构也不同。

在一个地区，相同地质时期，老地层遭受风化剥蚀时，风化地质作用因素，可以看成是一个常数，因此组成老地层的岩性特征及构造条件，便成为决定剥蚀面起伏、剥蚀深度、剥蚀结构的主要因素（图 4-19）。

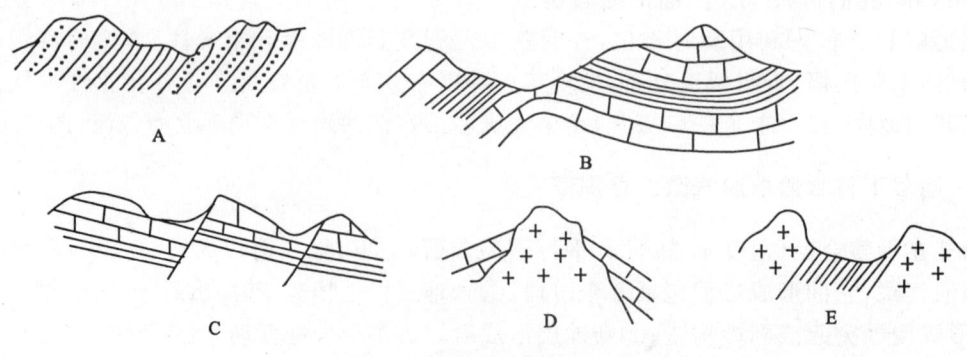

图 4-19 剥蚀面结构示意图

气候条件决定了风化作用类型,包括物理风化作用、化学风化作用和生物及生物化学风化作用。

物理风化作用以机械破碎作用为主,可以使坚硬的岩石发生破裂,裂隙加宽加密,岩石块体从大变小,碎屑物增加等;化学风化作用以淋滤和溶蚀作用为主,可以使可溶性岩石,包括灰岩、含钙凝灰质岩石,产生溶穴、溶洞漏斗等储集空间,也可以使硅酸盐类矿物分解成粘土矿物;生物与生物化学风化作用可以使原岩裂隙加宽和形成生物孔隙等空间条件,因此,在不同类型的风化作用条件下,不同岩石类型所形成的古风化壳类型也不相同。

(1)在物理风化作用下,岩浆岩组成的侵蚀突起与洼地。

岩浆岩类(花岗岩、闪长岩、辉长岩、正长岩)侵蚀突起顶部裂隙发育,多沿岩浆岩原生节理,包括横节理(Q)、纵节理(S)、层节理(L)和区域性两组次生共扼节理发育(图4-20)。此外,隆起顶部岩浆岩破碎剧烈,堆积有大大小小岩石碎块。重力场是一个局部异常,磁场特征也常常是一个局

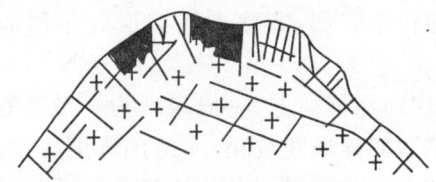

图4-20 岩浆岩类剥蚀顶部裂隙分布

部异常,因而局部重力高与磁异常可作为有利于油气储集空间条件的间接信息。

(2)在物理风化作用下,不同沉积岩类型组成的剥蚀构造隆起与坳陷。

在单斜构造情况下,隆起顶部裂缝,第一是沿层理面发育,第二是沿区域性两组共轭扭性节理及其追踪张裂发育;在褶皱构造中,一般情况,背斜顶部表现为负地形而向斜槽部往往形成隆起;在断层情况下,风化裂缝除了在隆起顶部发育外,而在靠近断层面附近则异常发育。在地震时间剖面上,可以直接提取构造隆起与坳陷的间接信息,有时在重力资料也可以提取反映隆起与坳陷的间接信息,而航磁资料在有些情况下则往往不甚明显。

(3)在化学风化作用及生物化学风化作用下岩浆岩组成的侵蚀突起及洼地。

在化学风化作用及生物化学风化作用过程中,组成岩浆岩的不稳定矿物遭受风化,正长石、斜长石等矿物发生水解,形成粘土矿物,结果使隆起顶部裂缝相对弥合,影响储集物性;另一方面粘土矿物的形成,在地下水的作用下,又可以促进溶蚀作用的发生,形成次生溶孔、溶洞。

(4)在化学风化作用及生物化学作用下,不同沉积岩类型组成剥蚀隆起与坳陷。

灰岩组成的隆起有利形成各种溶洞,孔穴可作为间接信息提取。

2. 从老地层遭受剥蚀后的产状及岩性组合中提取有利于油气储集的间接信息

老地层遭受剥蚀后的产状及岩性组合,只要具备以下4种情况,均可作为有利于油气聚集的间接信息(图4-21)。图4-21A为单斜侵蚀隆起(潜山),具备有储集层和盖层。图4-21B

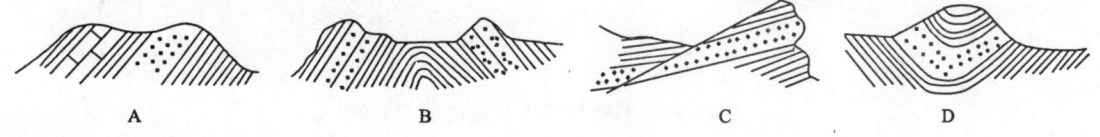

图4-21 剥蚀后产状与岩性组合关系示意图

为背斜侵蚀隆起,两翼具备有储集层和盖层。图 4-21C 为断层侵蚀隆起,具备有储集层和盖层。图 4-21D 为向斜侵蚀隆起,两翼具备有储集层和盖层。

3. 从新地层沉积特征中,提取有利于形成油气储集的间接信息

剥蚀隆起与坳陷之上的新地层,其沉积特征表现如下:

(1)纵向上,一般表现为正旋回性。碎屑颗粒由粗变细,水体由浅水逐渐变为深水,储集层一般位于底部,非渗透性盖层处于顶部(图 4-22)。

(2)在横向上,一般表现为剥蚀隆起或剥蚀构造顶部碎屑颗粒粗,向两侧逐渐变细,水体从隆起向坳陷逐渐加深,因而隆起顶部可成为有利于油气圈闭的间接信息。

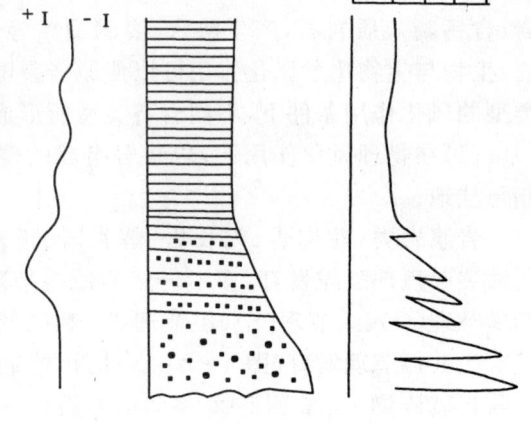

图 4-22 沉积正旋回示意图

4. 从隆起、坳陷与油源区的配置关系中,提取有利于油气聚集的间接信息

(1)单油源与隆起、坳陷的配置。

这里所说的单油源区指的是在剥蚀面以上新地层中具有油源区,而剥蚀面以下老地层中无油源区,或者是指在剥蚀面以上新地层中无油区,剥蚀面以下具有油源区,油气来自深部。

在这两种情况下,油气聚集条件有很大差别。

剥蚀面以上新地层中具有油源区。从剖面图(图 4-23)来分析,油源区处于剥蚀面以上生油坳陷中,油气多数聚集在剥蚀面附近及新地层底部,而剥蚀面以下,虽然也具备储集条件,但有时也不能形成油气藏。在这种情况下,剥蚀面附近及新地层底部的储集条件,便可成为有利油气圈闭的间接信息。

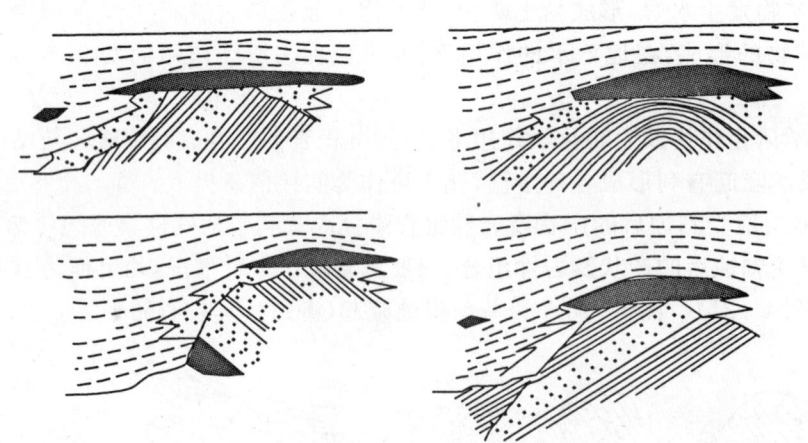

图 4-23 不整合间接参数提取示意图

剥蚀面以下老地层,具有油源区,而剥蚀面以上新地层不具备生油条件。

此时,不仅在不整合面之上可以有油气聚集,而且在不整合面之下老地层中也可以形成地层遮挡油气藏,不整合面之上者,多为次生油气藏。

(2)复式油源与隆起、坳陷的配置。

复式油源是指在不整合面上下新、老地层中,都具有油源区。在这种情况下,不整合面上、下油气聚集规模大,含油柱高,储量丰富,油气藏类型多。

二、直接信息

石油化探指标包括烷烃、紫外和荧光物质,都可作为查明不整合遮挡油气藏的直接信息;另外 K-V 指纹技术所提取的参数也可以直接判断油气藏存在的重要信息;在数字地震资料特殊处理所提取的三瞬参数,以及层速度、剩余速度、剩余速度比等都可作为直接信息。

4.3 综合信息预测数学方法简介

4.3.1 特征分析法

特征分析是一种多元统计方法,该方法在金属矿床预测中的应用较多。它通过对研究区内已知单元的研究,查明地质变量之间的内在联系并确定它们的找矿意义,从而建立起特定类型矿床的定量模式。预测时将预测对象的地质特征与模型对比,用它们的相似程度表示预测对象的成矿可能性,据此圈定出有利成矿的各级远景区,这一方法具体包括以下 4 个步骤。

(1)确定模型区,划分预测单元。根据模型区和预测区的具体地质条件选择与油气聚集(就预测油气而言)有关的变量。一般来说,用有矿单元建立模型,预测单元为网格化面积相等的方块或长方块,选取的变量可以是定性的或定量的,连续的或离散的,可以与预测区比例尺相一致的各种图件中取得,网格的赋值可规定以中心点位置的地质特征值为代表,或用 4 个结点的平均值代替。

(2)将地质变量转换成逻辑变量。将地质变量转换成逻辑变量是多元结构的地质数据应用特征分析的前提,目前用的是布尔转换,即用三态逻辑变量(1,0,-1)来表达不同性质的地质变量,在定义逻辑变量时,应特别强调+1 和-1 必须是逻辑上互相对立的概念,赋值的原则是以变量对油气的有利程度为标准,有利为+1,不利为-1,介于两者之间或情况不明者为 0。对二维连续变量,若二阶方向导数为负值,是高异常,取+1;二阶方向导数为正值,是低异常,取-1;二阶方向导数为 0,为无异常,取值为 0。

(3)建立最优模型公式。一个单元能取得很多地质变量,但就控制油气聚集(或某类油藏)而言,各地质变量的重要性——权是不等的。找到一个含权系数表达式的过程称为建立最优模型公式。最优模型公式是通过模型单元的逻辑变量矩阵而构造的。有 6 种构造方式,从乘积矩阵出发有 3 种,即乘积矩阵代数和法(把乘积矩阵中每行代表一个变量,求每一行的代数和)、乘积矩阵平方和法(将乘积矩阵的每一行视为一个向量,求变量的向量长度)、乘积矩阵主分量法(求出乘积矩阵的最大特征值,用它所对应特征向量的分量作为相应变量的权);从概率矩阵出发有 3 种,即概率矩阵代数和法、概率矩阵平方和法和概率矩阵主分量法,主要是从多个单元中各变量间的匹配概率出发,研究模型中变量与变量之间的依存关系,具体算法与从乘积矩阵出发的对应方法相似。以上 6 种构造方式是从不同角度对模型单元各个变量的相互依存关系进行分析,确定各个变量在控制油气聚集中的重要性——权,一般是选择权大的前 n 个

变量,构成线性组合(最优模型公式):

$$y = \sum_{i=1}^{n} a_i X_i$$

式中:X_i 为变量的三元逻辑值;a_i 为变量的权系数;y 为单元的关联度。

对 6 种算法同时求出权系数,究竟采用哪种算法得出的结果建立最优模型公式为宜,可按下式判别:

$$S_i = \sum_{j=0}^{m} \sum_{k=0}^{5} |a_{ij} - a_{kj}|$$

式中:$k \neq i, j = 0, 1, \cdots, 5; m$ 为变量数;S_i 的大小反映了第 i 种作法误差的大小,因此可作为衡量此种作法的优劣标志,S_i 越小,表示在 6 种作法互相比较中该种作法较好。

(4)预测区评价。将预测单元各变量的三元逻辑值代入最优模型公式,得到各项预测单元对于模型的关联度,y 值越大,说明预测单元的地质特征越接近模型单元地质特征,勘探远景越有利。

4.3.2 模糊评判法

如果地质单元的含油气地质条件决定于 n 种因素,可设集合为:

$$\mu = \{\mu_1, \mu_2, \cdots, \mu_n\}$$

如果含油气地质条件可划分为 m 个级别,可设评价集合为:

$$v = \{v_1, v_2, \cdots, v_m\}$$

u 上的模糊集合 $A = (\mu_1, \mu_2, \cdots, \mu_n)$ 为地质评价因素的权重分配,其中 μ_i 表示第 i 个地质因素在地质单元的含油气地质条件中所起的作用大小。

为了用 n 个因素评价地质单元的含油气性,必须建立集合 u 与集合 v 之间的关系,因而定义从 u 到 v 的一个模糊映射叫单一因素评价。

$$R(U_1) = (r_{11}, r_{12}, \cdots, r_{ij}, \cdots, r_{im}) \quad (i = 1, 2, \cdots, n; j = 1, 2, \cdots, m)$$

矩阵元 r_{ij} 表示从第 i 种因素做出第 j 种可能的评判程度,R 是从 u 到 v 的 n 个模糊映射,叫综合评价的变换矩阵:

$$R = \begin{bmatrix} r_{11} & r_{12} & \Lambda & r_{1m} \\ r_{21} & r_{22} & \Lambda & r_{2m} \\ M & M & O & M \\ r_{n1} & r_{n2} & \Lambda & r_{nm} \end{bmatrix}$$

地质因素权重分配与综合评价变换矩阵的合成称为地质圈闭的综合评价,即:

$$B = A \cdot R$$

式中:黑点为复合运算符号。

与地质圈闭含油性有关的多个控制油气形成的因素之间,可能存在多层次的结构关系,因而对地质圈闭进行综合评价,尚须分层次进行,首先计算最低层次的综合评价 B_{sh}:

$$B_{sh} = A_s \cdot R_{sh} \quad (s = 1, 2, \cdots, g; h = 1, 2, \cdots, q)$$

式中:s 为地质因素的层次;h 为地质单元的编号。

某一层次的计算结果,作为下一层次的综合评价变换矩阵的一行,经过逐层计算后可求得每个地质单元的综合评价 D_h:

$$D_h = B_h \cdot C^T \quad (h=1,2,\cdots,q)$$

4.3.3 神经网络法

BP(Back Propagation)网络主要是利用已知的学习样本集,用误差反向传播算法进行训练并建成网络,其学习分为正向学习和反向传播两个过程。该网络是一种具有多层结构的神经网络,它含有输入层、隐层和输出层,隐层可有多个,对于某一训练样本,可以构造如下目标函数:

$$E_p = \frac{1}{2}\sum_{k=1}^{m}(t_{pk}-O_{pk})^2 \quad (p=1,2,\cdots,n)$$

式中:O_{pk} 为网络的实际输出;t_{pk} 为期望输出;m 为输出层节点数。只要调整连接权值 W,就可以使目标函数达到最小值。如果 BP 网络采用梯度下降法,活化函数为 Sigmoid 的函数,即:

$$f(x)=\frac{1}{1+e^{-x}}$$

输出层与隐层之间的调整权值方法为:

$$\Delta pW_{kj} = -\eta\frac{\partial E}{\partial W_{kj}} = \eta\xi_{pk}O_{pj}$$

$$(k=1,2,\cdots,m; j=1,2,\cdots,n)$$

式中:m 为输出层节点数;n 为隐层节点数;η 为学习率。而:

$$\xi_{pk}=(t_{pk}-O_{pk})(1-O_{pk})O_{pk}$$

隐层与输入层之间调整权值方法为:

$$\Delta pW_{ji} = -\eta\frac{\partial E}{\partial W_{ji}} = \eta O_{pj}(1-O_{pk})O_{pi}\sum_{k=1}^{m}\xi_{pk}W_{kj}$$

$$(i=1,2,\cdots,l)$$

式中:l 为输入层节点数。

为了增加学习的稳定性,减小权值振荡,可用 BP 算法权值修改量上加一个动量项,即:

$$\Delta pW_{ji}(t+1) = \eta\xi_{pk}O_{pi} + a\Delta pW_{kj}(t)$$

$$\Delta pW_{ji}(t+1) = \eta O_{pj}(1-O_{pj})O_{pi}\sum_{k=1}^{m}\xi_{pk}W_{kj}(t) + a\Delta pW_{ji}(t)$$

式中:a 为动量因子($0<a<1$)。

另外,还采用了自适应调整 η 的值,从而加快网络的收敛速度。在误差曲面平缓的区域,η 要大一些,在误差曲面陡变的区域,η 应小一些。在迭代开始时,采用一个小的学习因子,每迭代一步都要考虑总误差值是否下降。

如果 $E(t) \leqslant E(t-1)$,则:

$$\eta(t+1) = a\eta(t) \quad (a>1)$$

$E(t) > E(t+1)$,则:

$$\eta(t+1) = b\eta(t) \quad (0<b<1)$$

SOM(Self-Organizing Map)网络是一种具有自学习功能的神经网络,由两层组成,输入层中神经元在一维空间中排列,而输出层的神经元可以是多维的,并且输出节点广泛互连。输入层节点输出层节点之间经权 W 相连接。通过自适应、自组织学习不断调整权 W,使得网络在稳定时,每一邻域的所有节点对某种输入具有相同的输出。该网络实际上是一种非线性映

射,其学习过程为:

(1)给出初始权向量 $W_i(i=1,2,\cdots,p)$,并选定输出节点的初始邻域的大小。

(2)输入模式,对每个输入向量 $X=(X_1,X_2,\cdots,X_m)$,计算空间距离 d_j:

$$d_j = \sum_{i=0}^{n-1}(X_i - W_{ij})^2$$

式中: X_i 是节点 i 的输入; W_{ij} 是输入节点 i 与输出节点 j 的连接权; n 是输入节点的数目,然后选择满足 $d_j$min 的节点 k。

(3)调整节点 j 和其邻域节点的连接权。

$$W_{ij}(t+1) = W_{ij}(t) + \eta[X_i - W_{ij}(t)] \qquad (j \in k)$$
$$W_{ij}(t+1) = W_{ij}(t) \qquad (j \notin k)$$

式中: η 为衰减因子。

(4)返回到第(2)步,直到满足 $(X_i - W_{ij})^2 < \epsilon$ (ϵ 为确定精度)。

经过自学习后,每个输出神经元仅对固定的一类输入作出响应,响应点的位置在学习过程中逐步变得有秩序,相似输入的响应在空间上靠近,而不相似输入的响应位置是远离的,从而达到分类之目的。

4.3.4 组合熵法

熵是衡量随机现象的不肯定性程度的一个度量。不肯定性程度(随机现象的分布均匀程度)越高,熵值越大。因此,对于仅取有限个(n)值的随机变量 X,熵 $H(X)$ 的定义如下:

$$H(X) = -\sum_{i=1}^{n} p_i \log p_i$$

式中: $p_i = p(X = X_i)$,即为事件等于 X_i 出现的概率。X_i 可以表示一次试验的所有可能的结果,也可以表示某个体系的所有可能状态。并满足:

$$\sum_{i=1}^{n} p_i = 1$$

4.4 应用实例

4.4.1 应用特征分析法预测松辽盆地扶余油层有利勘探区

一、扶余油层油气分布特征及控制因素

到目前为止,在扶余油层已发现 5 个油田(朝阳沟、扶余、新立、木头、新民)和大量工业油气流井点。该油层主要属于低渗透、顶生式成油组合,具有油气藏类型复杂,平面呈环带状分布的特点,这些特点主要受以下几方面因素控制。

首先,油气分布范围受生油区控制。青山口组生油岩生成的油气是扶余油层的主要油源,其主要生油区为齐家-古龙凹陷、乾安-长岭及三肇凹陷,油气以近距离运移为主,扶余油层的油气集中分布在中央坳陷区内,与青一段有利生油区大体接近。

其次,储层的岩相分布控制油气聚集,其物性变化影响油气聚集的程度。泉四段沉积时期,构造运动总的是以区域沉降为主,古地形平缓,泛滥平原沉积面积远大于湖区面积。盆地周边存在着多个物源区,发育北安—讷河、英台—红岗、通榆—保康、怀德—长春、双城—德惠、肇洲—长春岭6个沉积体系,向盆地中心汇聚,在湖区周围以环带状形成了讷河、英台、乾安、扶余、肇洲5个水进浅水三角洲。已发现的油田和工业油气流井恰好位于东部和南部河湖过渡带三角洲平原相区,所以符合河湖过渡带特别是三角洲平原区是油气的主要聚集带的普遍规律。由于油气向下运移有比较苛刻的条件,因此,并不是所有三角洲平原区的砂岩都有高丰度的油气聚集,这还受控于三角洲平原沉积时的区域沉积环境和区域构造背景造成的储层物性的变化。

另外,早于生油岩大量排烃或同期形成的古隆起和阶地,对油气聚集有控制作用,断层对油气运移、富集和成藏都有十分重要的意义。长春岭背斜、扶余-新立凸起都是白垩纪早期形成的,又一直处于隆起上升的趋势,对青一段油气成熟期来说,它们均属于有利的古构造环境,且向凹陷中心倾斜。背斜带上,扶余油层埋藏深度一般不超过500m,背斜带离沉积物源较近,储层物性好,具有得天独厚的油气聚集条件,成为盆地南部最大的含油区。由于扶余油层油源来自上覆青山口组生油层,而又由于陆相沉积砂体的不连续性,给油的垂直向下运移和长距离侧向运移造成了困难。因此,断层特别是同生断层的产生,一方面使青山口组生油岩直接与泉四段砂岩储层发生横向接触,为油气的侧向运移提供了极大方便;另一方面断层及其伴随的许多裂隙为青山口组油气的直接向下运移提供了通道。朝阳沟阶地位于三肇生油凹陷东侧,东北-南西方向断裂发育,也成为重要的油气聚集带。

总之,扶余油层油气分布范围受生油区控制,油气圈闭与沉积、构造等多种因素有关,在平面上大致可分内、中、外3个带,其中,内带位于生油凹陷区的向斜主体部位,以滨、浅湖相沉积为主,油层埋藏深度多在1 800m以下,储层物性甚差,属于大面积岩性油气藏分布区。中带位于生油凹陷区向构造隆起区过渡的阶地上,包括生油凹陷之间的构造隆起带,以三角洲前缘、分流河道沉积为主(包括少量泛滥平原沉积),油层埋藏深度在500~1 800m之间,为复合型油气藏分布区。外带位于含油区边部,泉头组地层隆起较高的背斜带上,三角洲平原及近物源河流相发育,储油砂岩厚度大,油层埋藏深度小于500m,为构造油气藏分布区。

二、特征分析找油模式的建立

经前人计算可知,扶余油层总资源量扣除已探明储量,尚有近40%的油气储量待探明,因此扶余油层仍有一定的资源潜力,尤其是大庆长垣以东地区扶余油层勘探取得重大进展后,西部扶余油层的前景开始引起人们的重视。从西部地区的勘探情况看,勘探要有重大进展,扶余油层取得突破将是一个重要方面。这必然涉及下一步有利勘探区的问题,而以往对油气勘探远景的预测,主要从定性角度出发,采取单一参数的方法。我们从控制油气聚集的多种因素考虑,试图采用多参数-特征分析法对松辽盆地扶余油层进行有利勘探区预测。

按特征分析法步骤,将松辽盆地划为15km×15km的网格,每格(225km²)作为一个预测单元,以新民油田、扶余及新立油田作为模型区,因为这两个油田前者属于复合油气藏类型,后者属于构造油气藏类型,基本上代表了扶余油层油气藏的主要类型。在归纳上述控制油气聚集因素的基础上,选择了7个变量表征油气的聚集条件,结合已知规律性认识提出了相应的布尔转换门槛值(表4-1),在此没有把物性参数列为变量之中,是因为该预测是针对所有类型油气藏而言的,而已有岩性油藏均分布在物性较差、埋深大于1 800m的扶余油层中,可见物性好坏并不是控制油气藏的必要条件。但是,在进一步评价有利区时,物性则是重要考虑对象之一。

表 4-1　扶余油藏特征分析布尔转换门槛值

变量	X_1 沉积相区	X_2 砂地比 (%)	X_3 盖层	X_4 现今局部构造	X_5 与生油凹陷中心距离(km)	X_6 顶底板相对高度(m)	X_7 青一段排烃能力(10^{-6})
1	三角洲	20~40	>40	有	<50	<700	>1 500
0	滨湖 近岸冲泛平原	20~50 10~20	10~40	无	50~100	700~1 300	1 000~1 500
-1	冲积扇 浅湖冲泛平原	<10 >50	<10		>100	>1 300	<1 000

按布尔转换门槛值的规定,将模型区选择的 25 口产油井的若干原始数据变为三元逻辑表达式,组成了 25 个个体。7 个变量的逻辑矩阵(表略),用 6 种算法求出各变量的权系数。比较 S_i 误差大小,认为乘积矩阵平方和法最好,然后依次剔除顶底板高差(成为六变量),顶底板高差及盖层(成为五变量),顶底板高差、盖层及砂地比(成为四变量),分别组成了 25 个个体,六变量、五变量、四变量的逻辑矩阵(略),按七变量同样的算法及比较,求出不同变量数的权系数及最优模型公式(表 4-2)。可以看出:油气聚集受与生油凹陷中心距离,青一段排烃能力影响最大。受所在沉积相区关系次之,而且采用不同变量数计算得权系数大小顺序具有一致性,其他变量影响较小,且不同变量数所得顺序略有差异。

表 4-2　扶余油藏特征分析权系数及最优模型公式

权系数大小顺序	乘积矩阵平方和 (七变量)		概率矩阵代数和 (六变量)		概率矩阵代数和 (五变量)		概率矩阵代数和 (四变量)	
	变量 X_i	权系数(a_i)	变量 X_i	权系数(a_i)	变量 X_i	权系数(a_i)	变量 X_i	权系数(a_i)
1	X_5	0.190 3	X_5	0.123 4	X_5	0.147 1	X_5	0.291 4
2	X_7	0.190 3	X_7	0.123 4	X_7	0.147 1	X_7	0.291 4
3	X_1	0.175 7	X_1	0.105 2	X_1	0.133 1	X_1	0.268 3
4	X_3	0.117 7	X_3	0.898	X_4	0.061 3	X_4	0.148 8
5	X_2	0.114 6	X_2	0.043 5	X_2	0.015 8		
6	X_4	0.109 9	X_4	0.323				
7	X_6	0.101 6						
	$y = \sum_{i=1}^{7} a_i X_i$		$y = \sum_{i=1}^{6} a_i X_i$		$y = \sum_{i=1}^{5} a_i X_i$		$y = \sum_{i=1}^{4} a_i X_i$	

三、扶余油层有利勘探区预测

建立模型公式后,将松辽盆地 660 个预测单元的地质变量从岩相古地理图、地层等厚图、砂岩等厚图、生油岩排烃能力等值线图、扶余油层顶面构造图等图件获取,每一单元的赋值方法为:定量的变量以4个结点的平均值为代表,定性变量(如现今局部构造)按是否在单元中存在赋:"有"或"无"。按模型区的布尔转换门槛值变为三元逻辑表达式,然后依上述4个最优模型公式计算每个单元的关联度,以各预测单元中心点为关联度的代表点,用计算机绘制不同变量数的关联度等值线图(图4-24A、B),油气勘探远景区分类原则,主要参照已知油气井点关联度的下限和无油气井点关联度上限来确定。我们根据已知情况分析,划分4个类别,关联度小于模型最大关联度1/3为不利区,大于1/3、小于1/2为较有利区,大于1/2、小于2/3为有利区,大于2/3为最有利区。按此对不同变量数关联度等值线图进行了划分(表4-3)。在不同变量数关联度等值线图上,圈定的有利区和最有利区有差异,我们把4幅图的有利区和最有

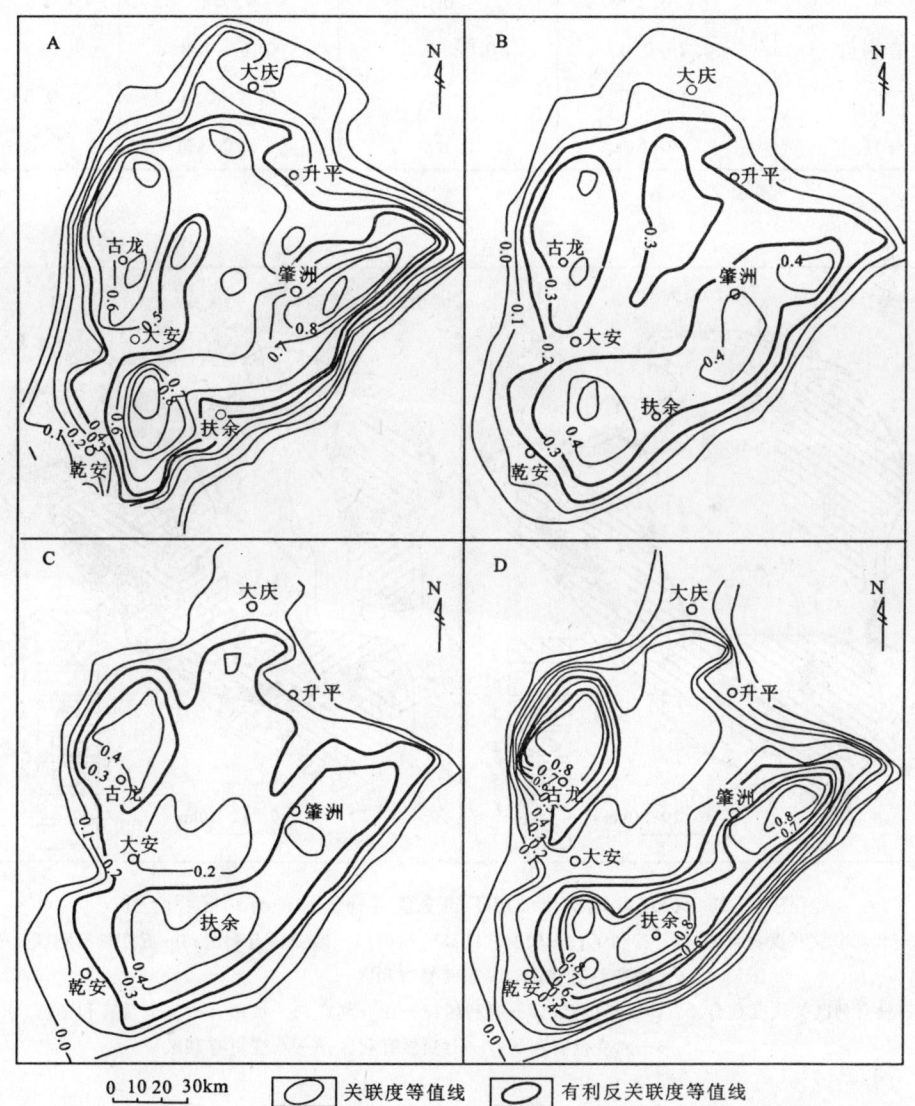

图4-24 松辽盆地扶余油层七至四变量关联度等值线图
A—七变量关联度等值线;B—六变量关联度等值线;C—五变量关联度等值线;D—四变量关联度等值线

利区进行了叠合(图 4-25A、B),在叠合图上还可以进一步划分出相对有利区。从叠合图上可见已知油田都在有利区范围之内,主要油田(朝阳沟、扶余、新民、新立、木头油田)都在最有利区范围之内,我们认为下一步勘探远景区为朝阳沟—扶余北东向延伸带及长垣以西古龙地区,再结合物性分析,认为在西部应优先勘探龙虎泡-大安阶地,南部为华字井阶地中南部,抚-新凸起西部斜坡带及扶余油田东北部。

表 4-3　不同变量数各类别预测关联度门槛值

类别	七变量	六变量	五变量	四变量
不利	<0.2	<0.1	<0.1	<0.3
较有利	0.2~0.4	0.1~0.2	0.1~0.2	0.3~0.5
有利	0.4~0.5	0.2~0.3	0.2~0.3	0.5~0.7
最有利	>0.5	>0.3	>0.3	>0.7

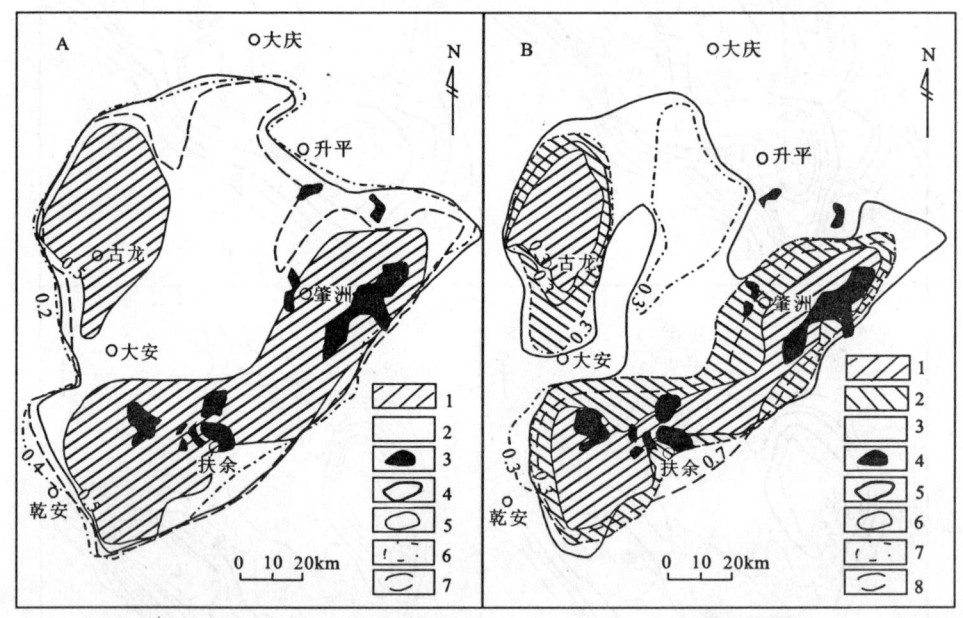

图 4-25　松辽盆地扶余油层不同变量有利区和最有利区叠合图
A—有利区关联度叠合图:1—有利区;2—较有利区;3—油田;4—四变量有利区;5—五变量有利区;
6—六变量有利区;7—七变量有利区
B—最有利区关联度叠合图:1—最有利区;2—有利区;3—较有利区;4—油田;5—五变量有利区;
6—六变量有利区;7—七变量有利区;8—八变量有利区

4.4.2　应用模糊评判法预测伊通断陷及延吉盆地含油气有利勘探区

在伊通断陷中,应用模糊评判法,以五星地区 P 剖面为例,选取地质、物(^{218}Po、Tc、U、Th、

K 能谱测量及地震油气检测，包括剩余振幅比 R_A、剩余频率比 R_f、剩余速度比 R_v 3 个参数)、化(ΔC、吸附烃、发光沥青、Hg)探多参数，采用对各参数权重分配进行调整，确定最佳分配的办法，对剖面上各区段双阳油层的含油性进行了综合评判，其结果与井位吻合较好，进而预测了下步钻探的有利单元。

一、P 剖面各单元含油气评价

按照前面所讲的模糊评判法的步骤，以地震检测、化探异常、放射性和地质四大参数构成因素集 U，将评语分为好、中、差表示地质单元含油气性，构成评价集 V(评语对应等级为 1,0,—1)。

由于该区勘探程度较低，地质因素中各参数都是定性描述的，其中圈闭类型按形态确定评语：背斜的评语为好，半背斜及断块的评语为中，其他类型圈闭为差；储层按沉积相确定评语：扇三角洲前缘相为好，滨浅湖为中，深湖—半深湖及盆地边缘粗碎屑为差；生油条件按地质单元所处生油分区的位置确定评语：处于一类生油区评价为好，处于二类生油区评价为中，处于其他地区时为差。对于有准确数据的地震检测、放射性及化探指标，通过数据变换也转换为相对评语，其中化探及放射性按已有模式及异常值大小转换；地震检测是事先在多口已知油井及干井统计的基础上，以参数剩余值的正负及组合形式进行转化。按上述评语标准，对 P 剖面划分了 15 个单元，分别作出了单元中各参数的评语表(表略)。

根据该区的勘探程度，以及我们对物化探找油气模式和已知油田的分析，认为地质参数是总的评判基础，物化探参数较多，在直接检测油气方面起了重要作用，所以对各大类参数的权重分配难以一次确定。研究者采取以平均权为初始权系数分配(程序自定，四大类的平均权分别为 0.25)，以 0.05 作为步长，依次增加或减少某类参数的权(其和保持为 1)，并分别计算。由于各类参数可分两级，进而给出次一级相应权重分配。对于一些参数不全的情况，相应作了权重调整，将计算结果进行比较，认为表 4-4 的分配与已知油井吻合较好。表 4-5 为 P 剖面各单元的综合评价结果。图 4-26 为 P 剖面地质、物化探参数及综合评价图。

表 4-4 各地质、物化探参数的权重分配表

地震检测	化探异常						放射性		地质条件			
	ΔC	丁烷	乙烷	紫外	荧光	Hg	能谱	^{218}Po	圈闭	储层	盖层	生油
	0.3	0.7	0.2	0.1	0.1	0.1	0.6	0.4	0.4	0.3	0.15	0.15
	0.3	无	无	0.3	0.2	0.2						
0.3		无		0.4	0.3	0.3	0.1		0.3			
					0.6	0.4						
				0.3								
0.3			0.3				无		0.4			
0.4			无				0.2		0.4			
无			0.4				0.2		0.4			
无			无				0.4		0.6			

表 4-5　P 剖面各单元的综合评价结果

排队的序号	单 元	综合评价值
1	4	0.53
2	14	0.22
3	15	0.10
4	12	0.07
5	3	0.05
6	5	0.00
7	2	−0.01
8	13	−0.10
9	8	−0.22
10	1	−0.33
11	11	−0.34
12	10	−0.35
13	9	−0.44
14	7	−0.46
15	6	−0.53

从排队结果来看，P 剖面中第 4 单元为最有利钻探部位，介于刘 1、刘 2 两井之间。由于两井均未钻在有利部位，未获工业油气流，但刘 1 井见油气苗显示，说明有油气的可能。第 14 单元位于盆地西部边缘，为次有利钻探部位。

二、模糊评判法在延吉盆地中的应用

延吉盆地是吉林省东部华力西期花岗岩和古生代地层为基底的中新生代陆相断陷盆地（后期具坳陷特征），其中下白垩统大拉子组地层沉积最厚，可达 1 300 多米。到目前为止，延吉盆地的石油勘探已进入预探阶段，在所钻 9 口井中仅有 4 口井在大拉子组地层中见油气显示，如何选择有利勘探区，降低勘探风险，已成当务之急。为此在对盆地的生油、储集和保存等地质条件分析的基础上，结合地球化学勘探和放射性测量所获得的参数，采用模糊集合的方法，对盆地有利勘探区进行综合预测。实践证明：该方法既可达到对各地质单元的含油气远景定量评价的目的，又具有对参数值精度要求不甚严格的优点。

（一）石油地质基本特征

1. 生油条件

从表 4-6 可以看出，延吉盆地下白垩统大拉子组暗色泥岩、泥页岩为好—较好生油岩，并基本上进入生油的成熟高峰期。

表 4-6　延吉盆地大拉子组生油岩综合评价表

地化指标		北部断隆区		东南断陷区		全盆地平均值
		范围值	平均值	范围值	平均值	
有机碳(%)		0.240～4.633	1.833	0.301～3.423	1.517	1.657
氯仿沥青"A"(%)		0.005 1～0.210	0.062 6	0.003 7～0.216 1	0.068 1	0.066 1
总烃(%)		0.031～0.052	0.042	0.005 8～0.206 1	0.079 7	0.064 4
干酪根	H/C 原子比	0.61～1.17		0.37～1.02		0.67
	O/C 原子比	0.14～0.25		0.07～0.22		0.17
饱和烃/芳烃		2.51～2.54	2.53	0.84～4.71	2.49	2.50
总烃/有机碳(%)		0.695～1.122	0.909	0.232～6.638	2.553	1.895
镜煤反射率(%)		0.43～0.60		0.51～1.38		
OEP		0.62～2.23		0.55～1.141		

4. 综合信息预测方法

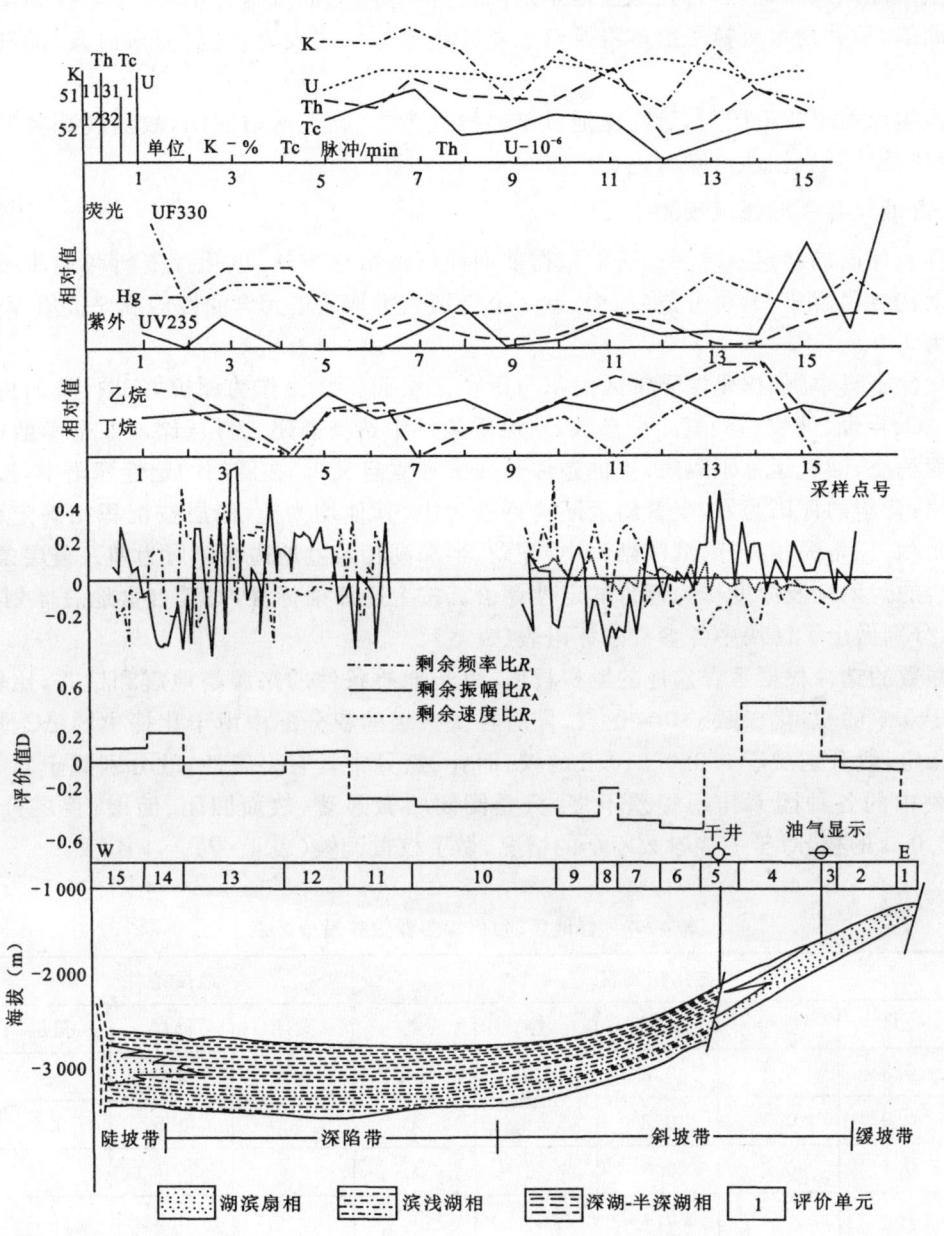

图 4-26 P 剖面地质、物化探参数及综合评价图

2. 储集及保存条件

延吉盆地的储层沉积相主要为扇三角洲水下辫状河道及前缘相,其次为滨浅湖及深水重力流沉积、岩石类型以岩屑及长石砂岩为主,粒度相对较粗,主要为细、中粒砂岩及不等粒砂岩。储层物性在平面具分区性,其中盆地西南及东南部属于中等孔隙度、中渗透率的储层,其他地区多属中低孔隙度、低渗透率储层。

从保存条件看,延吉盆地由于受燕山晚期和喜山期构造运动的影响,地层抬升剥蚀严重,造成中生代地层裸露地表,特别是盆地东南部更为明显,对油气保存不利,相对在朝阳川和清茶馆两凹陷,钻井揭示大拉子组本身及以上龙井组暗色泥岩发育,地层尚未出露,油气保存条件较好。

从地震反射层构造图看,延吉盆地以单斜构造为主,缺乏构造圈闭,故油气藏类型可能以断鼻、断块及地层岩性油气藏为主。

二、含油气有利勘探区预测

各参数评语的确定及单元的选取依据前面介绍的数学方法,以化探资料和地质条件两大组合因素构成因素集 U,将分成好、中、差 3 个级别表示地质单元含油性构成评价集 V(评语对应等级为 1,0,−1)。

在化探资料中,依据化探异常区面积与所在区块面积之比作为评价好、中、差的依据。它共包括 ΔC、重烃、丙烷、钋、氡 5 个参数,从地质条件中选择圈闭、盖层、储层 3 个参数(由于盆地总体面积小,油气运移距离短,生油条件已失去独立意义)。在圈闭的定性评语中,按其形态确定评语:背斜的评语为好,半背斜及断块评语为中,其他均为差;储层按沉积相确定评语:其中扇三角相、三角洲相为好,滨浅湖为中,深湖、半深湖相及盆地边缘碎屑为差。盖层条件主要考虑泥岩的封闭性及厚度作为评价的定性评语。按上述评语标准,对延吉盆地总体划分了 70 个区块,分别做出了区块中各参数的评语表(表略)。

权系数的选择根据延吉盆地的勘探程度,由于地质条件的来源是地震和钻井,比较直观,故而赋于 0.6 的权,化探赋于 0.4 的权,同时在次一级的权分配中由于化探中的 ΔC、重烃、丙烷比较稳定,故分别赋于 0.3、0.3、0.2 的权,而钋、氡异常具有多解性,故分别赋于 0.1 的权,地质条件中的各种因素作用相差不多,只是圈闭略微显著,故而圈闭、储层、盖层分别赋于 0.4、0.3、0.3 的权,对于一些参数不全的情况,做了权重调整(表 4−7)。

表 4−7 各地质、物化探多参数权重分配表

物化探异常					地质条件		
ΔC	重烃	丙烷	钋	氡	圈闭	储层	盖层
0.3	0.3	0.2	0.1	0.1	0.4	0.3	0.3
0.3	0.3	0.3	0.1	无	无	0.5	0.5
0.4	0.3	0.3	无	无			
		0.4					0.6

有利勘探区预测按(·○)乘积求和法分别计算了每一区块的综合评价 B,最后计算出每个区块综合评价值 D(计算机自动实现),进行了次序排队(表 4−8),并作出含油气远景预测图(图 4−27)。

表 4-8　延吉盆地各区块的综合评价结果

排队序号	区块	综合评价值	排队序号	区块	综合评价值
1	32	0.454	36	5	−0.144
2	58	0.416	37	9	−0.144
3	19	0.348	38	15	−0.144
4	37	0.336	39	25	−0.144
5	39	0.32	40	16	−0.176
6	68	0.32	41	28	−0.176
7	33	0.2686	42	46	−0.176
8	56	0.256	43	64	−0.176
9	40	0.208	44	14	−0.132
10	48	0.176	45	22	−0.192
11	36	0.176	46	23	−0.192
12	45	0.176	47	42	−0.208
13	18	0.176	48	43	−0.208
14	34	0.16	49	12	−0.224
15	57	0.16	50	10	−0.24
16	13	0.144	51	30	−0.24
17	30	0.095	52	27	−0.24
18	26	0.05	53	44	−0.273
19	47	0.058	54	55	−0.288
20	36	0.052	55	7	−0.304
21	21	0.024	56	8	−0.304
22	3	0.016	57	50	−0.32
23	41	0.016	58	63	−0.32
24	23	0	59	70	−0.32
25	67	0	60	66	−0.32
26	1	−0.015	61	17	−0.352
27	53	−0.064	62	51	−0.416
28	54	−0.064	63	52	−0.432
29	61	−0.064	64	49	−0.464
30	62	−0.064	65	4	−0.464
31	24	−0.08	66	59	−0.464
32	11	−0.08	67	40	−0.56
33	2	−0.112	68	45	−0.56
34	59	−0.12	69	6	−0.656
35	58	−0.128	70	20	−0.656

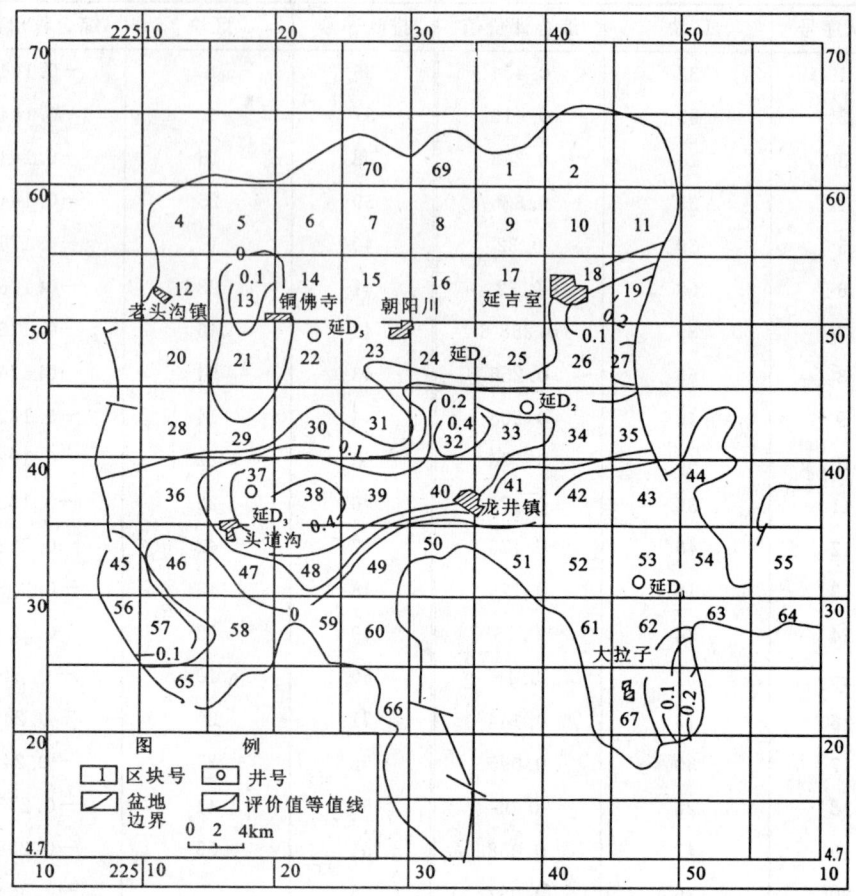

图 4-27 延吉盆地含油气远景预测图

(三) 结论及存在问题

从图 4-27 可看出,延吉盆地有利勘探区分 3 个区块,其中最大的区块为头道至延吉市呈北东向展布的带状,最有利勘探区位于龙井县北部,这一结果与以往"最有利勘探区是朝阳川凹陷西北部"的认识有所不同。另外,在盆地东南部经野外地质调查发现了推覆构造(大拉子组地层被二叠纪地层掩盖),本次预测的结果同时揭示了在推覆片体下找油的新领域。由于延吉盆地的勘探程度较低,地质因素中各参数都是定性描述的,尤其沉积相的研究较粗,大都来源于地震相的转换,另外各参数的权重分配带来一定人为性。这些都会对预测结果产生影响,有待进一步改进。

4.4.3 应用神经网络法及组合熵预测含油气有利勘探区

本实例中,研究者选择了松辽盆地东岭构造作为实验区进行探索。选取低能吸附烃、放射性测氡及土壤热释光 3 类参数进行了优化组合,利用人工神经网络并计算了组合熵,然后对各值采用泛克里格法求取异常,取得了良好的效果。

一、神经网络异常的确定及特征

中国石油化工集团东北石油局于 1998 年 3 月在松辽盆地南部东岭断鼻构造的顶部施工了 SN101 井,在泉一段、登娄库组、营城组及火石岭组见到了多层较好的油气显示,并于营城组中部获油气突破。随后施工了 SN108、SN109、SN110 井,在 SN108 井的泉三段获气水同层,证实了东岭构造是一个含油气构造。在该地区 45km^2 范围内选择了低能吸附烃、放射性测氡及土壤热释光进行优化组合,并开展物化探精查测量工作(测网密度为 0.250km×0.250km)。

利用研究区已知 3 口井的测试结果(经过校正),其中 SN101 井为气井;SN108 井以气为主,产少量水,为气水同层;SN110 井为水井。作为学习样本,采用 3 层 BP 网络,其输入层、隐层和输出层的节点数分别为 6、12、1,在对所有参数归一化的基础上,进行了油气预测(图 4-28)。从预测结果来看,有利区呈 3 个近南北向条带,SN101 井、SN108 井、SN109 井位于最有利区范围内,而 SN110 井位于不利区范围内,与钻探实际资料相吻合。尽管该区已知探井数较少,但类型较全,作为勘探初期的预测是可行的。

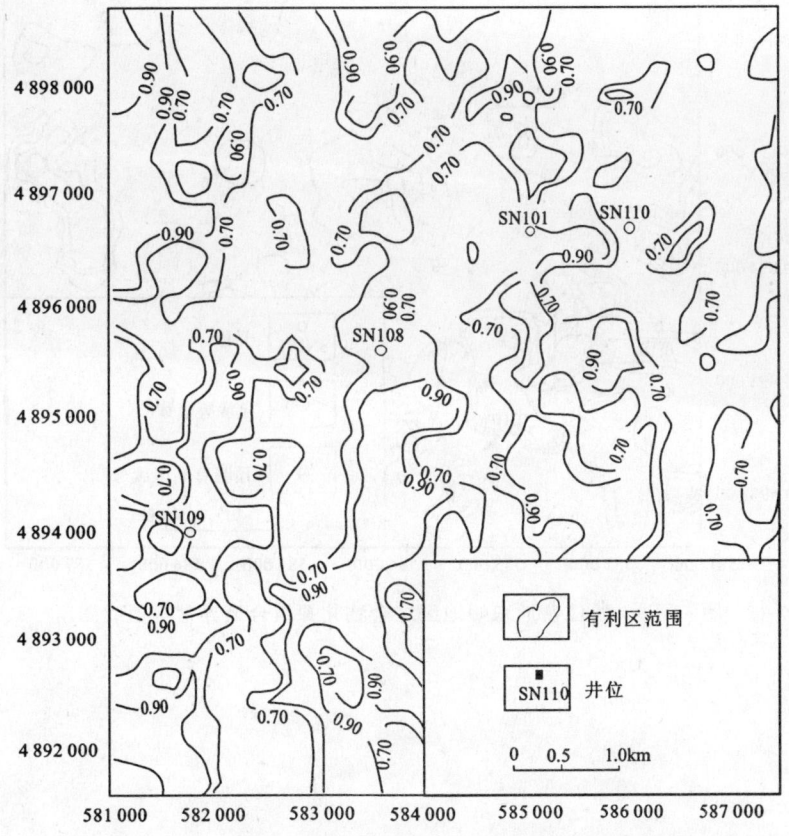

图 4-28 松辽盆地东岭构造物化探神经网络油气预测等值线图

二、组合熵异常的确定及特征

在对各参数进行归一化处理的基础上,计算组合熵,然后用泛克里格法求异常(图 4-

29),其中组合熵预测效果较好,高值组合熵形成环状异常,环状异常内为有利勘探区,其中已知气井 SN101 及气水井 SN108 落在该区域内。根据已知气井的情况,高值组合熵内低值弱异常是最有利的勘探区,进而确定了 2 个有利钻探部位。另外,从成藏动力学模拟结果可知,嫩江组沉积末期有油气聚集,该时期营城组顶面在 SN101 井以西、SN108 井以西及以南古鼻状构造发育,紧临生油气洼陷,也是油气运移的指向区,构造的形成期与排烃期匹配较为有利,且嫩江组顶面断层少,对油气保存有利,为最有利的勘探区,所以确定的 2 个有利钻探部位可信度较高。

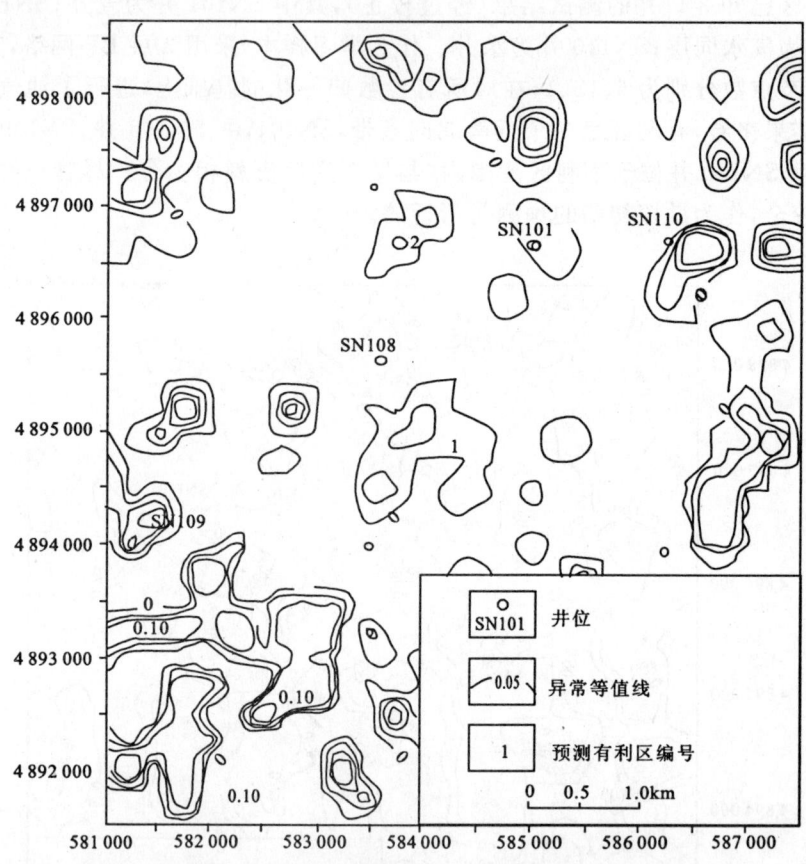

图 4-29 松辽盆地东岭地区综合物化探组合熵异常等值线图

参考文献

陈纲花等.1996,河流沉积微相与测井相研究.测井技术,5(20):335～340
陈立官主编.1983,油气田地下地质学.北京:地质出版社
陈荣.1993,油气化探中吸附丝法获得的指纹及其应用.石油勘探与开发,20(2):41～45
程军等.1999,油气化探理论、方法与应用.安徽地质,9(3):204～208
程军等.2000,油气垂向微运移的证据及特点.石油与天然气地质,21(3):236～240
程军,赵克斌等.2002,化探在油气勘查中的作用与意义.石油实验地质,24(2):158～163
程同锦等.1999,烃类运移的近地表显示与地球化学勘探.北京:石油工业出版社
程志纯.1989,化探在我国石油普查勘探中的应用与成就.石油与天然气地质,9(3):283～290
楚译涵.1987,声波测井原理.北京:石油工业出版社
丁明海等.2002,自然电位曲线异常原因分析.大庆石油地质与开发,21(5):52～55
杜奉屏主编.1984,油矿地球物理测井.北京:地质出版社
冯晓双,李贵友.1999,热释烃技术在油气化探中的应用.石油实验地质,21(1):91～94
葛君伟,贾文懿等.1994,寻找油气藏的放射性方法技术及应用.石油物探,33(1):10～17
管志宁.1997,我国磁法勘探的研究与进展.地球物理学报,40(增):299～307
郭少斌等.1992,物化探多参数在小合龙地区找油中的应用.长春地质学院学报,22(4):460～464
郭少斌等.1992,模糊评判法在地质物化探多参数评价油气藏中的应用.石油勘探与开发,19(增):106～111
郭少斌等.1994,利用特征分析法预测松辽盆地扶余油层有利勘探区.石油实验地质,16(2):157～163
郭少斌等.1994,利用模糊评判法预测延吉盆地油气有利勘探区.长春地质学院学报,24(3):321～326
郭少斌等.2000,物化探综合信息油气预测研究.石油实验地质,22(1):71～73
郭少斌等.2002,非地震综合物化探油气预测.现代地质,16(4):414～417
郝石生.1994,油气地球化学勘探方法与应用.北京:石油工业出版社
何樵登等.1991,地球物理应用教程——地震勘探.北京:地质出版社
黄隆基.1985,放射性测井原理.北京:石油工业出版社
黄绪德.2004,地震勘探直接找油气在国外的最新发展.勘探地球物理进展,27(3):218～227
黄智辉.1986,地球物理测井资料在分析沉积环境中的应用.北京:地质出版社
黄仲良.1999,石油重磁电法勘探.东营:石油大学出版社
冀连胜,史付生.2001,重、磁力方法在石油勘探中的应用效果.石油地球物理勘探,36(3):326～333
贾国相.2000,油气综合化探工作方法研究(二)(采样、加工、条件试验).矿产与地质,14(增):436～443
贾国相,栾继琛等.2000,油气综合化探新方法发展前景.矿产与地质,14(增):450～455
贾进斗,孔繁恕.2001,不同油气勘探阶段的非地震勘探技术.石油地球物理勘探,36(4):444～450
贾进斗,何展翔等.1998,非地震综合物化探技术应用及效果.石油地球物理勘探,33(5):625～630
江汉石油学院测井教研室.1981,测井资料解释.北京:石油工业出版社
冷福荣等.2000,地表油气化探技术方法及其应用.内蒙古地质,(4):25～38
李景朝.1998,多参数油气地球化学异常评价方法及其应用效果.长春科技大学学报,28(3):288～295
李舟波主编.1986,钻井地球物理勘探.北京:地质出版社
刘宝珺.1980,沉积岩石学.北京:地质出版社
刘崇禧.2001,中国油气化探40年.北京:地质出版社
刘崇禧等.2000,油气化探的经验与教训.油气化探,7(4):1～20

刘崇禧等.1992,油气化探方法与应用.合肥:中国科学技术大学出版社
刘崇禧.1995,油气化探文集.北京:地质出版社
刘庆生等.1999,非常规综合物化探方法寻找油气藏基础理论研究中的几个问题.中国地质大学学报,
    24(6):613~616
陆基孟.1993,地震勘探原理.东营:石油大学出版社
马金龙等.2001,柴达木盆地葫芦山构造的多参数化探检测.石油与天然气地质,22(3):282~283
马正.1994,油气测井地质学.武汉:中国地质大学出版社
裴雪林,郭万松.1995,高精度重力勘探技术在国内外的应用.断块油气田,2(5):7~11
漆家福等.2001,关于编制盆地构造演化剖面的几个问题的讨论.地质评论,17(1):388~392
阮天健,费琪.1991,石油天然气地球化学勘探.武汉:中国地质大学出版社
孙春岩等.2001,井中油气化探等多元信息模式识别与应用.现代地质,15(4):445~449
谭廷栋著.1997,测井解释粘土矿物现代石油测井论文集.北京:石油工业出版社
谭廷栋等.1998,测井学.北京:石油工业出版社
汤玉平,丁湘玉.1997,井中油气化探异常模式及现场快速评价系统.物探化探计算技术,19(2):158~162
汤玉平等.2000,油气藏上方不同部位地球化学效应的差异性及其成因讨论.石油勘探与开发,27(1):
    38~40
王宝仁等.1998,直接寻找油气田的土壤综合物性勘探方法技术.地质科技情报,17(1):79~84
王芳.2004,重磁勘探方法新技术.地质与资源,13(3):184~186
王平,李舟波等.1995,地表放射性异常与地下油气藏关系研究.现化地质,10(2),267~277
王平,熊盛青.1997,油气放射性勘查原理方法与应用.北京:地质出版社
王启军,陈建渝.1984,石油地球化学.北京:石油工业出版社
王慎中.1994,物探资料综合解释.北京:石油工业出版社
王燮培等.1990,石油勘探构造分析.武汉:中国地质大学出版社
王渝明等.2001,陆相沉积地层油层对比方法.北京:石油工业出版社
王晓红.1996,激电法在西北某油田上的应用效果.物探与化探,20(1):64~70
吴爱军等.2000,松辽盆地南部井下油气化探应用研究.天然气地球科学,11(4~5):22~26
徐怀大等.1990,地震地层学解释基础.武汉:中国地质大学出版社
杨丙中,郭少斌等.1992,多参数油气预测与评价.长春:吉林大学出版社
杨育斌等.1995,油气地球化学勘查.武汉:中国地质大学出版社
姚锦琪等.2000,柴达木盆地油气田上的化探试验效果.矿产与地质,14(增):613~617
姚俊梅,夏响华.2000,松辽盆地南部油气化探方法技术研究.物探与化探,24(6):418~424
尹寿鹏,王贵文.1999,测井沉积学研究综述.地球科学进展,14(5):440~445
雍世和等.1982,测井资料综合解释与数字处理.北京:石油工业出版社
尤征,杜旭东等.2000,成像测井解释模式探讨.测井技术,24(5):393~398
俞军等.2005,高含水期地层水电阻率求取方法.北京大学学报(自然科学版),41(4):536~541
于民凤等.2005,陆相盆地主要沉积微相的测井特征.世界地质,24(2):182~187
袁照令.2000,油气勘探中的高精度重磁方法.武汉:中国地质大学出版社
张庚骥.1984,电法测井.北京:石油工业出版社
张守谦,李占诚.1981,石油地球物理测井.北京:石油工业出版社
张永华等.2001,断层封堵性的应用研究.石油物探,40(4):83~88
赵鹏大,陈永清等.1999,地质异常成矿预测理论与实践.武汉:中国地质大学出版社
中国石油天然气集团总公司油气储层重点实验室编.2002,陆相层序地层学应用指南.北京:石油工业出
    版社

参考文献

中国石油天然气集团总公司勘探局编.1998,层序地层学原理及应用.北京:石油工业出版社

朱怀平,李武等.2004,油气化探技术在隐蔽油气藏勘探中的作用.石油与天然气地质,25(3):344~348

欧阳健译.1991,测井地质学在油气勘探中的应用.北京:石油工业出版社

Leonid Eventov 等著,陈伟译.1997,磁法在油气勘探中的应用.石油物探译丛,(6):76~81

Faber and Stahl W. 1984, Geochemical surface exploration for hydrocarbons in North Sea. AAPG Bulletin, 68(3):363~386

Gerry G. Calhoun et al. 1992, Surface fluorescence method can identify potential oil pay zones in Permian Basin. Oil & Gas Journal, 90(39):96~100

Horvitz L. 1980, Near-surface evidence of hydrocarbon movement from depth. AAPG Bulletin, 5(6):925~940

Jones V. T. and Drozd R. J. 1983, Predictions of oil and gas potential by near-surface geochemistry. AAPG Bulletin, 67(6):932~952

Klusman R. and Saeed M. 1996, Comparison of light hydrocarbon mechanisms, in Schumacher D. and Abrams M., Hydrocarbon Migration and its Near-surface Expression. AAPG Memoir 66, 157~168

Leythaeuser et al. 1983, Diffusion of light hydrocarbons in subsurface sedimentary rocks. AAPG Bulletin, 67(6):889~895

Michael A. Abram. 1996, Interpretation of methane carbon isotopes extracted from surficial marine sediments for detection of surface hydrocarbons, in Schumacher D. and Abrans M. A., Hydrocarbon Migration and its Near-surface Expression. AAPG Memoir 66, 309~318

Potter II, R. W., P. A. Harrington et al. 1996, Significance of geochemical anomalies in hydrocarbon exploration, in Schumacher D. and Abrams M. A., Hydrocarbon Migration and its Near-surface Expression. AAPG Memoir 66, 431~439

Price L. C. 1986, A critical review and proposed working model of surface geochemical exploration, Davidson M. J., ed., Unconventional methods in exploration for petroleum and natural gas IV: Dallas, Southern Methodist University Press

Ruan Tianjian et al. 1991, Hydrostripping of absorbed hydrocarbons in soil samples - a new method in geochemical explorations for oil and gas. Journal of Southeast Asian Earth Sciences, 5(4):5~7

Saenz G. and Pingitore N. E. Jr. 1989, Surface organic geochemical prospecting for hydrocarbons: multivariate analysis. Journal of Geochemical Exploration, 34:337~349

Saunders D. F. et al. 1999, Model for hydrocarbon microseepage and related near-surface alterations. AAPG Bulletin, 83(1):170~185

Tissot B. P. 1984, Recent advances in petroleum geochemistry applied to hydrocarbon exploration. AAPG Bulletin, 68(5):545~562

Xie Xuejing and Yang Bingzhong. 1989, Application of multi-parametric geochemical methods in the search for oil in the Qinggang region near Daqing Oil Field. Journal of Geochemical Exploration, 33:203~213